W0178991

**BUNDESSTIFTUNG
MAGNUS
HIRSCHFELD**

lpb

Landeszentrale für politische Bildung
Baden-Württemberg

Schriften zur politischen Landeskunde
Baden-Württembergs

Band 50

Herausgegeben von der Landeszentrale
für politische Bildung Baden-Württemberg

Martin Cüppers und Norman Domeier (Hrsg.)

Späte Aufarbeitung

LSBTTIQ-Lebenswelten im deutschen Südwesten

Landeszentrale für politische Bildung
Baden-Württemberg

Diese Veröffentlichung stellt keine Meinungsäußerung der Landeszentrale für politische Bildung Baden-Württemberg dar. Für die inhaltlichen Aussagen tragen die Autor_innen die Verantwortung.

Umschlagphoto: www.istockphoto.com (Marija Radovic)

1. Auflage 2018

Verlag W. Kohlhammer GmbH
in Verbindung mit der Landeszentrale
für politische Bildung Baden-Württemberg
Alle Rechte vorbehalten
© 2018 Verlag W. Kohlhammer GmbH, Stuttgart

Gesamtherstellung: W. Kohlhammer GmbH, Stuttgart

Print:
ISBN 978-3-945414-47-7

E-Book-Formate:
epub: ISBN 978-3-945414-48-4
mobi: ISBN 978-3-945414-49-1

D er vorliegende Band geht auf eine Fachtagung zurück, die am 27. und 28. Juni 2016 unter dem Titel *Späte Aufarbeitung. Lebenswelten und Verfolgung von LSBTTIQ-Menschen im deutschen Südwesten* im Tagungszentrum „Haus auf der Alb" in Bad Urach stattgefunden hat. Die Kooperationspartner bei dieser Tagung waren die Bundesstiftung Magnus Hirschfeld, das Institut für Zeitgeschichte München-Berlin, die Universität Stuttgart, das Netzwerk LSBTTIQ Baden-Württemberg und die Landeszentrale für politische Bildung Baden-Württemberg. Der inhaltliche Fokus der Tagung lag auf der Stigmatisierung, Ausgrenzung und Verfolgung von LSBTTIQ-Menschen (Lesben, Schwule, Bisexuelle, Transgender, Trans- und Intersexuelle sowie queere Menschen) *nach* 1945 in der Bundesrepublik Deutschland. Für das vorliegende Buch wurde die Perspektive zeitlich und inhaltlich erweitert. Damit liegt erstmals für Baden-Württemberg und seine Vorgängerländer ein wissenschaftlich fundiertes Werk vor, das die Verfolgung nach § 175 Reichsstrafgesetzbuch (RStGB, bis 1953) bzw. Strafgesetzbuch (StGB) umfassend thematisiert. Von besonderer Bedeutung ist dies auch, weil sich im Lauf der Forschungen der letzten Jahre erwiesen hat, dass die südwestdeutschen Behörden bei der juristischen Verfolgung und Verurteilung nach § 175 StGB im Vergleich der bundesdeutschen Länder nach 1945 durchaus eine − im negativen Sinn − „Vorreiterrolle" eingenommen haben.

In letzter Zeit hat sich die Rechtsetzung in Bezug auf nichtheterosexuelle Menschen dynamisch verändert. Im Juli 2017 trat ein Gesetz in Kraft, mit dem die Urteile, die aufgrund des § 175 StGB gefällt worden waren, pauschal legislativ aufgehoben wurden. Die verurteilten schwulen Männer können beim Staat einen Antrag auf Entschädigung stellen. Kurz zuvor hatte der Bundestag der sogenannten „Ehe für alle" zugestimmt, und im November 2017 hat das Bundesverfassungsgericht ein drittes Geschlecht für den Eintrag im Geburtenregister gefordert und den Gesetzgeber aufgefordert, bis Ende 2018 hierfür eine Neuregelung zu schaffen. Dies sind Meilensteine bei der rechtlichen Gleichstellung von LSBTTIQ-Menschen, wenngleich dieser

Prozess noch längst nicht abgeschlossen ist. Vor allem will dieses Buch auch einen Beitrag dazu leisten, der fortdauernden gesellschaftlichen Diskriminierung von LSBTTIQ-Menschen in unserer Gesellschaft entgegenzuwirken.

Unser herzlicher Dank für das Gelingen dieses Projektes geht an die beiden Herausgeber Martin Cüppers (Ludwigsburg) und Norman Domeier (Stuttgart) sowie an die Autor_innen des Bandes. Darüber hinaus danken wir allen erwähnten Kooperationspartnern sowie den zahlreichen ehrenamtlich Engagierten, die in ganz unterschiedlichen Zusammenhängen grundlegende Forschungs- und Aufklärungsarbeit leisten. Ohne die großzügige Unterstützung der Bildgeber wäre es nicht gelungen, dieses Buch attraktiv zu gestalten. Unser Dank geht hier an alle, die daran mitgewirkt haben, vor allem aber an das Staatsarchiv Ludwigsburg. Robert Boden und Carina Moser aus Tübingen danken wir für die sorgsame Arbeit an den Texten und dem Verlag W. Kohlhammer für die gewohnt professionelle Zusammenarbeit.

Stuttgart, im April 2018

Lothar Frick
Direktor der Landeszentrale
für politische Bildung

Jörg Litwinschuh
Geschäftsführender Vorstand der
Bundesstiftung Magnus Hirschfeld

Prof. Dr. Reinhold Weber
Leiter der „Schriften zur politischen
Landeskunde Baden-Württembergs"

Geleitwort

Späte Aufarbeitung — der Titel dieses Buches bringt es auf den Punkt. Sowohl juristisch als auch wissenschaftlich hat sich die Bundesrepublik Deutschland spät mit der Aufarbeitung der Geschichte der Opfer des Strafrechtsparagraphen 175 auseinandergesetzt, der seit 1871 bestand und homosexuelle Handlungen unter Strafe stellte.

Bis zur Strafrechtsreform im Jahr 1969 galt in der Bundesrepublik Deutschland der sogenannte „Schwulenparagraph" in seiner verschärften Fassung aus der Zeit des nationalsozialistischen Unrechtsregimes. Zwischen 1945 und 1969 wurden bundesweit rund 100 000 Ermittlungen eingeleitet, etwa die Hälfte davon führte zu Verurteilungen. Mit — nach heutigem Forschungsstand — annähernd 20 000 Ermittlungsverfahren und über 7000 Verurteilungen seit 1945 nahm Baden-Württemberg dabei eine Vorreiterrolle bei der strafrechtlichen Verfolgung von homosexuellen Männern ein. Diese gesellschaftliche Ausgrenzung und juristische Verfolgung stellte einen nicht gerechtfertigten Eingriff in die individuelle Lebensgestaltung der Betroffenen dar. Schon die Eröffnung eines Ermittlungsverfahrens konnte die gesamte bürgerliche Existenz vernichten: Ende der Karriere, Verlust des Arbeitsplatzes oder Entlassung aus dem Beamtenverhältnis. Die strafrechtliche Verfolgung hat die Existenzen Tausender schwuler Männer vernichtet.

Nach einem langwierigen Prozess der schrittweisen Strafrechtsreform wurde der Paragraph 175 im Jahr 1994 ersatzlos gestrichen. Damit fand die über 120 Jahre währende strafrechtliche Verfolgung von Homosexuellen ein Ende, aber bis zu einer vollständigen Rehabilitierung und Entschädigung der Opfer vergingen nochmals 23 Jahre. Im Juni 2017 verabschiedete schließlich der Deutsche Bundestag ein Gesetz zur Aufhebung der Urteile, die aufgrund des Paragraphen 175 StGB gefällt worden waren, sowie zur Entschädigung der wenigen noch lebenden Verurteilten. Diese Regelung kam spät und für viele Opfer, die bereits gestorben waren, zu spät. Zudem ging vielen die Entschädigung nicht weit genug.

Die Devise „besser spät als nie" ist hier leider nur ein kleiner Trost — auch wenn sich unsere Demokratie ein weiteres Mal als lernende Demokratie erwiesen hat. Und es gilt zu betonen, dass das Bundesgesetz vom Sommer 2017 keine „Wohltat" des Staates ist, sondern die (verspätete) Umsetzung menschenrechtlicher Verpflichtungen. Denn der Europäische Gerichtshof für Menschenrechte hat die Bestrafung einvernehmlicher homosexueller Handlungen unter Erwachsenen als Verstoß gegen die Europäische Menschenrechtskonvention eingestuft. Bereits im Dezember des Jahres 2000 stellte der Deutsche Bundestag in einer einstimmig getroffenen Entschließung fest, „dass durch die nach 1945 weiter bestehende Strafdrohung homosexuelle Bürger in ihrer Menschenwürde verletzt worden sind". Mit der Öffnung der Ehe für gleichgeschlechtliche Paare, der sogenannten „Ehe für alle", wurde ebenfalls im Jahr 2017 ein Meilenstein auf dem Weg zur Gleichstellung gesetzt.

Auch der Landtag von Baden-Württemberg hat sich zum Unrecht bekannt, das im Namen des Paragraphen 175 gesprochen wurde. Im Oktober 2014 hat das Landesparlament mit einer Entschließung ein Zeichen für die Rehabilitierung verurteilter homosexueller Männer gesetzt und sich bei den Opfern für das erlittene Unrecht entschuldigt. Gleichzeitig wurde der Beschluss gefasst, die strafrechtliche Verfolgung nach Paragraph 175 auch wissenschaftlich aufzuarbeiten und entsprechende Forschungsprojekte zu unterstützen. Dabei geht es zum einen um die Aufarbeitung der Verfolgung von homosexuellen Männern in der Zeit des Nationalsozialismus, zum anderen aber auch generell um die Unterdrückung und Verfolgung von Lesben, Schwulen, Bisexuellen, Transgender, Trans- und Intersexueller sowie queerer Menschen (LSBTTIQ). Das wissenschaftliche Projekt *LSBTTIQ in Baden und Württemberg. Lebenswelten, Repression und Verfolgung im Nationalsozialismus und in der Bundesrepublik Deutschland* mit drei separaten Modulen ist beim Ministerium für Wissenschaft, Kunst und Kultur angesiedelt. Ein Online-Portal mit umfangreichen Informationen wurde bereits 2016 unter der Leitung des Sozialministeriums veröffentlicht (www.lsbttiq-bw.de).

Wir begrüßen es außerordentlich, dass die Landeszentrale für politische Bildung Baden-Württemberg (LpB) im Juni 2016 ebenfalls unter dem Titel *Späte Aufarbeitung* in ihrer Tagungsstätte „Haus auf der Alb" in Bad Urach eine Fachtagung zu den historischen Lebensrealitäten und insbesondere der Verfolgung nichtheterosexueller Menschen durchgeführt hat. Kooperationspartner waren dabei die Bundesstiftung Magnus Hirschfeld, die Universität Stuttgart, das Institut für Zeitgeschichte Berlin-München sowie das Netzwerk LSBTTIQ Baden-Württemberg. Auf der Basis dieser Tagung kann die LpB nun in ihrer renommierten Schriftenreihe einen Band vorlegen, der zur Aufarbeitung der Geschichte des Strafrechtsparagraphen 175 und der Diskriminierung von Menschen, die nicht der heterosexuellen Norm und bzw.

oder dem traditionellen Leitmuster von „Mann und Frau" entsprechen, einen wesentlichen Beitrag leistet. Dass der Fokus dabei auf dem deutschen Südwesten liegt, ist besonders wichtig, denn erstmals liegt damit für Baden-Württemberg ein umfassendes Werk dieser Diskriminierungs- und Verfolgungsgeschichte vor. Dabei ist es den Herausgebern gelungen, nicht nur ein breites thematisches Feld abzustecken, sondern auch Autor_innen sowohl aus der Wissenschaft als auch aus der ehrenamtlich engagierten Zivilgesellschaft zu gewinnen. Damit wird auch deutlich, in welcher gesellschaftlichen Breite an diesem Thema inzwischen gearbeitet und geforscht wird. Angesichts der Tatsache, dass die Vielfalt sexueller Orientierungen in unserer Gesellschaft keinesfalls auf uneingeschränkte Akzeptanz stößt und dass homophobe Einstellungen in der Gesellschaft festzustellen sind, ist die Bedeutung dieses Buches nicht hoch genug einzuschätzen.

Stuttgart, im April 2018

Brigitte Lösch MdL (Bündnis 90/Die Grünen)
Christine Neumann-Martin MdL (CDU)
Daniel Born MdL (SPD)
Jürgen Keck MdL (FDP/DVP)

Inhaltsverzeichnis

11

Regionale Beispiele

Forschung und Vermittlung

Aktuelle Entwicklungen

13

Einleitung

„Surprise! — Es gibt doch mehr als zwei Geschlechter / Wirf' ein' Blick in die Natur und du weißt, wer Recht hat / Männchen vögeln Männchen, Weibchen lieben Weibchen / Lasst uns die Menschen öfter mit Tieren vergleichen."

So textet die Rapperin Sokee in ihrem Song *Queere Tiere* und bringt damit die Absurdität einer Haltung auf den Punkt, die Liebe und Sexualität normieren will und dabei behauptet, gleichgeschlechtliche Beziehungen zwischen Frauen oder Männern seien „wider die Natur". Die Durchsetzung zwangsheterosexueller Normen zum patriarchalen Machterhalt hat Jahrhunderte der Menschheitsgeschichte mitbestimmt und ungezählte Opfer und unermessliches Leid hervorgerufen. Im Kampf gegen die fortdauernden Auswirkungen dieser Entwicklungslinien haben Betroffene und Aktivist_innen in Deutschland in jüngerer Zeit und insbesondere im Jahr 2017 beachtliche Erfolge erzielt. Auch wir freuen uns als Mitveranstalter der Tagung *Lebenswelten und Verfolgung von LSBTTIQ-Menschen in Baden und Württemberg vom 19. Jahrhundert bis in die Bundesrepublik*, die am 27. und 28. Juni 2016 im „Haus auf der Alb" in Bad Urach stattgefunden hat und aus der heraus der vorliegende Sammelband hervorgegangen ist, Teil dieses dynamischen gesellschaftlichen und politischen Prozesses zu sein. Heiß diskutierte Themen wie die „Ehe für alle" sind inzwischen Realität, was selbst die optimistischsten Tagungsteilnehmer_innen in dieser Realisierungsgeschwindigkeit nicht für möglich gehalten hätten.

Im Hinblick auf die Vergangenheitsaufarbeitung der jüngeren deutschen Geschichte hat diese Tagung wichtige Impulse für den politischen Prozess geliefert. Der Fachbeirat der Bundesstiftung Magnus Hirschfeld veröffentlichte anlässlich der Tagung seine *Uracher Erklärung,* die im Anschluss an diese Einleitung abgedruckt ist. Dieser Text konnte sogar den Gesetzgebungsprozess im Bundestag beeinflussen. So wurde in der Begründung zum Gesetzentwurf des Bundesjustizministeriums ausdrücklich auf die Erklärung und die dort genannte Zahl der Verurteilungen verwiesen (BT-Drucks. 18/12038, S. 12). Der Bundestag hat schließlich am 23. Juni 2017, gut ein Jahr nach der Uracher Tagung, das *Gesetz zur strafrechtlichen Rehabilitie-*

rung der nach dem 8. Mai 1945 wegen einvernehmlicher homosexueller Handlungen verurteilten Personen (StrRehaHomG) beschlossen. Auch hier ist die Geschwindigkeit des politischen Prozesses beachtlich. Auch wenn nicht jede_r Betroffene und jede_r Aktivist_in mit dem politischen Kompromiss, den das Gesetz darstellt, zufrieden sein wird, kann es doch im historischen Vergleich eine beachtliche Leistung genannt werden, auf die zumindest aufgebaut werden kann.

Das Gesetz hebt pauschal jene Urteile auf, die nach 1945 im Westen und im Osten Deutschlands unter dem früheren § 175 StGB bzw. seinen Nachfolgeparagraphen gegen homosexuelle Männer ergangen sind. Mehr als zwei Jahrzehnte nach der Abschaffung des § 175 StGB wurde es Zeit, anzuerkennen, dass auch die Bundesrepublik Deutschland, deren Entstehung historisch gerne als reine Erfolgsgeschichte betrachtet wird, in ihren frühen Jahren juristisches Unrecht begangen hat. Zwischen 1949 und 1969 behielt die Bonner Nachkriegsrepublik die von den Nationalsozialisten erheblich verschärfte Fassung des § 175 StGB aus dem Jahr 1935 bei und wendete diesen auch drakonisch an, womit NS-Unrecht fortgesetzt wurde. Bis zur Reform im Jahr 1969 wurden homosexuelle Männer in der Bundesrepublik Deutschland kriminalisiert, teilweise von denselben Richtern, Staatsanwälten und Polizeibeamten, die bereits im nationalsozialistischen Deutschland tätig waren, selbst wenn die Verfolgten als Erwachsene einvernehmliche Beziehungen miteinander unterhielten. Nunmehr spricht das neue Gesetz den Opfern des § 175 StGB eine einmalige Entschädigung von 3000 Euro für jede Verurteilung sowie zusätzlich 1500 Euro für jedes angefangene Haftjahr zu. Ausgenommen vom Rehabilitierungsgesetz wurden Verurteilungen, bei denen es einen minderjährigen Partner gab, der zwischen 14 und 16 Jahre alt war. Auch wenn die finanzielle Entschädigung angesichts von vielen gesellschaftlich und beruflich zerstörten Existenzen bescheiden ist, erfüllt das Gesetz immerhin eine wichtige geschichtspolitische Funktion. Der grundgesetzlich garantierte Weg zu gleichen Rechten für alle Menschen ist damit allerdings noch lange nicht bis zum Ende beschritten.

Nicht unmittelbar Betroffene lässt der rasche gesellschaftspolitische Fortschritt der letzten Jahre zuweilen fast vergessen, in welchem Ausmaß Ausgrenzung und Verfolgung von Schwulen, Lesben, Trans- oder Intersexuellen hierzulande stattfanden und welche verhängnisvollen Traditionen und mörderischen Repressionen dabei bis in die Gegenwart wirken. Im Alltag bestehen Ausgrenzung, Gewalt und Stigmatisierungen jenseits von staatlicher Verfolgung fort und entwickeln trotz aller erreichten Erfolge im Fahrwasser populistischer Strömungen gerade wieder neue Brisanz. Gesellschaftspolitische Rückschläge sind, wie es osteuropäische Länder und selbst die USA aktuell zeigen, in Zukunft auch in Deutschland nicht ausgeschlossen.

Eine entscheidende Möglichkeit, gesellschaftspolitische Entwicklungen sowie begangenes Unrecht angemessen zu reflektieren und perspektivisch eine gerechtere Gesellschaft zu realisieren, liegt in historischer Aufklärung und Forschung. Für Baden-Württemberg hat sich in den vergangenen Jahren die einzigartige Chance ergeben, durch ein breit angelegtes geschichtswissenschaftliches Aufarbeitungsprojekt sowohl die Lebenswelten von lesbischen, schwulen, bisexuellen, transsexuellen, trans- und intergeschlechtlichen sowie queeren Menschen (LSBTTIQ) als auch die gegen sie gerichteten Verfolgungsmechanismen umfassend zu erforschen. An der Universität Stuttgart konnte dazu Anfang 2016 eine vom Sozialministerium geförderte erste Stelle eingerichtet werden, von der der Bereich *Public History* zur Thematik entwickelt wurde. Auf diese Weise sollen wissenschaftliche Erkenntnisse in die Öffentlichkeit vermittelt und eine lebendige Kommunikation zwischen Forschung und Interessierten ermöglich werden.

Das eigentliche Forschungsvorhaben ist zur besseren Akzentuierung und Vermittlung in drei Teilprojekte mit zwar unterschiedlichen, inhaltlich aber eng miteinander verzahnten Ansätzen aufgeteilt worden. Ein erster Forschungsbereich widmet sich den Lebenswelten und Verfolgungsschicksalen homosexueller Männer. Finanziert durch das Wissenschaftsministerium Baden-Württemberg wird zu diesem Bereich bereits seit Sommer 2016 geforscht. Bemerkenswerte Zwischenergebnisse sind bereits öffentlich vermittelt, können über die Internetseite *www.lsbttiq-bw.de* abgerufen werden und finden auch in diesem Band Beachtung. In einem zweiten Teilansatz des Forschungsvorhabens sollen als weiterer wichtiger Schwerpunkt Lebensrealitäten, Repression und Verfolgung lesbischer, bisexueller, transsexueller, trans- und intergeschlechtlicher sowie queerer Menschen umfassend aufgearbeitet werden. Der dritte Teilbereich des Gesamtprojekts widmet sich der Tat- und Täterseite der Verfolgung nichtheterosexueller Sexualität und Liebe in Baden und Württemberg. Der generelle Umgang von Exekutive und Legislative mit den betroffenen Menschen steht dabei im Zentrum. Zur Zeit der Drucklegung des vorliegenden Bandes wird das Forschungsvorhaben beantragt.

Sowohl die umfassende inhaltliche Themenstellung als auch der breite zeitliche Untersuchungsrahmen bieten entscheidende Voraussetzungen für eine ergiebige historische Darstellung der Lebens- und Verfolgungsgeschichte von LSBTTIQ im 20. Jahrhundert im heutigen Baden-Württemberg. Über diesen Zugang wird sowohl eine Analyse zeitlich bedingter Unterschiede als auch die Herausarbeitung der Kontinuität von Verfolgung in Südwestdeutschland ermöglicht. So belegen in den Archiven des Landes bereits recherchierte Einzelfälle, dass während des Nationalsozialismus verfolgte Homosexuelle nach 1945 ihre von Nazi-Richtern verhängten Strafen weiter im Gefängnis absitzen mussten. Aufgrund der erfolgten Stigmatisierungen während des Nationalsozialismus wurden Homosexuelle in den 1950er- und 1960er-Jahren in Baden-Württemberg sogar erneut zu Haftstrafen verurteilt. Eindringlich wird in dem Zusammenhang auch dargestellt werden können, dass Verfolgten sogar ihre Haft in nationalsozialistischen Konzentrationslagern strafverschärfend vorgehalten wurde. Derartige Fallbeispiele unterstreichen wiederum die Vorteile einer explizit landesgeschichtlichen Ausrichtung eines solchen Forschungsvorhabens. Intensive Einblicke in Einzelfälle können so gewährleistet werden und erlauben mittels einer Recherche entlang der gewählten Zeitachse des vergangenen Jahrhunderts die Analyse maßgeblicher Entwicklungslinien sowie die Aufdeckung von Kontinuitäten oder Brüchen. Später wird es ein wichtiges wissenschaftliches Anliegen sein, diese landesgeschichtlichen Ergebnisse deutschlandweit zu integrieren und sie auch auf europäischer und internationaler Ebene vergleichbar zu machen.

Im Zuge der schrittweisen Implementierung des Forschungsvorhabens wurden von den Projektbeteiligten bereits vielfältige Kontakte geknüpft. Als besonders wertvoll erwies sich der Austausch mit Forscher_innen aus den LSBTTIQ-Communities des Landes, die meist ehrenamtlich und teilweise seit Jahrzehnten zur Thematik arbeiten. Deren verdienstvolle, aber bis in die jüngste Zeit öffentlich kaum anerkannten Forschungen haben mit dazu beigetragen, den Boden für das nunmehr an der Universität Stuttgart begonnene Projekt zu bereiten. Außerdem lieferten ihre Erfahrungen manche Inspiration für inhaltliche Weichenstellungen. Früh wurden auch Gespräche mit der Landeszentrale für politische Bildung Baden-Württemberg aufgenommen, die von Beginn an großes Interesse am Forschungsvorhaben und an der Vermittlung der Forschungsergebnisse signalisiert hatte. So entstand bald im Rahmen dieses Austauschs die Idee zu einer ersten Tagung, um Standpunkte zu erörtern und weitere ergiebige Kooperationen auf den Weg zu bringen. Bereits im Vorfeld der Bad Uracher Tagung war außerdem der Entschluss gefasst worden, wichtige Beiträge aus dem Frühsommer 2016 in einem Sammelband zusammenzufassen. Dass die Landeszentrale für politische Bildung Baden-Württemberg signalisierte, den Band in ihrer Schriftenreihe zu veröffentlichen, darf hinsichtlich einer möglichst großen Verbreitung als glücklicher Umstand gewertet werden. Im vorliegenden Band sind spiegelbildlich zur Tagung selbst ganz unterschiedliche Texte vereint, die die Breite der Thematik und die Diversität der Beteiligten dokumentieren.

Die vielfältigen thematischen Aspekte haben die Herausgeber im Sammelband in die vier Abschnitte „historischer Rahmen", „regionale Beispiele", „Forschung und Vermittlung" sowie „aktuelle Entwicklungen" gegliedert. Den einleitenden historischen Rahmen eröffnet *Helmut Puff* mit einem Beitrag zur gleichgeschlechtlichen Liebe im Mitteleuropa des Spätmittelalters und der Frühen Neuzeit. Daran anschließend bietet *Michael Schwartz* eine thematische Einführung für das 19. und 20. Jahrhundert. Der quellenmäßig äußerst schwierig überlieferten Ausgrenzung und Verfolgung lesbischer Liebe nähert sich *Kirsten Plötz* über einen innovativen Ansatz an. Sie zeigt über den mütterlichen Sorgerechtsentzug Formen der Diskriminierung auf. *Julia Noah Munier* bietet Einblicke in Lebenswelten und Verfolgungsschicksale homosexueller Männer im deutschen Südwesten.

Den inhaltlichen Bereich regionaler Beispiele eröffnen *Gerhard Fritz* mit einem Beitrag zur Homosexualität König Karls von Württemberg (1823 – 1891) und *Frederick Bacher* mit dem vielsagenden Fallbeispiel eines homosexuellen Mannes und dessen Verfolgungsschicksals in Württemberg im 20. Jahrhundert. *Jean-Luc Schwab* setzt diese regionale Perspektive in seinem Beitrag über die Homosexuellenverfolgung während des Nationalsozialismus im annektierten Elsass fort. Schließlich stellen *Julia Noah Munier* und *Karl-Heinz Steinle* noch einen aufsehenerregenden Aktenfund aus dem Staatsarchiv Ludwigsburg vor.

Den Bereich der Forschungsansätze und Vermittlungsperspektiven eröffnet *Ralf Bogen* mit der Vorstellung des 2017 online gegangenen, wichtigen Internetprojekts *www.der-liebe-wegen.org*. Anschließend stellt *Nina Reusch* Ansätze und Möglichkeiten einer öffentlichen Vermittlung von LSBTTIQ-Geschichte im Rahmen der *Public History* vor. Das „Archiv der anderen Erinnerungen" der Bundesstiftung Magnus Hirschfeld, das Zeugnisse von Zeitzeug_innen sammelt und öffentlich zugänglich macht, stellen *Daniel Baranowski* und *Karl-Heinz Steinle* vor. Daran schließt *Martin Lücke* inhaltlich an, indem er in seinem Beitrag Fragen nach Unterrichtsinhalten für ein sinnvolles historisches Lernen reflektiert.

Dem auch während der Tagung in Bad Urach präsenten Umstand, dass das gesamte Themenfeld eben keine abgeschlossene historische Epoche darstellt, sondern in der Gegenwart fortwirkt, widmen sich die abschließenden Beiträge des Sammelbands zu aktuellen Entwicklungen. *Pierre Thielbörger* befasst sich in seinem Text mit verfassungsrechtlichen und historischen Fragen einer Rehabilitierung und Entschädigung im Zusammenhang mit dem berüchtigten Verfolgungsparagraphen 175. Mit welchen Situationen queere Flüchtlinge in Deutschland konfrontiert sind und welche Erfahrungen sie in ihrer neuen Umgebung machen müssen, thematisiert *Carolin Küppers* in ihrem Beitrag, womit sie die Bandbreite der in Bad Urach diskutierten Themen mit einer höchst aktuellen Perspektive ergänzt.

Abschließend bleibt den Herausgebern noch das erfreuliche Anliegen, verschiedensten Beteiligten für ihre Hilfe und Mitwirkung zu danken. Dem Historischen Institut der Universität Stuttgart und insbesondere Wolfram Pyta haben wir dafür zu danken, dass uns die Möglichkeit eröffnet wurde, an der Thematik zu arbeiten. Ein ganz besonderer Dank geht an die Bundesstiftung Magnus Hirschfeld und vor allem an ihren Stiftungsvorstand Jörg Litwinschuh. Er hat das Anliegen von Beginn an unterstützt, entscheidende kommunikative Schritte im „Ländle" unternommen und politische Überzeugungsarbeit geleistet, um das Projekt überhaupt auf den Weg zu bringen. Unser herzlicher Dank gilt auch Brigitte Lösch, die uns durch ihr Wirken informelle Pfade geebnet und manche Türen geöffnet hat, wodurch sie für das Zustandekommen des Forschungsvorhabens im Bundesland Baden-Württemberg unverzichtbar gewesen ist. Verteter_innen des Sozial- und Wissenschaftsministeriums danken wir für die Aufgeschlossenheit, sich mit dem wissenschaftlichen Anliegen zu befassen und erste Teilbereiche des Forschungsvorhabens auf den Weg gebracht zu haben. Nicht zuletzt danken wir den Autor_innen dieses Bandes für inspirierende Diskussionen während der Tagung in Bad Urach, für die Einreichung ihrer Beiträge und für die kollegiale Zusammenarbeit. Abschließend gebührt ein herzlicher Dank Reinhold Weber, Sibylle Thelen und dem gesamten Team der Landeszentrale für politische Bildung Baden-Württemberg, die die Tagung erst ermöglicht haben, in deren Schriftenreihe das Buch schließlich erscheinen konnte und die es in vorbildlicher Weise lektoriert haben.

Uracher Erklärung des Fachbeirats der Bundesstiftung Magnus Hirschfeld – Rehabilitierung und Entschädigung der nach dem § 175 und analoger Strafrechtsbestimmungen in Deutschland zwischen 1949 und 1994 verfolgten homosexuellen Menschen

Bis zur Reform des Paragraphen 175 StGB im Jahre 1969 wurden homosexuelle Männer in der Bundesrepublik Deutschland verfolgt, selbst wenn sie als Erwachsene einvernehmliche Beziehungen miteinander hatten. Aus heutiger Sicht — aber auch an den Maßstäben der damaligen Zeit gemessen — ist diese Strafverfolgung als skandalös und als klares Unrecht zu bezeichnen, zumal die Bundesrepublik zwischen 1949 und 1969 die erheblich verschärfte NS-Fassung des Paragraphen 175 aus dem Jahr 1935 beibehielt und auch drakonisch anwendete. Dass es auch anders ging, machte ausgerechnet die in der DDR herrschende (und ansonsten oft alles andere als rechtsstaatlich agierende) SED-Diktatur deutlich, die bereits um 1950 die NS-Fassung des Paragraphen 175 außer Kraft gesetzt hatte, um zur weniger repressiven Fassung von 1871 zurückzukehren und die darauf basierende Strafverfolgung bereits Ende der 1950er-Jahre nahezu einzustellen — zur selben Zeit, als diese Strafverfolgung in der Bundesrepublik ihren Höchststand erreichte und in einem einzigen Jahr mehrere Tausend homosexuelle Männer verurteilt wurden. Man muss daran erinnern, dass — abgesehen von der noch ungleich schärferen Verfolgung unter der NS-Diktatur — in der frühen Bundesrepublik weitaus mehr Menschen auf Basis des Paragraphen 175 angeklagt und verurteilt worden sind als im Kaiserreich oder in der Weimarer Republik. Der Wirkzusammenhang mit der vorangegangenen NS-Herrschaft ist sowohl ideell (im Sinne einer aggressiven Verteidigung einer heteronormativen Gesellschaftsstruktur) als auch personell (mit zahlreichen Kontinuitäten unter den Beamten von Polizei und Justiz) nicht zu bestreiten.

Zehntausenden Menschen wurde dadurch ihr Leben von Staats wegen ruiniert, eine bürgerliche Existenz unmöglich oder sehr schwer gemacht, berufliche Karrieren verhindert oder zerstört. Hinzu kamen zahlreiche durch die Strafverfolgung ausgelöste Tragödien im Familien- und Freundeskreis der betroffenen Menschen. Auch Selbstmorde oder Selbstmordversuche aus Verzweiflung kamen im Angesicht drohender Strafverfolgung vor. Seriöse Schätzungen gehen davon aus, dass auf dem Gebiet der alten

Bundesrepublik zwischen 1949 und 1994 rund 64 000 Menschen nach Paragraph 175 bzw. 175a verurteilt worden sind – davon die große Mehrheit von 50 000 in der Frühphase der westdeutschen Demokratie bis 1969. Hinzu treten etwa 4300 Verurteilungen in der DDR, die ebenfalls berücksichtigt werden müssen. Hierzu zählt auch der Umstand, dass zwischen 1968 und 1989 in der DDR homosexuelle Frauen in die damals gültige Strafandrohung einbezogen wurden.

Auch nach 1968/69 – als zuerst die DDR und wenig später die Bundesrepublik die einvernehmliche Sexualität unter erwachsenen homosexuellen Männern endlich entkriminalisierten – war somit die Existenz eines diskriminierenden Sonderstrafrechts für Homosexuelle längst noch nicht beendet. Statt den berechtigten Schutz von minderjährigen Jugendlichen oder beruflich Abhängigen in allgemeiner Weise zu regeln, führte die 1968/69 erfolgte Abschaffung des solche Fragen betreffenden, überhaupt erst vom NS-Regime 1935 eingeführten Spezialparagraphen 175a sowohl in Ost- als auch in Westdeutschland zu Neufassungen, die entsprechende homosexuelle Straftaten weiterhin härter bestraften als vergleichbare heterosexuelle. Dieses Sonderstrafrecht bestand in der DDR bis 1988/89, als noch die SED-Diktatur es ersatzlos abschaffte – was in der vereinigten Bundesrepublik für deren westdeutschen Teil erst 1994 erfolgen sollte. Erst damit wurde der Schandparagraph 175 endgültig Vergangenheit.

Letzteres gilt freilich nicht für die auf der Grundlage dieses Sonderstrafrechts Verurteilten, die bis heute als vorbestraft gelten müssen. Die nunmehr vom Bundesminister der Justiz kundgegebene Absicht der Bundesregierung, ausdrücklich alle Verurteilungen zwischen 1949 und 1994 mit Blick auf Rehabilitation überprüfen zu wollen, ist daher nachdrücklich zu begrüßen. Diese Überprüfung muss aus Sicht des Fachbeirats der Bundesstiftung Magnus Hirschfeld in der überwiegenden Zahl dieser nahezu 70 000 Fälle in Deutschland unbedingt zu einer Rehabilitierung führen – nämlich in all jenen Fällen, deren Tatbestände nicht auch nach heute geltendem Recht als strafwürdig zu bewerten wären.

Der Fachbeirat der Bundesstiftung Magnus Hirschfeld hält es für längst überfällig, das damals gegen Zehntausende von Menschen gerichtete strafrechtliche Unrecht offen beim Namen zu nennen, die Verfolgten dieses Sonderstrafrechts für Homosexuelle juristisch umfassend zu rehabilitieren und ihnen eine angemessene Entschädigung zu zahlen. Da viele verfolgte Menschen inzwischen verstorben sind, andere heute noch lebende Verfolgte die juristische und soziale Stigmatisierung nicht überwunden haben, sollte zu dieser dringend gebotenen individuellen Entschädigung auch eine kollektive Entschädigung in Form einer deutlich besseren und dauerhaft tragfähigen Ausstattung der Bundesstiftung Magnus Hirschfeld treten. Damit wäre in Erinnerungspolitik, Bildung und Forschung jene heute noch unabdingbare Aufklärungsarbeit zu leisten, damit sich nicht nur solches Unrecht, sondern auch die diesem Unrecht zu Grunde liegende gesellschaftliche Abwertung und Diskriminierung in Deutschland niemals wiederholen können.

Berlin, im Juni 2016
Der Fachbeirat der Bundesstiftung Magnus Hirschfeld

Sabine Balke, Soziologin, Spinnboden Lesbenarchiv und Bibliothek Berlin
Prof. Dr. Andrea Bieler, Theologin, Kirchliche Hochschule Wuppertal-Bethel
Prof. em. Dr. Martin Dannecker, Soziologe, Deutsche Gesellschaft für Sexualforschung
Prof. Dr. Nina Degele, Soziologin, Universität Freiburg im Br.
Dr. Norman Domeier, Historiker, Universität Stuttgart
Ralf Dose M. A., Historiker, Magnus-Hirschfeld-Gesellschaft e. V., Berlin
Gudrun Held, Bundesverband der Eltern, Freunde und Angehörigen von Homosexuellen
Benjamin Kinkel, Politikwissenschaftler, Landeskoordinator SchLAu NRW
Dr. Rainer Marbach, Theologe, Stiftung Akademie Waldschlösschen, Reinhausen
Dr. Klaus Müller, Soziologe, Berlin
Uwe Neumärker, Direktor Stiftung Denkmal für die ermordeten Juden Europas, Berlin
Prof. Dr. Rainer Nicolaysen, Historiker, Universität Hamburg
Prof. Dr. Michael Schwartz, Historiker, Institut für Zeitgeschichte München-Berlin
Dr. Beate Tyralla, Medizinerin, Wirtschaftsweiber e. V.
Lucie Veith, Doz. für Gestaltung, Intersexuelle Menschen e. V.

Historischer Rahmen

Helmut Puff

„Mann mit Mann, Weib mit Weib" – gleichgeschlechtliche Liebe in Spätmittelalter und Früher Neuzeit

Die *Zimmerische Chronik* aus der Mitte des 16. Jahrhunderts erwähnt eine Dienstmagd namens Greta. Folgt man den knappen Ausführungen des Verfassers Graf Froben Christoph von Zimmern, führte sie in Meßkirch, dem Stammsitz der Familie, eine prekäre soziale Existenz. Im Unterschied zu anderen ihres Standes und Geschlechts habe sie „junge dochter geliept", hofiert und beschenkt. Das erregte Aufsehen. Um dem „mannliche[n] affect" auf den Grund zu kommen, unterzog man ihren Körper einer Untersuchung — gegen ihren Willen und ohne obrigkeitliche Erlaubnis, worauf der in diesem Zusammenhang verwendete Begriff „mutwillig" verweist. Der brutale Versuch, Gretas „geperden und maniern" aus körperlichen Merkmalen abzuleiten, schlug indes fehl. Wie sich herausstellte, war sie anatomisch beschaffen wie andere Frauen.

Der Duktus legt nahe, dass Froben Christoph seine Informationen aus zweiter Hand bezog. Wann genau Greta in Meßkirch lebte, wird nicht gesagt. Ob ihr Werben um Frauen auf Gegenliebe stieß oder nicht, erfahren wir auch nicht. Von einer Bestrafung ihres Verhaltens ist ebenfalls keine Rede. Deutlich wird jedoch, dass ihr Erscheinen für Gesprächsstoff sorgte. Man scheint die Magd als ein Rätsel betrachtet zu haben, das es zu lösen galt. Als Kuriosum ist Greta jedenfalls in die *Chronik* eingegangen. Der Verfasser schildert kurz den Sachverhalt, dann spielt er astrologische, historische und andere Erklärungen durch, die geeignet schienen, Licht ins vermeintliche Dunkel ihres Begehrens zu bringen. Dieses Gedankenexperiment vermittelt flüchtige Einblicke in Denkwelten, die uns, wenn es um Urteilsfindung in juristischen Kontexten geht, meist verschlossen bleiben.

Als erstes stellt der hochgebildete Graf die Vermutung auf, der Eros dieses „hermaphroditen oder androgynum" könne auf eine „unnaturliche" Sternenkonstellation zum Zeitpunkt ihrer Geburt zurückgehen. Astrologie erfreute sich im 16. Jahrhundert großer Beliebtheit als Schlüssel zur Welt. In diesem Fall wurde jedoch die These, astrologische Einsichten könnten Gretas erotische Vorlieben erklären, für abwegig befunden. Aus den Historien der Griechen und Römer würden Vorkommnisse dieser Art vermehrt berichtet, behauptet Froben Christoph des Weiteren (obwohl Frauen, die andere Frauen sexuell liebten, in der literarischen oder sonstigen Überlieferung der Antike nur äußerst selten belegt sind). Die sexuellen Praktiken der Alten seien jedoch aus den „böse[n] sitten" dieser „mit sünden geplagten nationen" herzuleiten, heißt es. Letztlich handle es sich bei Gretas gleichgeschlechtlichem Eros um moralisches Fehlverhalten gegen die christliche Religion.

Weitere Episoden komplettieren das Panorama der Genderambiguitäten in der *Chronik*. So berichtet der Graf von einem Mann, der als Frau in Frauenkleidern lebte, ein guter Koch war und spinnen konnte. Berichtet wird auch von einer Frau, die sich als Mann kleidete und einen Mann auf offenem Feld ermordet haben soll, weswegen sie zum Tod verurteilt wurde. Sexuelle werden demnach nicht konsequent von geschlechtlichen Verhaltensauffälligkeiten unterschieden (wie das auch heute gelegentlich der Fall ist). Überhaupt bietet der Eintrag faszinierende Einblicke, wie man Phänomene, die wir heute *queer* nennen, gedeutet hat.

Rechtlicher Rahmen

Welche Statuten wären einschlägig, hätte es sich bei dem Eintrag in der *Zimmerischen Chronik* nicht um ein Gedankenexperiment, sondern um einen Rechtsfall gehandelt — wäre Greta also sexueller Handlungen überführt worden? Artikel 116 des Strafgesetzbuchs Kaiser Karls V., der sogenannten *Constitutio Criminalis Carolina*, schrieb die Todesstrafe vor, wenn „mann mit mann, weib mit weib, vnkeusch" [= Unkeuschheit] beging. Verurteilungen von Personen, die homosexueller Handlungen für schuldig befunden wurden, sind allerdings schon vor 1532 bezeugt. Darauf weist auch die *Carolina* hin. Übeltäter sollten „der gemeynen gewohneyt nach", wie es da heißt, mit dem Feuer bestraft werden.

Eine der ersten Hinrichtungen wegen der „sodomitischen Sünde" auf dem Boden des damaligen Reichs fand 1277 statt. In diesem Jahr verurteilte König Rudolf von Habsburg im Elsass einen adligen „Herrn von Haspisberch" zum Tod auf dem Scheiterhaufen. Der Chronist — ein Dominikanermönch — beschreibt das Delikt mit einer theologischen Formel, wie sie in der scholastischen Theologie des 13. Jahrhunderts Verbreitung fand, dem *vicium sodomiticum*. Deutlich wird, dass religiöse und rechtliche Sphären aufeinander bezogen waren. Für diesen Befund sprechen auch andere Belege. Eines der wichtigsten mittelalterlichen Rechtsbücher, der *Schwabenspiegel* (1275/76), verurteilte Menschen zum Tod durch Rädern, wenn sie jemand anderen grundlos als *sodomite* in Verruf brachten.

Diese höchst ungewöhnliche Hinrichtungsszene von Albrecht Dürer („Jüngling mit Henker", ca. 1493) entfaltet ihre Wirkung auf den Betrachter zwischen religiösen Bezügen auf Christus-, Märtyrer- bzw. Heiligendarstellungen in der Darstellung des nackten Jünglings und seines Schergen einerseits sowie einer bemerkenswerten Erotisierung des Geschehens andererseits.

Der zeitgenössische Begriff der Sodomie unterschied sich grundlegend von dem, was man heutzutage Homosexualität nennt. Der Begriff meint jede sexuelle Handlung, bei der Empfängnis ausgeschlossen war. Zum *vicium sodomiticum* gehört demnach die Selbstbefriedigung ebenso wie nichtvaginaler Koitus zwischen Mann und Frau, Sex unter Angehörigen des gleichen Geschlechts und Sex zwischen Mensch und Tier. Diese Logik spiegelt sich auch in den Bestimmungen der zitierten Rechtsbücher wider. Sie ahnden eben nicht allein gleichgeschlechtlichen Sex, sondern im gleichen Atemzug auch Sex mit Tieren. Doch wurden, wie daran zu sehen ist, in der Rechtspraxis nicht alle unter Sodomie zu fassenden Arten des Sexus bestraft. Immer wieder rückte die sexuelle Liebe unter Männern in den Vordergrund obrigkeitlicher Strafinteressen. Männer galten als Träger der politischen, sozialen und religiösen Ordnung. Und wenn sie sich Sodomie zuschulden kommen ließen, sah man diese Ordnung aus den Fugen geraten.

Mit der religiösen Aufrüstung des Alltags im Spätmittelalter hat man vermeintliche Verstöße gegen die sexuelle und religiöse Ordnung vermehrt bestraft. 1464 wurden in Konstanz ein Bürger und ein Mönch „jrs vnordenlichen lebens wegen so si vncristenlichen mit ain andern getriben" hatten, hingerichtet. Schon 1418 hatte man dort zwei Kleriker wegen „kätzry" (Ketzerei), das heißt wegen sexueller Akte, verbrannt. Religiösen Ketzern — etymologisch geht das deutsche Wort Ketzer auf die Katharer zurück, deren Glaube vom katholischen abwich — wurde sexuelles Fehlverhalten angedichtet. Zwischen der Verfolgung von Ketzern und der Verfolgung sexueller Andersartigkeit bestand also ein rhetorischer Zusammenhang. Der Sodomiediskurs findet sich demnach eingebettet in andere Zusammenhänge wie den Feldzug gegen Andersgläubige. Das macht seine besondere Schlagkraft aus. So sagte man gern Gegnern, Fremden oder Nichtchristen eine Vorliebe für sodomitischen Sex nach. Rechtsexperten unterschieden demgegenüber — wie im zitierten Fall — zwischen religiöser und sexueller Ketzerei.

Städtische Obrigkeiten wie der Konstanzer Rat betrieben bei sexuellen Delikten eine aktive Strafpolitik. Demnach sollten Personen, die der Gemeinschaft vermeintlich Schaden zufügten, aus dieser dauerhaft ausgeschlossen werden, sei es durch Ausweisung, Strafen oder Hinrichtung. Sexuelle Handlungen waren somit alles andere als Privatsache. Wenn „mann mit mann, weib mit weib" Sex hatte, dann, so glaubte man, drohe Gottes Strafgericht. Als Paradebeispiel für diesen Begründungszusammenhang galt die alttestamentliche Stadt Sodom. Gott hatte sie, so die tradierte Deutung dieser Erzählung aus dem biblischen Buch Genesis, wegen der sexuellen Exzesse ihrer Bewohner vernichtet. Sodomitischer Sex „wider die Natur" — gemeint war die Natur des Menschen an und für sich, nicht die des Einzelnen — gefährdete demnach nicht nur das Seelenheil, sondern bedrohte die Weiterexistenz der Gemeinschaft. So erinnert ein Regensburger Urteilsspruch gegen eine Gruppe von Männern wegen homosexueller Handlungen, dass „gott umb dergleich sunde [...] stett [= Städte] vertilget" habe (1471). Stadtbewohner sollten durch Formulierungen wie diese oder durch Unterweisungstexte davon abgeschreckt werden, es den Sodomitern gleichzutun. So suchte man sie zusammenzuschweißen und gegen sexuelle Sünder und Sünderinnen zu mobilisieren. Schließlich war jedermann mit der Erbsünde belastet und deswegen zu sexuellen Akten jeglicher Art verführbar.

Nach Artikel 116 des kaiserlichen Strafgesetzbuches hatten denn auch Frauen wegen Sex mit Frauen die Todesstrafe zu erwarten. In Italien, Frankreich und Deutschland waren zwar vereinzelt Frauen wegen sexueller Handlungen mit Geschlechtsgenossinnen vor die obrigkeitlichen Gerichtsbehörden zitiert worden. Strafmaßnahmen waren jedoch selten. Eine erste Hinrichtung fand nach gegenwärtigem Forschungsstand 1477 statt: Katharina Hetzeldorfer wurde im Rhein ertränkt, ohne dass das von ihr begangene Delikt in der Mitschrift ihres Verhörs genannt wurde. Dieses Protokoll führte jedoch aus, wie sie, die aus einer gut situierten Nürnberger Familie stammte, sich mit einer Frau, die sie als ihre leibliche Schwester ausgab, in Speyer niedergelassen hatte. Zeugen vor Gericht beschrieben ihr Verhalten als das eines aggressiv agierenden Mannes, der bzw. die sich andere Frauen gefügig machte oder machen wollte. Dazu setzte Katharina Hetzeldorfer neben Geld und Gewalt einen künstlichen Penis ein. Im Verlauf des Verfahrens wurde sie gezwungen darzulegen, wie sie diesen hergestellt hatte. Auch brach der Versuch, ihre „Schwester" vor obrigkeitlicher Ahndung zu schützen, unter der Wucht des Verfahrens zusammen. Sie gestand, dass die beiden Frauen in Wirklichkeit ein Paar waren. Folgt man den Aussagen, hatte man der Angeklagten ihr Geschlechtsgebaren in Speyer abgenommen. Jedenfalls bis zu dem Zeitpunkt, als der Rat — aus unbekannten Gründen — ihre Festnahme veranlasste. Über ein Verfahren gegen ihre „Schwester" ist dagegen nichts bekannt. Wahrscheinlich bedeutet dies, dass ihr die Flucht vor der sicheren Verurteilung gelang. Zu beobachten ist mit anderen Worten, wie die Kampagne gegen die mit der Stadt Sodom identifizierten Vergehen allmählich weite Kreise zog. Gegen Ende des Mittelalters wurden davon gelegentlich auch Frauen erfasst — insbesondere im deutschen Südwesten. So wurde sechzig Jahre später, im Jahr 1537, „ein frow in manszkleydung" bei Grenzach im Rhein ertränkt.

In Rottweil verwendete man anders als in Speyer sogar die Bezeichnung *vicium sodomiticum* bei „weib und weib". Der dortige Rat hatte 1444 eine Untersuchung einer Klausnerin angestrengt. Sie sollte mit einer Bürgersfrau die „Sünde wider die Natur, welche die sodomitische genannt wird" begangen haben. Ob die Untersuchung zustande kam und die „religiöse Frau", die Rottweilerin oder beide bestraft wurden, ist nicht überliefert. Wenn sich die Gelegenheit bot, suchten weltliche Obrigkeiten der angeblich laxen Rechtsprechung der katholischen Kirche des Mittelalters mit Härte zu begegnen. Deswegen auch brachten städtische Instanzen (wie in Konstanz und Rottweil) Angehörige des Klerus vor ihr städtisches Gericht, obwohl sie als Geistliche kirchlicher Aufsicht unterstanden. Daraus ist wohl nicht unbedingt zu schließen, dass gleichgeschlechtlicher Sex unter Klerikern häufiger auftrat.

Denn beim Vorgehen des Rats in derartigen Fällen mögen macht- bzw. mo- ralpolitische Erwägungen entscheidend gewesen sein. Mit solchen Verfah- ren und Hinrichtungen stellten Städte nämlich ihre religiöse Rechtschaf- fenheit zur Schau und machten den Versuch, ihren Einflussbereich auf die gesamte Stadt, einschließlich kirchlicher Institutionen, auszudehnen. In den Territorien des Reichs, die sich seit 1517 der Reformation zuwandten, wurden kirchliche Sondergerichte denn auch abgeschafft. Weltliche Obrig- keit und kirchliche Instanzen sollten nunmehr an einem Strang ziehen. Diese Konzentration der Gewalten zog jedoch interessanterweise keine Zu- nahme der Sodomieverfahren nach sich. Nur hin und wieder kam es zu Verurteilungen wegen gleichgeschlechtlicher sexueller Liebe. Man wollte eben kein Aufsehen erregen oder — schlimmer noch — andere zu ähnli- chen Taten verführen, indem man die Aufmerksamkeit auf diese Sünden bzw. Vergehen lenkte.

Lebenswelten

Wo und wie lernten sich Sexualpartner in der Frühen Neuzeit kennen, die dann unter Umständen vor Gericht kamen? Ein Mann bandelte mit anderen Männern meist an öffentlichen Orten an, etwa auf dem Markt, in Gasthäu- sern oder auf Aborten, wie aus den Akten vor Gericht aus dem deutschspra- chigen Raum hervorgeht. Trotzdem ist fraglich, ob man von festen Treff- punkten sprechen kann. Man konnte an diesen Orten generell Fremden begegnen. Gelegentlich bot sich auch gemeinsamer Alkoholgenuss dazu an, sexuelle Kontakte anzubahnen. Überhaupt tauchen Personen verschiedener Schichten in den Gerichtsverfahren auf. Personen von Rang hatten bei der Kontaktaufnahme Vorteile. Sie verfügten über Mittel, Untergebene durch Geschenke oder materielle Zuwendungen zu sexuellen Handlungen zu brin- gen, wenn nicht gar zu zwingen. Wegen ihres Stands wähnten sich die Eliten vor Denunziation oder Anklage in Sicherheit. Wäre es zu einem Ver- fahren gekommen, hätte man ihrem Wort in der Regel mehr Gewicht beige- messen — jedenfalls so lange Patrizier oder Adlige nicht in Ungnade fielen. Politisch motivierte Sodomieanklagen sind von Zeit und Zeit vorgekom- men — regelrechte Skandale, die auch als solche kolportiert wurden.

Folgt man den medizinischen oder theologischen Experten der Zeit, hatte homosexuelles Verhalten allenfalls etwas mit sich im Verlauf eines Lebens verfestigenden Vorlieben zu tun, nicht aber mit mehr oder minder festge- fügten Persönlichkeiten. Davon handelt gerade auch die Greta-Episode. Fro- ben Christoph von Zimmern scheint der Meßkircher Magd ein bestimmtes Begehren zuzuschreiben. Dass sie an Männern interessiert war, schließt er aus. Die Eindeutigkeit ihres erotischen Begehrens mag seiner Auffassung nach geradezu das Rätselhafte an ihrer Person ausgemacht haben. Sexuelle Ketzer gehörten also keiner Minderheit an. Der rhetorische Exzess von Sodomieverunglimpfungen einerseits und die definitorische Weite der Sodomiedefinition andererseits hatten zugleich den Effekt, dass, wer dem eigenen Geschlecht gelegentlich oder dauerhaft zugetan war, sich keineswegs in den einschlägigen Sprachregelungen wiedererkennen musste. In den seltenen Tagebuchaufzeichnungen der Frühen Neuzeit sieht man Menschen mit der Verbalisierung ihres homoerotischen Begehrens regelrecht ringen.

Zu dauerhaften Partnerschaften dürfte es angesichts der drohenden Strafen nur selten gekommen sein. Sexualkontakte waren meist flüchtig. So jedenfalls erscheint es in den Gerichtsurteilen. Aber hier ist das Bild weniger eindeutig, als die historische Literatur gelegentlich behauptet hat. Zwar ist nicht bekannt, wie lange Katharina Hetzeldorfer und ihre „Schwester" ein Paar waren. Klar ist jedoch, dass ihre Beziehung Bestand hatte. Sie zogen gemeinsam von Wertheim nach Speyer und lebten dort einige Zeit, bevor es zur Anklage kam. Auch unter Männern gab es Verbindungen, die andauerten und erst, als sie gerichtskundig wurden, ein meist grausames Ende fanden.

Überhaupt war Soziabilität in der Vormoderne keineswegs auf Ehe, Familie und Haus beschränkt. Sie gedieh insbesondere in homosozialen Verbänden, als Gemeinschaften von Männern und von Frauen. Freundschaften wurden gepflegt. Die Eliten praktizierten sie ebenso wie der „gemeine Mann". Solche gefeierten Bindungen von einem Mann an einen anderen und von einer Frau an eine andere waren zwar nicht frei von Aufsicht, obwohl gerade die weibliche Sphäre vor Übergriffen der Obrigkeiten weitgehend geschützt gewesen sein dürfte. Sie verschafften jedoch einen Raum für Liebesbeziehungen zum eigenen Geschlecht, bis hin zu dem, was man mit aller Vorsicht sexuell nennen könnte.

Zwischenräume

Die Klarheit rechtlicher oder theologischer Kategorien täuscht über die erhebliche Konfusion hinweg, die die gleichgeschlechtliche Liebe gelegentlich auslöste. In gewisser Weise ist diese Irritation alles andere als erstaunlich. Die Praxis, sexuelles Handeln mit einer einzigen Formel zu charakterisieren, ist uns zwar aus der juristischen, medizinischen und anderer Literatur vertraut. Genau besehen besteht Sex jedoch nicht nur aus einem Akt, sondern aus vielen, ineinander verschränkten Handlungen. Auch ist heute ebenso wie in der Vergangenheit fraglich, was überhaupt als sexuelles Handeln zu gelten hat. Vergehen dieser Art kamen außerdem nur selten zur Verhandlung. Dass dem so ist, sagt übrigens wenig darüber aus, wie häufig dieser Sexus praktiziert wurde.

Solche Unsicherheiten waren bei Sex von Frauen mit Frauen besonders ausgeprägt. Die Suche nach angemessenen Formulierungen und Reaktionen ist gelegentlich sogar an den Ungereimtheiten in den einschlägigen Dokumenten abzulesen. Die Akten von Frauen, die sich vor Gericht wegen Sex mit Frauen zu verantworten hatten, sind aus diesem Grund manchmal umfangreicher als die oft in lakonischer Kürze dokumentierten Verurteilungen von Männern. Wie Frauen überhaupt miteinander sexuell verkehren konnten, scheint bei den Richtern immer wieder Fragen aufgeworfen zu haben – die Rechtskundigen waren schließlich allesamt Männer. Sie geben eine Vorstellung penetrativer Sexualität zu erkennen, bei der Männer den aktiven Part zu spielen hatten. Hatte sich eine Frau die Rolle *on top* angemaßt? Wenn dies der Fall war, wie bei Katharina Hetzeldorfer, war eine harte Strafe die Regel. Aber auch hier gibt es Ausnahmen, sofern man bei den wenigen gerichtlichen Untersuchungen überhaupt von Mustern sprechen kann.

Agatha Dietschi erhielt 1547 eine vergleichsweise milde Strafe. Die Angeklagte wurde in Freiburg im Breisgau an den Pranger gestellt und der Stadt verwiesen. Dabei hatte sie sich als Mann ausgegeben, als Erntehelfer im Schwarzwald gearbeitet und dort eine Frau geehelicht. Nach allem, was man weiß, war es eine Liebesheirat. Eine Zeugin wusste zu berichten, die beiden hätten sich im Heu wie Mann und Frau vergnügt. Wie Katharina Hetzeldorfer verfügte auch Agatha Dietschi über ein „Instrument". Vor Gericht behauptete ihre Ehefrau, sie habe erst einige Zeit nach der Eheschließung bemerkt, dass ihr Mann eigentlich eine Frau war. Man mag das als Schutzbehauptung einer Frau abtun, die darauf zählte, dass Männer das andere Geschlecht für leichtgläubig hielten. Die Richter, die dieser Frage nachgingen, waren anderer Auffassung. Man nahm ihr offensichtlich die Aussage ab – und das, obwohl die Ehe nicht unmittelbar nach der angeblichen Entdeckung zu Ende gegangen war. Die beiden blieben zusammen, bis Agathas Ehefrau sich in einen Mann verliebte.

Gesetze bieten mithin ein normatives Gerüst. Sie geben jedoch nicht alles über Mentalitäten und Handlungshorizonte in puncto Sexualität preis. Dazu kommt, dass soziale Gemeinschaften das sexuelle Gebaren in ihrem Gesichtskreis zumindest zum Teil selbst kontrollierten. Das lässt sich gerade an Gretas Geschichte ablesen. Die Gemeinschaft, deren Konturen vage bleiben, intervenierte in ihrem Fall. Über Klatsch, Gerüchte oder Konfrontationen handelte man geltende Normen aus.

Stadtgemeinschaften waren in diesem Sinn kein Hort persönlicher oder gar sexueller Freiheit. Im Gegenteil, die dicht besiedelten Gassen eines städtischen Gemeinwesens eigneten sich besonders, Mitmenschen zu überwachen und gegebenenfalls zu maßregeln. Personen wie Greta waren repressiven Maßnahmen schutzlos ausgesetzt. Nur weil sie Nürnberg verlassen hatte, konnte sich Katharina Hetzeldorfer als Mann erfinden. An ihrem neuen Wohnort Speyer zog das stadtfremde „Mannsbild" aber dann die Aufmerksamkeit anderer auf sich. Es ist möglicherweise eben diese gelebte Sozialkontrolle, die sie zu Fall brachte. Die Obrigkeit wurde, wenn dieses Bild zutrifft, also nicht in jeden Konfliktfall eingeschaltet. Informelle Lösungen hatten sogar den Vorteil, dass man dabei rechtskräftige Termini vermied. Deren Verwendung konnte schließlich ernste Konsequenzen und juristische Verfahren nach sich ziehen. In einer Gesellschaft, die die sodomitischen Sünden für todeswürdig hielt, war das ein Vorteil.

Das erklärt möglicherweise, warum aus dem deutschen Südwesten nur wenige Strafverfahren in Sachen Sodomie (im Sinne des gleichgeschlechtlichen Sexus) überliefert sind. In vormodernen Großstädten wie Augsburg, Basel, Köln und Straßburg kam das entsprechende Delikt öfters vor Gericht als in den kleinen oder mittelgroßen Städten auf dem Gebiet des heutigen Baden-Württemberg. Selbst im frühneuzeitlichen Frankfurt am Main, einer mächtigen Reichsstadt, sind bisher erst zwei Verfahren wegen Sodomie aufgetaucht.

Möglich ist, dass in den Archiven Akten schlummern, die einer historischen Auswertung harren. Es steht in der Tat zu erwarten, dass in Zukunft weitere Dokumente ans Licht kommen. Bestehende Forschungsdefizite haben einiges damit zu tun, dass die Geschichte der Sexualitäten ein junger Wissenszweig ist. Ihrer wissenschaftlichen Erforschung standen lange Zeit genau die Vorurteile entgegen, die auch die sexuelle Freiheit und die Rechte von sexuellen Minderheiten einschränkten. Dennoch ist unwahrscheinlich, dass, auch wenn neue Akten aufgefunden werden, sich unser Bild derjenigen, die wegen sexueller Akte verurteilt wurden, grundlegend wandelt. Von Verfolgungswellen im eigentlichen Sinn kann erst im 18. Jahrhundert geredet werden, als in europäischen Stadtmetropolen in England, Frankreich und den Niederlanden — in erstarkenden Staaten mit großen Staatsapparaten also — Prozesswellen zu verzeichnen sind. Die Verfolgungen von sexuellen Ketzern auf dem Gebiet des heutigen Baden-Württembergs waren demgegenüber punktuell und — wie es scheint — alles andere als flächendeckend.

Die anonym erschienene Flugschrift „Umständliche und wahrhaffte Beschreibung einer Land- und Leute-Betrügerin" (1720) erzählt ihrer Leserschaft die aufsehenerregende Lebensgeschichte von Catharina Margaretha Linck, die nach einem Leben als wandernde Prophetin, Soldat in „Manns-Kleidern" und wiederholten Konversionen eine Frau ehelichte. 1721 wurde sie in Halberstadt hingerichtet. Das Frontispiz inszeniert die geschlechtlichen Pole dieser „Land- und Leute-Betrügerin".

Ausblick

Dass die Moderne den Durchbruch zu individuellen Freiheiten und sexueller Toleranz gebracht hat, ist eine wohlvertraute Meistererzählung. Sie existiert, auch wenn vieles gegen ihre Richtigkeit spricht. Denn gerade im 20. Jahrhundert hat es besonders brutale Verfolgungen von Schwulen, Lesben, Transsexuellen und anderen wegen ihrer Sexualität diskriminierten Personengruppen gegeben.

Es fehlt durchaus nicht an kritischen Stimmen zu dieser Denkformel aus dem Arsenal der Aufklärungsphilosophie. Die Narrative vom gleichsam unaufhaltsamen gesellschaftlichen Fortschritt hin zu einer rechtlich, erotisch oder politisch definierten Freizügigkeit nährt die unverbrüchliche Hoffnung, dass Menschen es in Zukunft einmal besser haben werden. Wir wären demnach auf gutem Weg, uns aus den Fallstricken einer verwickelten Gegenwart zu befreien und uns auf ein Zeitalter größerer Akzeptanz von sexueller Varianz zuzubewegen. Diese ermutigende Sicht hat indes den Nachteil, dass sie weite Regionen der Welt ebenso wie die Vormoderne vielfach auf den Status einer Kontrastfolie reduziert. Auch der Umkehrschluss, dass es sexuelle Lust früher einfacher hatte, der hin und wieder in den 1970er-Jahren vertreten wurde, bleibt einer problematischen Gegenüberstellung von Vormoderne und Moderne verhaftet — nur mit anderen Vorzeichen eben.

Die Vergangenheit aus dem Gängelband der zitierten Meistererzählung zu befreien, bleibt Aufgabe wie Herausforderung einer verantwortlichen Geschichtsschreibung zu Schwulen, Lesben und anderen sexuellen Minderheiten. Erst wenn wir diesem Ziel näherkommen, kann die Kenntnis der Geschichte bleibende Wirkung auf die Gegenwart entfalten. Die Lebenswelten von Menschen der Vergangenheit lassen sich eben nicht auf die Annahme einer unfreien Gesellschaft reduzieren.

Karl Heinrich Ulrichs nannte im August 1867 auf dem Deutschen Juristentag männerliebende Männer wie sich selbst in Anlehnung an einen antiken Dialog „Urninge". Er forderte die Aufhebung der Sodomieparagraphen in deutschen Territorien und vollzog diesen revolutionären Akt im Bewusstsein von Verfolgungen, die Jahrhunderte zurückreichten. Er verglich ihr Schicksal mit dem der Hexen und Juden. Wären die Menschen, die sich vor den mittelalterlichen und frühneuzeitlichen Gerichten wegen ihrer sexuellen Lust zu verantworten hatten, anwesend gewesen, hätten sie das feurige Plädoyer des Juristen, Aktivisten und Philologen sicher mit Interesse quittiert. Dass sie laut Ulrichs allerdings zu einer eigenen Gruppe oder einer wie auch immer definierten sexuellen Minderheit gehören sollten, hätte sie überrascht. Lassen wir uns unsererseits von dem, was die Vergangenheit an Geschichte und Geschichten bereithält, überraschen.

Literatur

Boes, Maria R.: On Trial for Sodomy in Early Modern Germany, in: Tom Betteridge (Hrsg.): Sodomy in Early Modern Europe, Manchester 2002, S. 27–45.

Hergemöller, Bernd-Ulrich: Sodom und Gomorrha. Zur Alltagswirklichkeit und Verfolgung Homosexueller im Mittelalter, 2. Aufl. Hamburg 2000.

Puff, Helmut: Sodomy in Reformation Germany and Switzerland, 1400–1600. Chicago 2003.

Puff, Helmut: Weibliche Sodomie. Der Prozeß gegen Katherina Hetzeldorfer und die Rhetorik des Unaussprechlichen an der Wende vom Mittelalter zur frühen Neuzeit, in: Historische Anthropologie 7 (1999), S. 364–380.

Simon-Muscheid, Katharina: Frauen in Männerrollen, in: Dorothee Rippmann/Katharina Simon-Muscheid/Christian Simon (Hrsg.): Arbeit – Liebe – Streit. Texte zur Geschichte des Geschlechterverhältnisses und des Alltags: 15. bis 18. Jahrhundert, Liestal 1996, S. 102–121.

Steidele, Angela: In Männerkleidern. Das verwegene Leben der Catharina Margaretha Linck alias Anastasius Rosenstengel, hingerichtet 1721, Köln 2004.

Michael Schwartz

Über Verfolgung – und darüber hinaus. Zur Vielfalt von Lebenssituationen homosexueller Menschen in Deutschland aus zeithistorischer Sicht

„Sexuelle Rechte sind fragil; sexuelle Rechte sind auch missbrauchbar."
Dagmar Herzog[1]

Wenn man von heute aus gesehen die letzten rund einhundert-zwanzig Jahre Revue passieren lässt, so erscheint die Geschichte der Homosexuellen bzw. der LSBTI in Deutschland im 20. Jahr-hundert als eine Geschichte tiefster Abgründe, als eine Geschichte von Ver-folgung, Repression und vielfältiger Diskriminierung. Zugleich mutet sie — vor allem wenn wir die Entwicklung seit den 1960er- und erst recht seit den 1990er-Jahren betrachten — trotz aller fortbestehenden Diskriminierungen als eine kaum vorstellbare Erfolgsgeschichte in Richtung Emanzipation an. Insofern ist die Geschichte der Homosexuellen im 20. Jahrhundert — nicht allein, aber ganz besonders in Deutschland mit dem tiefen Schatten der NS-Diktatur — ein exemplarischer Bestandteil unserer zutiefst ambivalenten Moderne.

Das bedeutet: Diese Entwicklung war alles andere als eine lineare Fort-schrittsentwicklung. Sie war im Gegenteil eine reichlich widersprüchliche Achterbahnfahrt. Wer die Dinge so betrachtet, kann heute zwischen zwei geschichtsphilosophischen Deutungen der Gegenwart wählen. Entweder kann unsere nicht problemlose, jedoch stark von emanzipativen Tenden-zen geprägte Gegenwart als Happy End, als geglücktes „Ende der Ge-schichte" (Francis Fukuyama) gesehen werden. Oder sie kann als derzeit geglückter, aber vergänglicher, absturzgefährdeter und daher verteidi-gungsbedürftiger historischer Augenblick verstanden werden, zumal Fukuyamas geschichtsvergessener Optimismus andernorts längst als falsi-fiziert gilt. Die Widersprüche unserer vermeintlich emanzipierten Gegen-wart deuten darauf hin.

---

1 Dagmar Herzog: Paradoxien der sexuellen Liberalisierung, Göttingen 2013, S. 42.

Homosexuelle im 20. Jahrhundert: Widersprüche und Brüche statt linearer Fortschrittsgeschichte

Wenn das 20. Jahrhundert für die Geschichte der Homosexuellen eben keine lineare Aufwärtsentwicklung darstellt, sondern eine volatile Wellenbewegung, wird es dem heutigen Betrachter leichter, innere Differenzierungen und Ambivalenzen auch in den einzelnen Wellen wahrzunehmen. Auf den ersten Blick etwa scheint uns die Weimarer Republik eindeutig fortschrittlicher zu sein als die Zeit der NS-Diktatur. Aber stimmt das wirklich hundertprozentig? Verwechselt man hier nicht, *pars pro toto*, die freizügige Metropole Berlin mit dem ganzen Land, dessen konservative Kräfte just 1926 ein erstes — auch homophob ausgerichtetes — *Gesetz zur Bewahrung der Jugend vor Schund- und Schmutzschriften* durchsetzten, das dann in der frühen Bundesrepublik — zuerst in Rheinland-Pfalz 1949, sodann auf Bundesebene 1953 — eine Neuauflage erlebte?[2] Erst recht wäre zu fragen: War Weimar tatsächlich in Vielem oder gar Allem fortschrittlicher als das vorangegangene wilhelminische Kaiserreich? Oder anders herum gefragt: Wie viel Weimarer Fortschrittlichkeit steckte bereits im Kaiserreich, das uns heute so vormodern oder gar muffig vorkommt?

Die Berliner Homosexuellenszene, die in Weimar — oder besser: im Weimarer Raumschiff Berlin — ihre Glanzzeit erlebte, gab es in voller Blüte bereits um 1900.[3] Neben den Szenelokalen gab es eine hochentwickelte Szeneliteratur — nicht nur wissenschaftliche Publikationen, etwa seitens der um 1900 entstehenden modernen Sexualwissenschaft, sondern auch eine breite Literatur von homosexuellen Männern und Frauen (Adolf Brand, Johanna Elberskirchen, Emma Trosse) bis hin zur teils deskriptiven, teils voyeuristischen „Ethnographie" der urbanen Welt, wie sie Max Oswald zwischen 1904 und 1908 in seinen „Großstadt-Dokumenten" entfaltete, um sich publikumswirksam „der Großstadt Lust und Leid" zu widmen.[4] Hier schrieb Magnus Hirschfeld über *Berlins Drittes Geschlecht*, der Arzt Wilhelm Hammer über die lesbische Szene (*Die Tribadie Berlins*) und Hans Ostwald selbst über *Männliche Prostitution im kaiserlichen Berlin*.[5] Hirschfelds „Drittes Geschlecht" erlebte sensationelle dreizehn Auflagen und wurde aggressiv mit der presse-

---

2 Vgl. Kaspar Maase: Die Kinder der Massenkultur. Kontroversen um Schmutz und Schund seit dem Kaiserreich, Frankfurt/M. 2012, S. 310; Sybille Steinbacher: Wie der Sex nach Deutschland kam. Der Kampf um Sittlichkeit und Anstand in der frühen Bundesrepublik, München 2011, S. 50−85.

3 Robert Beachy: Das andere Berlin. Die Erfindung der Homosexualität — Eine deutsche Geschichte 1867−1933, München 2015, S. 79−140.

4 Hans Ostwald (Hrsg.): Im Sittenspiegel der Großstadt. Gesammelte Großstadt-Dokumente, Bd. 3: Der Großstadt Lust und Leid, Berlin [o. J.].

bekannten Rolle des Autors als Gutachter im Moltke/Eulenburg-Prozess sowie mit einschlägigen „scharfe[n] Debatten" im Reichstag beworben.[6]

Der Eulenburg-Skandal der Jahre 1907/08 ist sicher zu Recht als Auslöser massiver homophober Mediendiskurse beschrieben worden.[7] Dieser „antihomosexuellen Stimmung in der Gesellschaft" war es beispielsweise zuzuschreiben, dass in der damaligen Strafrechtsreformdebatte eine repressive Linie die Oberhand gewann, indem eine Juristenkommission 1909 vorschlug, statt der Entkriminalisierung männlicher Erwachsenenhomosexualität den bisherigen § 175 RStGB auch auf lesbische Handlungen auszudehnen.[8] Dieser Vorschlag hatte in Österreich zwischen den 1850er- und 1970er-Jahren ein langfristiges Vorbild, wobei dieses auch gegen Frauen gerichtete Strafrecht auch im vom NS-Staat annektierten Österreich zwischen 1938 und 1945 in Kraft blieb[9] und tatsächlich auch gegen einige Frauen zur Anwendung gelangte.[10] In Deutschland selbst jedoch mochte einer solchen Ausweitung — trotz einiger juristischer Befürworter — nicht einmal das ansonsten radikal homophobe NS-Regime folgen.[11] Überlegungen zu einer Rechtsvereinheitlichung im Reichsjustizministerium tendierten 1942 zu einer Entkri-

---

5 Ralf Thies: Ethnograph des dunklen Berlin. Hans Ostwald und die „Großstadt-Dokumente" (1904 – 1908), Köln 2006, S. 118 f. und 310; Hans Ostwald: Männliche Prostitution im kaiserlichen Berlin, Leipzig 1906 [Reprint 3. Aufl. Berlin 1992]. Freilich wurde der Tribadie-Band 1906 gerichtlich als pornographische Schrift eingestuft und verboten; vgl. Thies, Ethnograph (wie Anm. 5), 129 f.

6 Thies, Ethnograph (wie Anm. 5), S. 127 f.

7 Vgl. Norman Domeier: Der Eulenburg-Skandal. Eine politische Kulturgeschichte des Kaiserreichs, Frankfurt/M. 2010; Frank Bösch: Öffentliche Geheimnisse. Skandale, Politik und Medien in Deutschland und Großbritannien 1880 – 1914, München 2009, S. 117 – 154.

8 Christian Schäfer: „Widernatürliche Unzucht" (§§ 175, 175a, 175b, 182 a. F. StGB). Reformdiskussion und Gesetzgebung seit 1945, Berlin 2006, S. 31.

9 Heike Raab: Sexuelle Politiken. Die Diskurse zum Lebenspartnerschaftsgesetz, Frankfurt/M. 2011, S. 203; Günter Grau: Lexikon zur Homosexuellenverfolgung 1933 – 1945. Institutionen — Personen — Betätigungsfelder, Berlin 2011, S. 198.

10 Johann Karl Kirchknopf: Ausmaß und Intensität der Verfolgung weiblicher Homosexualität in Wien während der NS-Zeit. Rechtshistorische und quantitative Perspektiven auf Dokumente der Verfolgungsbehörden, in: Invertito 15 (2013), S. 75 – 112; Claudia Schoppmann: Verbotene Verhältnisse. Frauenliebe 1938 – 1945, Berlin 1999, S. 11, weist darauf hin, dass keineswegs alle nach österreichischem Strafrecht vom NS-Regime verurteilten Frauen eine lesbische Orientierung, geschweige denn Identität gehabt hätten, geht jedoch davon aus, „daß ein Großteil der [...] Angeklagten tatsächlich lesbische Beziehungen hatte".

11 Claudia Schoppmann: Nationalsozialistische Sexualpolitik und weibliche Homosexualität. 2. Aufl. Pfaffenweiler 1997, S. 36 f. und 109 f.

minalisierung homosexueller Beziehungen zwischen Frauen auch für das frühere österreichische Territorium, wurden jedoch kriegsbedingt niemals umgesetzt.[12] Auch der katholische Volkswartbund, der jahrzehntelang lautstarke Forderungen nach Ausweitung des Homosexuellenparagraphen auf lesbische Sexualkontakte erhob, war damit weder in der Weimarer Republik noch in der Bundesrepublik der Adenauer-Ära erfolgreich.[13]

Karikatur aus der Zeitschrift „Lustige Blätter" (1907) mit dem Titel „Ein Grüppchen", mit der auf den Kampf Maximilian Hardens gegen die angeblich homosexuelle Hofkamarilla der „Liebenberger Tafelrunde" um Philipp Fürst zu Eulenburg-Hertefeld und deren politischem Einfluss auf Kaiser Wilhelm II. angespielt wurde.

---

12 Schoppmann, Nationalsozialistische Sexualpolitik (wie Anm. 11), S. 113.

13 Steinbacher, Wie der Sex nach Deutschland kam (wie Anm. 2), S. 192; Kirsten Plötz: „Wo blieb die Bewegung lesbischer Trümmerfrauen?", in: Andreas Pretzel/ Volker Weiss (Hrsg.): Politiken in Bewegung. Die Emanzipation Homosexueller im 20. Jahrhundert, Hamburg 2017, S. 145 – 160, v. a. S. 151.

Die Folgen des Eulenburg-Skandals von 1907/08 müssen langfristig somit als ambivalent eingeschätzt werden. Konservative zeitgenössische Beobachter wie der Berliner Kriminalkommissar Hans von Tresckow — damals auch für die Berliner Homosexuellenszene zuständig — glaubten, diese öffentliche Skandalisierung von Homosexualität habe „der Sache der Homosexuellen mehr geschadet, als genützt".[14] Der österreichisch-jüdische Publizist Karl Kraus warf dem medialen Chefankläger der vermeintlich homosexuellen höfischen Clique um Fürst Eulenburg, dem von ihm lange Zeit verehrten Publizisten Maximilian Harden, vor, rücksichtslos „in das Geschlechtsleben politischer Gegner" eingegriffen zu haben und „im Namen des normalen Sexualempfindens im Gerichtssaal" als Inquisitor der bislang privaten sexuellen Orientierungen aufgetreten zu sein.[15] Kraus wurde zum ersten Kritiker der modernen „Politikstrategie des ‚Outing'", die das 20. Jahrhundert wellenartig durchziehen sollte,[16] indem er Harden als Agenten einer „heterosexuellen Normalisierung" anklagte.[17] Auch die fragwürdige Sachverständigenrolle des allzu oft einseitig zum Emanzipationshelden stilisierten Sexualwissenschaftlers Magnus Hirschfeld nahm Kraus aufs Korn — schlug doch dessen „Stunde der Sexualwissenschaft" ganz im Dienste der „Harden-Partei" zum Zwecke gerichtsöffentlichen Sezierens privater Gefühle und Handlungen.[18] Tatsächlich lieferte Hirschfeld als Gerichtsgutachter regelrechte Versatzstücke für homophobe Feindbilder, wenn „der feminine Einschlag bei homosexuellen Männern" von ihm ebenso generell behauptet wurde wie die Tendenz, „ihre Neigungen zu verbergen".[19] Hirschfeld ist „ohne Frage kein fehlerfreier Held".[20]

---

14 Hans von Tresckow: Von Fürsten und anderen Sterblichen. Erinnerungen eines Kriminalkommissars, Berlin 1922, S. 163.

15 Friedrich Rothe: Karl Kraus. Die Biographie, München 2003, S. 206.

16 Andreas Heilmann: Normalität auf Bewährung. Outings in der Politik und die Konstruktion homosexueller Männlichkeit, Bielefeld 2011, S. 142, wo auf die Fälle Eulenburg 1907/08 und Röhm 1931/32 verwiesen wird, aber auch auf die Wörner/Kießling-Affäre 1983/84 oder die Barschel/Engholm/Pfeiffer-Affäre 1987.

17 Hierzu luzide: Hans Mayer: Außenseiter, Frankfurt/M. 1975, S. 181.

18 Domeier, Der Eulenburg-Skandal (wie Anm. 7), S. 159 f.; Elena Mancini: Magnus Hirschfeld and the Quest for Sexual Freedom. A History of the First International Sexual Freedom Movement, New York 2010, S. 99–102.

19 Hugo Friedländer: Interessante Criminal-Prozesse von kulturhistorischer Bedeutung. Darstellung merkwürdiger Strafrechtsfälle aus Gegenwart und Jüngstvergangenheit, Bd. 11, Berlin-Grunewald 1920, S. 67–69.

20 Herzog, Paradoxien der sexuellen Liberalisierung (wie Anm. 1), S. 16.

Trotz alledem bestimmte Homophobie seit dem Eulenburg-Skandal keineswegs eindeutig das Feld. Fortschrittsorientierte Zeitgenossen wie der homosexuelle Graf Harry Kessler hatten in diesem Skandal mit seiner öffentlichen Verhandlung von Elitenhomosexualität sogar „eine Art von sexueller Revolution" erblicken können, die durchaus progressive Wirkungen für die deutsche Gesellschaft zu entfalten vermochte.[21] Der Leipziger Verlag Max Spohr, der Ostwalds „Großstadt-Dokumente" herausbrachte, war auch „Hausverlag des Wissenschaftlich-humanitären Komitees", der Verleger selbst bis zu seinem Tode 1905 einer der eifrigsten Mitstreiter Magnus Hirschfelds. Der Spohr-Verlag veröffentlichte seit Mitte der 1890er-Jahre nicht nur wissenschaftliche, populärwissenschaftliche und belletristische Literatur zur männlichen und weiblichen Homosexualität. Er gab auch Hirschfelds *Jahrbuch für sexuelle Zwischenstufen* heraus, publizierte zeitweilig auch die Zeitschrift *Der Eigene* des Hirschfeld-Gegners Adolf Brand, edierte das Gesamtwerk von Karl Adolf Ulrichs und des kurz zuvor in England vom Publikumsliebling zum Geächteten abgestürzten homosexuellen Schriftstellers Oscar Wilde.[22] Zwischen 1898 und 1914 veröffentlichte der Spohr Verlag rund hundert Einzeltitel zum Thema Homosexualität, was rund vierzig Prozent der Gesamtproduktion ausmachte — etwa sechs Titel pro Jahr. Dafür nahm der Verlag diverse Prozesse mit um die Sittlichkeit besorgten Richtern und Staatsanwälten in Kauf. Die homophoben Auswirkungen des Eulenburg-Skandals 1907/08 auf Verlagstätigkeit und Nachfrage blieben offensichtlich begrenzt. Stattdessen publizierte der Verlag schon 1908 zum brisanten Thema „Armee und Homosexualität", um zu diskutieren, ob Homosexualität tatsächlich „der militärischen Tüchtigkeit einer Rasse" Schaden zufüge. 1909 folgte ein Beitrag zur Reformdebatte um den § 175 des Strafgesetzbuchs, 1910 gab es Überlegungen zu „Homosexualität und Frauenemanzipation", 1913 die aufsehenerregende Schrift des jugendbewegten Hans Blüher über *Die drei Grundformen der sexuellen Inversion*, die in Deutschland erst in den 1960er-Jahren neu aufgelegt werden sollte.[23] Selbst im Ersten Weltkrieg fehlten einschlägige Veröffentlichungen

---

21 Harry Graf Kessler: Das Tagebuch, hrsg. von Jörg Schuster u. a., Bd. 4, Stuttgart 2005, S. 365.

22 Mark Lehmstedt: Bücher für das „dritte Geschlecht". Der Max Spohr Verlag in Leipzig, Wiesbaden 2002, S. 59–62, 86–89, 99–103, 118 und 131–135. Zu den folgenden Angaben auch S. 118, 145–154, 261 f, 266 und 273.

23 Und zwar als vom Erlanger Religionswissenschaftler Hans Joachim Schoeps eingeleitete Edition: Hans Blüher, Studien zur Inversion und Perversion, Schmieden [o. J.] [1965], S. 75–99, diesmal unter dem Titel „Die drei Grundformen der Homosexualität".

nicht. „Kein zweiter deutscher (oder ausländischer) Verlag jener Jahre hat auch nur annähernd so viele Bücher zu dieser Thematik publiziert oder der Homosexualität einen vergleichbaren Stellenwert in seiner Produktion eingeräumt."[24]

Solche Beobachtungen verweisen freilich nicht auf eine ungebrochene Fortschrittlichkeit der wilhelminischen Ära, sondern auf deren tiefe Ambivalenz. Fortschritt im Kaiserreich bedeutete zugleich auch Fortschritt homophober Tendenzen gegen bisherige soziale Freiräume von Homosexuellen. Die Prozesse gegen die dem Kaiser nahestehenden Aristokraten Eulenburg und Moltke gingen 1907/08 mit einer öffentlichen Skandalisierung einher, wie sie bis dahin in Deutschland noch nicht erlebt worden war, um bisherige Freiräume zu nivellieren, die mit bürgerlich-heterosexuellen Normen unvereinbar erschienen. Noch in den 1880er- und frühen 1890er-Jahren hingegen war die homosexuelle Lebensweise zweier Monarchen – des Bayernkönigs Ludwig II. und des Württemberger Königs Karl I. – zwar skandalöses Stadtgespräch in den jeweiligen Hauptstädten gewesen, doch hatte man eine öffentlich-mediale und politische Skandalisierung dieses monarchischen Verhaltens möglichst zu vermeiden versucht: Die „Grenzen des Sagbaren" wurden damals „enger" gezogen.[25] Der rücksichtslos mit den Mitteln der Presse und dann auch der Justiz ausgetragene Eulenburg-Moltke-Skandal hingegen drohte nicht nur das Ansehen der Hofaristokratie, sondern auch der Spitzen des preußischen Offizierskorps zu erschüttern und lässt sich deshalb auch als Kampf zwischen bürgerlichen und adligen Lebensentwürfen und Verhaltensmustern begreifen. Aristokratische mannmännliche Beziehungen wurden – gerade in ihrer Uneindeutigkeit oder Vielschichtigkeit – nicht mehr stillschweigend geduldet, sondern plötzlich als eindeutig homosexuell definiert und damit als mutmaßlich kriminell gebrandmarkt. Robert Beachy betont jedoch, ausgerechnet dieser Skandal habe die Vorstellung von der Existenz einer besonderen „homosexuellen Identität" in Deutschland nachhaltig gefördert.[26]

---

24 Lehmstedt, Bücher für das „dritte Geschlecht" (wie Anm. 22), S. 275–281, hier S. 99.

25 Bösch, Öffentliche Geheimnisse (wie Anm. 7), S. 58; vgl. Oliver Hilmes: Ludwig II. Der unzeitgemäße König, München 2013; Paul Sauer: Regent mit mildem Zepter. König Karl von Württemberg, Stuttgart 1999. Vgl. hier zu den Beitrag von Gerhard Fritz in diesem Band.

26 Beachy, Das andere Berlin (wie Anm. 3), 196.

NS-Diktatur und Homophobie: „Röhm-Putsch" und antikatholische „Sittlichkeitsprozesse"

Man kann etliche wilhelminische Konfliktlinien leicht über Weimar bis in die NS-Zeit verlängern. Hardens instrumentalisierte Homophobie fand sich auf der nationalistischen Rechten Weimars ungebrochen wieder, wenn man an das Outing des letzten kaiserlichen Reichskanzlers durch den einstigen Chef des Berliner Sittendezernats Hans von Tresckow denkt.[27] Dieser schrieb 1922 publikumswirksam:

> „Die Ernennung des Prinzen Max von Baden zum Reichskanzler traf mich wie ein schlechter Witz, denn dieser Totengräber des Deutschen Kaiserreiches stand auch im Verdacht, zur Klasse der Männerfreunde zu gehören".[28]

Ähnlich wie Harden betrachtete Tresckow Homosexuelle prinzipiell als unmännlich und außerdem oft mit einem „bedauerlichen Mangel an Nationalgefühl" ausgestattet. Auch die homophoben Kampagnen des NS-Regimes gegen die 1934 ermordete SA-Führung um Ernst Röhm oder gegen angebliche und tatsächliche homosexuelle Verfehlungen von Priestern und Ordensangehörigen der katholischen Kirche 1937/38 suchten ein militantes heterosexuelles Männerbild durchzusetzen, ähnlich wie Harden ein Vierteljahrhundert zuvor.

Bis zu den Ereignissen von 1934 war die SA nicht nur eine homosoziale, sondern eine partiell homoerotisch und homosexuell geprägte Männerorganisation. Dabei war die homosexuelle SA-Führungsriege um Röhm allerdings betont maskulin-derb aufgetreten — und stand damit in einer schon um 1900 etwa von Adolf Brand repräsentierten Tradition der scharfen Selbstabgrenzung von „verweiblichten" Homosexuellen à la Eulenburg und Moltke. Diese „männlich"-kriegerischen Homosexuellen demonstrierten ihre Selbstvergewisserung oft durch besondere Brutalität: Breslauer Juden betrachteten 1933 die Ernennung des stadtbekannten Homosexuellen, Fememörders und SA-Gruppenführers Edmund Heines zum Polizeipräsidenten als Alarmzeichen, habe man doch „damit den schärfsten Mann bekommen".[29] Ebenfalls 1933 berichtete der polnische Auslandskorrespondent Antoni Graf Sobański, ein kultivierter Oberschichtshomosexueller vom

---

27 Lothar Machtan: Prinz Max von Baden. Der letzte Kanzler des Kaisers. Eine Biographie, Berlin 2013, S. 188, 387 und 504.

28 Hans von Tresckow, Von Fürsten und anderen Sterblichen (wie Anm. 14), S. 240. Vgl. zu den folgenden Angaben auch ebd., S. 112 f., 134 f. und 190 f.

29 Willy Cohn: Kein Recht, nirgends. Tagebuch vom Untergang des Breslauer Judentums 1933−1941, 2 Bde., Köln 2006, insb. Bd. 1, S. 22.

11. März 1934: Staatsakt in den Münchener Ausstellungshallen anlässlich des ersten Jahrestags der Machtübernahme in Bayern: rechts neben Adolf Hitler SA-Stabschef Ernst Röhm.

Schlage Harry Graf Kesslers, dass eben dieser Polizeipräsident von Breslau „die Funktion des ‚Henkers‘ in Pommern übertragen" erhalten habe, um die dortigen „unbotmäßigen" konservativen Eliten zu unterwerfen.[30]

Ein knappes Jahr später wurde Heines im Zuge jener Ereignisse, die Hitler mit der Legende vom „Röhm-Putsch" zu legitimieren versuchte, von der SS erschossen, nachdem er bei seiner Festnahme „im Bett mit einem Lustknaben [an]getroffen" worden war.[31] Mit dem 30. Juni 1934 wurden aus den „virilen Männerhelden" der SA (Susanne zur Nieden) schlagartig verbrecherische Homosexuelle, die in den Betten von Bad Wiessee bei „widernatürlicher Unzucht" überrascht wurden — der ebenso empörten wie voyeuristischen Tagebuchschilderung Alfred Rosenbergs zufolge der Röhm-Gefolgsmann Heines sogar mitten „in homosexueller Betätigung", woraufhin Hitler dessen „Lustknaben gepackt und voller Ekel an die Wand geschmissen habe". Als Hitler dann auch noch dem Zivildiener Röhms „mit rot geschminkten Wangen" begegnet sei, habe er wutentbrannt befohlen,

---

30 Antoni Graf Sobański: nachrichten aus berlin 1933 – 36, Berlin 2007, S. 99.
31 Cohn, Kein Recht, nirgends (wie Anm. 29). Bd. 1, S. 131.

„die Lustknaben samt u[nd] sonders in den Keller zu packen u[nd] zu erschiessen".[32]

Der NS-Ideologe Rosenberg behauptete 1934 nach der Ermordung Röhms, „der homosexuelle Stabschef" sei „nicht der alte Hauptmann Röhm von 1916, 1923" gewesen. Röhm habe „erst 1924" seine homosexuelle Veranlagung „entdeckt", und seitdem sei diese „kranke Seite seines Wesens [...] von Jahr zu Jahr immer stärker" geworden. Darunter verstand Rosenberg vor allem Röhms Beharren auf „Anerkennung" seiner sexuellen Identität:

> „Im Gefühl[,] auf allgemeine Ablehnung zu stoßen, kehrte er seine Veranlagung brutal hervor und forderte ihre Anerkennung durch Anerkennung seines Postens. Er umgab sich mit Schlemmern u[nd] Schmarotzern, seine Offiziere hatten alle Lustknaben, sie kapselten sich immer mehr von der Bewegung ab und provozierten durch ihr Auftreten die Bevölkerung."[33]

Rosenberg missfiel somit vor allem die ungehemmte öffentliche Demonstration dieser Homosexualität. Röhm und der Berliner SA-Führer Karl Ernst — ein von Hitler favorisierter „ehemalige[r] Kellner aus dem Homosexuellenmilieu" — zeigten auf dem Höhepunkt ihrer Macht eine demonstrative, für viele skandalöse „Ungeniertheit", mit der sie sich „selbst bei gesellschaftlichen Anlässen, etwa beim Empfang der Türkischen Botschaft im Oktober 1933, zu ihrer Veranlagung bekannten".[34] Der zufällig hinzukommende „Parteipapst" Rosenberg „erstarrte" einer Augenzeugin zufolge „vor Wut" bei dem Anblick, als der auf diesem Botschaftsempfang betrunken auf ein Sofa gefläzte Ernst „einen von den braunen Jünglingen auf seinen Knien zu wiegen" begann. Daraufhin wurde er von Röhm unter wüsten Beschimpfungen („Baltenschwein", „Püppchen") aus dem Raum gejagt: „Keinem der ausländischen Diplomaten ist dieses Schauspiel entgangen."[35] Der Röhm-Biographin Eleanor Hancock ist folglich zuzustimmen, dass Röhm, der selbststilisierte Revolutionär von rechts, seine am meisten „revolutionären" Stellungnahmen zum Thema Homosexualität gemacht hat:

---

32 Jürgen Matthäus/Frank Bajohr (Hrsg.): Alfred Rosenberg. Die Tagebücher von 1934 bis 1944, Frankfurt/M. 2015, S. 142 f.

33 Ebd., S. 143 f.

34 Lothar Machtan: Hitlers Geheimnis. Das Doppelleben eines Diktators, Berlin 2001, S. 235.

35 Bella Fromm: Als Hitler mir die Hand küßte, Berlin 1993, S. 154 f.; größtenteils auch zitiert bei Ernst Piper: Alfred Rosenberg. Hitlers Chefideologe, München 2005, S. 246.

„If Ernst Röhm was at all revolutionary, he was revolutionary in his demand that National Socialism and German society accept him as he was – a man who desired other men."[36]

Im Sommer 1934 thematisiert das „Pariser Tageblatt" mit dieser Karikatur von Roger Roy den „Röhm-Putsch".

Der Skandal, den der Röhm-Kreis vor und nach 1933 bedeutete, basierte nicht zuletzt auf der immer offeneren und öffentlichen homosexuellen Lebensweise. Die Bevölkerung wusste freilich, dass Hitler all das jahrelang bekannt gewesen war. 1932 war Röhms Veranlagung von gegnerischer Seite öffentlich gemacht und in der Presse breit diskutiert worden. Hitler hatte trotz dieser „unwillkommenen Publizität" weiter zu Röhm gehalten, und Röhm hatte 1933/34 aus seiner neu gewonnenen Machtposition heraus versucht, unliebsame Zeugen einzuschüchtern oder gar auszuschalten.[37] Bei dieser Betrachtung der Skandalisierung von homosexuellen Lebensweisen wäre es allerdings verfehlt, nur auf rechte Kontinuitäten zu schauen. Homophobie war kein Monopol des nationalistischen Bürgertums. Tiefe Ambiva-

36 Eleanor Hancock: Ernst Röhm. Hitler's SA Chief of Staff, New York 2008, S. 172.
37 Ebd., S. 114 f.

lenzen reichten auch auf der vermeintlich fortschrittlichen Linken von der Kaiserzeit bis in die NS-Zeit — und deutlich darüber hinaus. Zwar gehörten SPD-Spitzenpolitiker wie August Bebel zu den frühesten Unterstützern der Entkriminalisierungspetitionen des Wissenschaftlich-humanitären Komitees. Zugleich aber war es — noch vor dem vom Bürgerlichen Harden inszenierten Eulenburg-Skandal — ausgerechnet die SPD-Parteizeitung *Vorwärts*, die mit der Instrumentalisierung von Homophobie begonnen hatte, indem sie homosexuelle Eskapaden des prominentesten deutschen Großindustriellen mit minderjährigen Italienern unter der Schlagzeile „Krupp auf Capri" skandalisierte. Magnus Hirschfeld sprach treffend von „Vorwärtshetze". Selbst wenn man annehmen wollte, dass der zuständige Chefredakteur Kurt Eisner nicht auf „Sensationshascherei" aus war, sondern neben der Anprangerung „krassester" kapitalistischer Verhaltensweisen vor allem den § 175 RStGB nachhaltig delegitimieren wollte,[38] so wirkte der Krupp-Skandal doch in vieler Hinsicht verheerend — nicht nur, weil er den Stresstod oder Selbstmord des bloßgestellten Kaiserfreundes zur Folge hatte. Die Ambivalenz der Sozialdemokratie zwischen Emanzipationsbereitschaft und instrumenteller Homophobie blieb eine Konstante im 20. Jahrhundert. Die vom SPD-geführten preußischen Innenministerium orchestrierte „Sexualdenunziation" des politischen Gegners Röhm durch skandalisierende Veröffentlichung von dessen Privatbriefen mitten im Präsidentenwahlkampf 1932 blieb kein Einzelfall.[39] 1934 befeuerten nicht nur Hitler und Goebbels, sondern auch die Presse der Exil-Sopade das Feindbild vom „schwulen Nazi".[40]

Im Falle der homosexuellen Verfehlungen von Geistlichen oder Ordensbrüdern ging es nicht nur um konkrete strafrechtliche Vergehen, sondern vor allem um die systematische Verringerung des Ansehens und Einflusses der Kirche in der Bevölkerung — und außerdem um einen gezielten Angriff auf eine alternative Lebensform, den Zölibat, der systematisch herabgewürdigt wurde. Dabei griffen die NS-Propagandisten nicht nur auf aktuelle Strafprozesse zu-

---

38 Bernhard Grau: Kurt Eisner 1867—1919. Eine Biographie, München 2001, S. 148.

39 Susanne zur Nieden: Aufstieg und Fall des virilen Männerhelden. Der Skandal um Ernst Röhm und seine Ermordung, in: dies. (Hrsg.): Homosexualität und Staatsräson. Männlichkeit, Homophobie und Politik in Deutschland 1900—1945, Frankfurt/M. 2005, S. 147—192, insb. S. 148; vgl. auch Machtan, Hitlers Geheimnis (wie Anm. 34), S. 217—220.

40 Vgl. Alexander Zinn: Die soziale Konstruktion des homosexuellen Nationalsozialisten. Zur Genese eines Stereotyps, Frankfurt/M. 1997; Julia Noah Munier: Sexualisierte Nazis. Erinnerungskulturelle Subjektivierungspraktiken in Deutungsmustern von Nationalsozialismus und italienischem Faschismus, Bielefeld 2017.

rück, sondern auch auf kirchenfeindliche Literatur des 19. Jahrhunderts wie Corvins *Pfaffenspiegel*, der in den 1930er-Jahren erneute Massenauflagen erlebte. In ähnlicher Dichte sollte das erst wieder in den 1970er- und 1980er-Jahren der Fall sein. Die katholische Kirche — der traditionelle Ort heteronormativer Feindseligkeit gegen homosexuelle Lebensformen, aber auch selbst ein traditioneller Ort homosexueller Existenz — wurde in der NS-Zeit zum ersten Mal in Deutschland seitens des Staates und der von ihm gleichgeschalteten Massenmedien öffentlich als Lebensraum von Homosexuellen skandalisiert. Das geschah ebenso, wenn auch in anderer, rein medialer Form, erst wieder seit den 1990er-Jahren. Diese vehemente Anprangerung in der NS-Zeit erklärt womöglich etwas von der homophoben Schärfe kirchlich beeinflusster Sittlichkeitspolitik in der Adenauer-Ära der frühen Bundesrepublik.

Vielleicht klingt dies überraschend, doch die vehemente NS-Propaganda gegen klerikale Homosexuelle hatte ihre Vorläufer im bürgerlichen Liberalismus der „Kulturkampf"-Ära der 1860er- bis 1880er-Jahre. Auf dem Höhepunkt dieses „Kulturkampfes" zwischen katholischer Kirche und liberalem Staat in Baden zwischen 1869 und 1873 erreichte die Zahl der gegen katholische Priester angestrengten Sittlichkeitsprozesse — unter anderem wegen Homosexualität — „nicht zufällig Spitzenwerte", nachdem solche Delikte zuvor kaum je entdeckt und noch seltener verfolgt worden waren.[41] In einer neueren Studie über *Antiklerikalismus in Europa* zwischen der Revolution von 1848 und dem Beginn des Ersten Weltkriegs wird überzeugend demonstriert, dass es in solchen Fällen den Kirchengegnern stets um „Skandalisierung und Vermenschlichung" mit dem Ziel der „Verdrängung des moralischen Führungsanspruchs" der Kirche ging. Thematisiert wurden seit dem 19. Jahrhundert besonders gern konkrete „Fälle sexueller Vergehen des Klerus", wofür sich ein regelrechtes mediales „Genre" herausbildete.[42]

Die antiklerikale NS-Kampagne der 1930er-Jahre führte zu einer gezielten Wiederbelebung solcher älteren kirchenfeindlichen Traditionen des bürgerlichen Liberalismus. Corvins *Pfaffenspiegel*, ein publizistischer Skandalerfolg des 19. Jahrhunderts, wurde ebenso massenhaft wieder aufgelegt,[43] wie die

---

41 Irmtraud Götz von Olenhusen: Klerus und abweichendes Verhalten. Zur Sozialgeschichte katholischer Priester im 19. Jahrhundert: Die Erzdiözese Freiburg, Göttingen 1994, S. 240.

42 Lisa Dittrich: Antiklerikalismus in Europa. Öffentlichkeit und Säkularisierung in Frankreich, Spanien und Deutschland (1848 – 1914), Göttingen 2014, S. 387, 392 und 407.

43 Otto von Corvin: Pfaffenspiegel. Historische Denkmale des Fanatismus in der römisch-katholischen Kirche, 43. revidierte Original-Ausgabe, Berlin-Friedenau [o. J.] (Erstveröffentlichung 1845).

jahrzehntealten Skandalgeschichten des Publizisten Burghard Assmus über *Klosterleben*, *Nonnenschicksal* oder die *Naturgeschichte der Jesuiten* im — nach dem bekannten *Pfaffenspiegel* benannten — *Jesuitenspiegel*.[44] War es Otto von Corvin neben Kirchenkritik noch um liberal-aufgeklärte Wertschätzung für den jahrhundertelangen „Kampf der Geistlichen um ihre Rechte als Menschen" zu tun gewesen,[45] so zeichneten sich andere Publikationen durch eine bloß voyeuristische Perspektive aus. Homosexualität stand nicht im Zentrum dieser Enthüllungshistorien, stellte aber einen nicht unbedeutenden Nebenschauplatz dar.[46] Aßmus' *Klosterleben* wurde 1938 durch „Authentische Berichte über einige gerichtliche Strafurteile der letzten Sexualprozesse" propagandistisch aktualisiert.[47] Die derart massiv organisierte Pressepublizität und Strafverfolgung homosexueller Delikte von Klerikern und Ordensangehörigen, wie sie ihre publizistische Nachbereitung auch in umfassenden Monographien wie Franz Roses *Mönche vor Gericht* mit Konzentration auf den „erste[n] aus der Kette der 600 Sittlichkeitsprozesse" erfuhr[48], zwang die katholische Hierarchie erstmalig in der deutschen Gesellschaftsgeschichte zu öffentlichen Eingeständnissen von Versäumnissen und Fehlern.[49] Die „gleichgeschalteten katholischen und bürgerlichen Zeitungen" erwiesen sich als „mehr oder minder willfährige Statisten des Propagandafeldzuges", denn ihre vermeintlich objektive Berichterstattung bereitete den gehässigen Kommentaren der NS-Parteipresse erst den notwendigen Resonanzboden.[50]

In einer NS-Propagandapublikation über *1600 Jahre Klosterprozesse* wurde 1938 das Phänomen homosexueller Verfehlungen von Klerikern und Ordensangehörigen nicht nur durch die gesamte Kirchengeschichte zurückverfolgt, was an die liberal-bürgerliche Kirchenkritik des 19. Jahrhunderts anknüpfte. Zugleich kam der Verfasser ausdrücklich auf „verschiedene Klosterprozesse des 19. Jahrhunderts" zu sprechen, die seinerzeit „großes Aufse-

---

44 Burghard Aßmus: Klosterleben. Enthüllungen über die Sittenverderbnis in den Klöstern, 96.–100. Tausend, Berlin-Friedenau 1938; Burghard Aßmus: Nonnenschicksal. Interessante Enthüllungen aus Klosterpapieren. 111.–120. Tausend, Berlin-Friedenau 1938; Burghard Aßmus: Jesuitenspiegel. Interessante Beiträge zur Naturgeschichte der Jesuiten. 49.–60. Tausend, Berlin-Friedenau 1938.

45 Corvin, Pfaffenspiegel (wie Anm. 43), S. 252.

46 Ebd., S. 257, 269 und 340–343; Aßmus, Klosterleben (wie Anm. 44), S. 91; ders., Jesuitenspiegel (wie Anm. 44), S. 4 und 122.

47 Aßmus, Klosterleben (wie Anm. 44), S. 97–107, insb. S. 97 f.

48 Franz Rose: Mönche vor Gericht, 2. Aufl. Berlin 1939, S. 219.

49 Hans Günter Hockerts: Die Sittlichkeitsprozesse gegen katholische Ordensangehörige und Priester 1936/37, Mainz 1971, S. 100 f.

50 Ebd., S. 96.

hen" erregt hätten. Erinnert wurde etwa an den Skandal um ein kirchliches Knabenerziehungsinstitut im österreichischen Bistum Brixen 1872, was mit dem Vorwurf der Mitwisserschaft und Untätigkeit gegen den damaligen Ortsbischof einherging. Erinnert wurde ferner an den Skandalprozess „gegen die frommen Krankenpfleger-Brüder von Marienberg bei Aachen, die wegen Mißhandlung und Schändung von Geisteskranken angeklagt und verurteilt wurden" – ein Skandal der 1890er Jahre –, und an die Verurteilung eines Redakteurs der Satirezeitschrift *Simplicissimus* durch das Landgericht Stuttgart 1910 wegen Beleidigung, weil dieser den Rottenburger Bischof „als Hirten seiner Schweine bezeichnet" hatte. Auch hier war der Hintergrund die Kritik an der milden Reaktion des Bischofs auf diverse Sittlichkeitsdelikte ihm unterstellter Geistlicher. Natürlich wurde abschließend der Bogen geschlagen zu den aktuellen Klosterprozessen des NS-Regimes, die „den Rekord an Perversität" hielten.[51]

Dieser NS-Publizist des Jahres 1938 hatte sich auf einen ideologischen Vorläufer des 19. Jahrhunderts berufen, den völkisch-nationalistischen Stuttgarter Historiker Wolfgang Menzel und seine *Geschichte der neuesten Jesuitenumtriebe in Deutschland*.[52] Menzel, ein produktiver und in seinem Einfluss auf das deutsche Bürgertum schwer zu überschätzender Publizist,[53] hatte schon 1871 das Dogma von der Unfehlbarkeit des Papstes zum Anlass einer Attacke auf *Roms Unrecht* genommen.[54] Der protestantisch-alldeutsche Nationalist attackierte den Jesuitenorden als gefährlichste Waffe des globalen Machtanspruchs des Papsttums. Als Abschweifung von diesem Thema gestattete sich Menzel eine polemische Schilderung des „Pfaffenunfug[s] in Österreich", wo er nicht nur ein Bündnis der ultramontanen Katholiken und slawischer Nationalisten gegen das dortige Deutschtum anprangerte,[55] sondern eben auch den dreieinhalb Jahrzehnte später von der NS-Propaganda zitierten Missbrauchsskandal im „vom Bischof von Brixen in besondern Schutz genommene[n] Malfattische[n] Knabeninstitut", das mit strafrechtlichen Ermittlungen überzogen wurde und geschlossen werden musste. Menzel wiederholte die Frage einer Innsbrucker Zeitung,

---

51 Michael Schwartz: 1600 Jahre Klosterprozesse, Leipzig [o. J.] [1938], S. 93–96.

52 Ebd., S. 93.

53 Erstaunlicherweise hat diese – oft in negativer Hinsicht – meinungsbildende Persönlichkeit in der neueren Historiographie kaum Berücksichtigung gefunden; eine Ausnahme bildet Gerhart Söhn: Wolfgang Menzel. Leben – Werk – Wirkung. Bibliographie, Düsseldorf 2006.

54 Vgl. Wolfgang Menzel: Roms Unrecht, Stuttgart 1871.

55 Wolfgang Menzel: Geschichte der neuesten Jesuitenumtriebe in Deutschland (1870–1872), Stuttgart 1873, S. 499 f.

Gehe hin und hüte meine —

— Lämmer!

„Der Oberhirte" – NS-Karikatur zu den Klosterprozessen.

> „wie es komme, daß der Bischof von Brixen, welcher von Anfang an ein Protektor und Fürsprecher dieser von frommen in geistlicher Gewandung einherschleichenden ‚Brüdern' geleiteten Anstalt war, solche Dinge geduldet hat".

Auch zitierte Menzel genüsslich die Polemik der liberalen Presse:

> „Man füllt fortwährend neue Ställe mit neuen Heerden [sic!] und hat nicht acht auf die eingepferchten Heerden [sic!], bis sie im Mist ersticken und der Gestank weithin die Luft verpestet."[56]

Katholische Publikationen wie die ein Jahrzehnt später publizierte Biographie des mitverantwortlichen Brixener Fürstbischofs schwiegen diesen Se-

---

56 Ebd., S. 511 f.

xualskandal vollkommen tot.[57] Zugleich aber wurde dieser „kolossale Skandal" noch Jahre später von österreichischen Historikern der liberal-deutschnationalen Richtung weidlich ausgeschlachtet. Die Empörung über die „saubern Gesellen" vermischte sich mit der Freude darüber, dass auf Weisung der Wiener liberalen Regierung „ein Jesuitennest in Südtirol ausgehoben" worden sei, das aber mit diesem Sexualskandal überhaupt nichts zu tun hatte.[58]

Abgesehen von den rund 250 sogenannten „Sittlichkeitsprozessen" gegen katholische Priester und Ordensgeistliche wegen Verstößen gegen § 175 oder 175a StGB, durch die insbesondere in den Jahren 1936/37 234 Personen strafrechtlich verurteilt wurden,[59] blieb der kirchliche Bereich von der Homosexuellenverfolgung des NS-Regimes weitgehend ausgenommen. Zwar waren die Kirchen an der homophoben Ächtung homosexueller Praktiken von jeher führend beteiligt gewesen und übten diese Rolle auch unter dem NS-Regime aus; andererseits boten dieselben Kirchen jedoch für homosexuell Empfindende (und ungewollt auch für homosexuell Handelnde) einen spezifischen institutionellen Schutzraum, der bisher so gut wie nicht erforscht ist.

Man fragt sich, welche Konsequenzen die öffentliche Anprangerung der katholischen Kirche durch das NS-Regime wegen homosexueller und/oder pädophiler Straftaten für das Verhältnis Kirche und Homosexualität gehabt hat – vor allem nach der NS-Zeit, in der frühen Bundesrepublik. Im angeblich so reaktionären Kaiserreich hat ein katholischer Oberhirte – Bischof Paul Haffner von Mainz – zwar 1897 seine Unterschrift unter die von Magnus Hirschfeld an ihn herangetragene Petition zur Abschaffung des Homosexuellenparagraphen 175 verweigert, zugleich aber in seinem Antwortschreiben erklärt, angesichts der Tatsache, dass „die moderne Gesetzgebung" sexuelle Vergehen generell „sehr mild" behandle, erscheine „der § 175 als eine Inkonsequenz, deren Beseitigung mit Recht gefordert werden kann". Diese Feststellung eines katholischen Bischofs wurde seinerzeit zum Werbeslogan für spätere Versionen der Petition.[60] Ein solcher Satz eines katholischen Bischofs sollte sich im 20. Jahrhundert niemals wiederholen. Stattdessen wurde der Erzbischof von Köln und langjährige Vorsitzende der katholischen Deut-

---

57 Johann Zobl: Vinzenz Gasser, Fürstbischof von Brixen, in seinem Leben und Wirken dargestellt, Brixen 1883, passim.

58 Walter Rogge: Österreich seit der Katastrophe Hohenwart-Beust, Bd. 1, Leipzig 1879, S. 114.

59 Grau, Lexikon der Homosexuellenverfolgung (wie Anm. 9), S. 278.

60 Manfred Herzer: Magnus Hirschfeld und seine Zeit, Berlin 2017, S. 81.

schen Bischofskonferenz, Josef Kardinal Frings, zum offiziellen Schirmherrn des offen homophoben katholischen Volkswartbundes, der in den 1950er- und 1960er-Jahren strikt für die Beibehaltung des 1935 verschärften NS-Paragraphen 175 RStGB eintrat und jegliche öffentliche Sichtbarkeit von Homosexualität zu bekämpfen versuchte.[61] Mit Dagmar Herzog wissen die Historiker, dass in den 1950er-Jahren gerade „die kirchliche Gegnerschaft" zur damaligen „Entkriminalisierungskampagne" von mutigen Homosexuellenaktivisten und etlichen reformbereiten Juristen „ein wichtiger Faktor für die Beibehaltung des Paragrafen" 175 StGB in seiner verschärften nationalsozialistischen Fassung gewesen ist.[62]

Die in der NS-Zeit einige Jahre lang öffentlich vehement skandalisierte ambivalente Situation der Kirche gegenüber der Homosexualität wurde nach 1945 rasch wieder beschwiegen. Es war eine Ausnahme, als der reformorientierte Jurist Botho Laserstein 1954 als zusätzliches Argument für die von ihm unterstützte Abschaffung des NS-Paragraphen 175 anführte:

> „Auch die Tatsache, daß gelegentlich selbst Geistliche wegen solcher Handlungen vor Gericht gestellt werden müssen, [...] sollte zu denken geben. Es kann das Ansehen der Kirchen nicht steigern."[63]

Der seinen Vorgesetzten höchst unbequeme reformorientierte Staatsanwalt und nachmalige Richter Laserstein hatte im selben Jahr ein nichtöffentliches Gutachten zum § 175 StGB für das Bundesjustizministerium erarbeitet und darin die schon 1951 verabschiedeten Reformempfehlungen des Deutschen Juristentages gegen das fortbestehende NS-Strafrecht unterstützt. Bei dieser Tätigkeit hatte Laserstein allerdings seinem Vorgesetzten, dem Landgerichtspräsidenten in Essen, versprechen müssen, „daß er bestimmt das ihn erschütternde Aktenmaterial über zahlreiche homosexuelle Priester nicht zu einer Schrift verwerten werde".[64] Während die innere Homosexuellenproblematik der Kirche somit nach dem Ende der kirchenfeindlichen NS-Diktatur systematisch wieder zugedeckt wurde, unterstützte der Episkopat in der Ära Adenauer eine Politik massiver Homophobie.

Auch an den NS-Sittlichkeitsprozessen beteiligte Juristen garantierten eine fragwürdige Kontinuität in der westdeutschen Nachkriegsdemokratie.

---

61 Steinbacher, Wie der Sex nach Deutschland kam (wie Anm. 2), S. 31 – 49 und 192; Schäfer, „Widernatürliche Unzucht" (wie Anm. 8), S. 89 f.

62 Herzog, Paradoxien der sexuellen Liberalisierung (wie Anm. 1), S. 36.

63 Botho Laserstein: Strichjunge Karl. Ein kriminalistischer Tatsachenbericht, Hamburg 1954 (ND Berlin 1994), S. 15.

64 Herbert Hoven (Hrsg.): Der unaufhaltsame Selbstmord des Botho Laserstein. Ein deutscher Lebenslauf, Frankfurt/M. 1990, S. 92 f.

Der katholische Rechtsanwalt Linus Kather, selbst eine ebenso streitbare wie im Laufe seines langen Lebens schillernde Figur,[65] der in seiner ostpreußischen Heimat während der NS-Herrschaft ein juristischer Widersacher des Nationalsozialismus gewesen war, erinnerte sich rückblickend an einen „einschlägigen Prozeß gegen einen katholischen Geistlichen", der am Landgericht Braunsberg gegen einen besonders NS-freundlichen und der SS nahestehenden Domvikar eingeleitet worden war. Dessen pedantisch geführtes Tagebuch habe zahlreiche junge Männer in die Fänge der Ermittlungen und zum Teil der Anklage wegen Verstößen gegen § 175 StGB geraten lassen — darunter einen jungen Gerichtsreferendar, den Kather verteidigte. Der Anklagevertreter — der junge Oberstaatsanwalt Dr. Adolf Kühn — forderte wegen einer einzigen länger zurückliegenden Duldung einer unzüchtigen Berührung ein volles Jahr Gefängnis für den Angeklagten, was die bürgerliche Existenz des jungen Mannes völlig zerstört hätte, wenn die Strafkammer nicht auf Kathers Antrag hin das Verfahren wegen Geringfügigkeit eingestellt hätte.[66] Derselbe Oberstaatsanwalt suchte sich während des Zweiten Weltkriegs durch alarmistische Berichterstattung über den „politischen Katholizismus" im Ermland zu profilieren,[67] bevor er angesichts der nahenden Roten Armee Anfang 1945 ohne Erlaubnis seine Dienststelle fluchtartig verließ.[68] Zur Nachkriegskarriere dieses NS-Anklägers, der als Flüchtling nach Baden-Württemberg gelangte, bemerkte Kather 1982 bissig: „Dr. Kühn ist inzwischen, nachdem er zeitweilig als Staatsanwalt fungiert hat, wieder zum Oberstaatsanwalt befördert worden." Das dafür verantwortliche Justizministerium in Stuttgart habe „jede Reaktion" auf Kathers „Vorstellungen" betreffend Kühns NS-Vergangenheit „abgelehnt, es gab keinen Strafprozeß, kein Disziplinarverfahren, keine Pensionierung und nicht einmal eine anderweitige Verwendung". Kathers Fazit: „Herr Oberstaatsanwalt Dr. Kühn amtiert wieder und weiter."[69] Zu fragen wäre, ob dieser Strafver-

---

65 Vgl. zur schillernden, aber während des NS-Regimes nicht NS-belasteten Figur des prominenten Nachkriegspolitikers Kather: Michael Schwartz: Funktionäre mit Vergangenheit. Das Gründungspräsidium des Bundes der Vertriebenen und das „Dritte Reich", München 2013.

66 Linus Kather: Von Rechts wegen? Prozesse, Esslingen 1982, S. 25−28; Kühn gehörte zum Geburtsjahrgang 1902; vgl. Christian Tilitzki: Alltag in Ostpreußen 1940−1945. Die geheimen Lageberichte der Königsberger Justiz, Würzburg 1991, S. 311, Anm. 8.

67 Ebd., S. 171 f. und 251.

68 Ebd., S. 311.

69 Kather, Von Rechts wegen? (wie Anm. 66), S. 31 f.

folger nach 1945 in Baden-Württemberg ebenfalls an der Verfolgung von Homosexuellen beteiligt gewesen sein könnte. Er wäre nicht der einzige.

Homosexuelle NS-Verfolgte im „Dritten Reich"

Die Beseitigung der homosexuellen SA-Führungsgruppe um Ernst Röhm Mitte 1934 gab das Signal zu einer breit angelegten Homosexuellenverfolgung der NS-Diktatur. 1949 sollte der Freiburger Generalstaatsanwalt Karl Siegfried Bader darauf hinweisen, dass die ab 1935 erfolgte extreme Steigerung der Verfolgung von Homosexuellen durch das NS-Regime Folge einer Instrumentalisierung des Strafrechts für politische Machtkämpfe gewesen sei:

> „Selten ist die Unaufrichtigkeit des Regimes irgendwo so offenkundig geworden wie hier. Nachdem es der systematischen Propaganda gelungen war, breiten Schichten des Volkes den Röhmputsch als eine Säuberungsaktion gegen verworfene Homosexuelle darzustellen",

sei dasselbe Mittel gegen andere Gruppen wie katholische Ordensleute oder unliebsame Wehrmachtsgeneräle zur Anwendung gebracht worden. „Der Machtkampf zwischen SS und SA wurde auf Kosten einiger gleichgeschlechtlich veranlagter Männer ausgetragen", und um die „Fassade zu retten", habe das Regime seinen Terror als bevölkerungspolitisch motivierten Kampf gegen abweichende Sexualität verbrämt.[70] Dabei ging die massive Verschärfung des Strafrechtsparagraphen 175 mit der zusätzlichen Ermöglichung der von der Gestapo ganz unabhängig von der Justiz anzuordnenden KZ-Inhaftierung von Homosexuellen einher. Außerdem verfeinerten und intensivierten Gestapo und Kriminalpolizei des NS-Staates ihre Fahndung gegen Homosexuelle. Neben der Kontrolle öffentlicher Treffpunkte spielte die Denunziation durch ganz „normale" Mitbürger hierfür eine entscheidende Rolle. Die polizeiliche und justizielle Verfolgung erreichte Ende der 1930er-Jahre ihren Höhepunkt und ging erst durch die kriegsbedingte Ausdünnung der Verfolgungsapparate signifikant zurück. Die Repressionsdrohung jedoch blieb.

Die historische Forschung schätzt eine Bandbreite von 5000 bis zu 15 000 homosexuellen Häftlingen in den Konzentrationslagern der NS-Diktatur. In neuester Zeit wird die niedrigere Zahl als die wahrscheinlichere betrachtet.[71] Für diese rund 5000 Menschen bedeutete das „Dritte Reich" zwei-

---

70 Karl S. Bader: Soziologie der deutschen Nachkriegskriminalität, Tübingen 1949, S. 68, auch Anm. 37.

71 Nikolaus Wachsmann: KL. Die Geschichte der nationalsozialistischen Konzentrationslager, München 2016, S. 769, Anm. 309.

fellos die Hölle. Ein Großteil von ihnen kam nicht mehr lebend aus den Lagern heraus – man geht von 4000 Todesopfern aus, was einer Todesrate von 80 Prozent gleichkommt.[72]

In der KZ-Gedenkstätte Buchenwald erinnert eine Gedenktafel mit dem rosa Winkel an die homosexuellen Männer, die hier gelitten haben und ermordet wurden.

In die explizit stigmatisierte KZ-Häftlingsgruppe der Homosexuellen, die mit dem berüchtigten „rosa Winkel" markiert wurde, wurden von der SS offenbar nur Männer eingereiht. Dennoch gab es auch eine – allerdings offenbar kleine – Anzahl von Frauen, die wegen homosexueller Handlungen verhaftet und in ein Konzentrationslager eingewiesen worden sind, dort allerdings auf diverse andere Häftlingsgruppen verteilt wurden. Außerdem gab es in sämtlichen Häftlingsgruppen lesbisch orientierte Frauen, die allerdings nicht wegen dieser sexuellen Orientierung inhaftiert worden sind.[73] Dass es

---

72 Detlef Schmiechen-Ackermann: Rassismus, politische Verfolgung und Migration. Ausgrenzung und Austreibung „unerwünschter" Gruppen aus dem nationalsozialistischen Deutschland, in: Jochen Oltmer (Hrsg.): Handbuch Staat und Migration in Deutschland seit dem 17. Jahrhundert, Berlin 2015, S. 573–642, insb. S. 634 f.

73 Claudia Schoppmann: Lesbische Frauen und weibliche Homosexualität im Dritten Reich. Forschungsperspektiven, in: Michael Schwartz (Hrsg.): Homosexuelle

darüber hinaus auch lesbisch orientierte SS-Frauen in den Konzentrationslagern gegeben hat, die ihre Macht über Leben und Tod der Häftlinge sexuell ausnutzten, ist ein zusätzlicher Aspekt dieser Verfolgungsgeschichte.[74]

Der Wortlaut des Strafrechtsparagraphen 175 bezog sich von jeher — also seit 1871/72 — ausdrücklich allein auf homosexuelle Handlungen zwischen Männern, nahm folglich Frauen grundsätzlich von dieser Strafandrohung aus. Trotz NS-interner juristischer Debatten, ob man die Strafandrohung nicht auch auf lesbische Liebe auszuweiten hätte, blieb es auch unter dem NS-Regime bei dieser spezifischen *gender gap*. Das bedeutet freilich nicht, dass überhaupt keine Frau gemäß dem NS-Homosexuellenstrafrecht juristisch verfolgt worden wäre. Zum einen behielt das NS-Regime für das annektierte Österreich zwischen 1938 und 1945 — wie eingangs schon erwähnt — dessen eigenes Homosexuellenstrafrecht von 1851 bei, das geschlechtsneutral formuliert war und damit auch lesbische Handlungen unter Strafandrohung stellte und zu einigen Verurteilungen führte. Zum anderen scheinen auch im sogenannten „Altreich" durchaus — wenngleich eher selten — Verurteilungen von Frauen wegen „Mittäterschaft, Beihilfe oder Anstiftung" zu einer Straftat gemäß § 175 oder 175a RStGB erfolgt zu sein. Rainer Hoffschildt eruierte hier 23 Verurteilungen für die Jahre 1933 bis 1942.[75] Michael Buddrus recherchierte fünf Fälle einer solchen Verurteilung von Frauen für das Land Mecklenburg während der NS-Zeit, wobei nur zwei wegen Beihilfe (z. B. als tolerante Ehefrau eines Homosexuellen) verurteilt worden waren, die übrigen drei jedoch ausschließlich oder in Tateinheit mit anderen Delikten wegen eigener lesbischer Handlungen.[76] Diese Resultate demonstrieren, dass die Hauptstoßrichtung der NS-Homosexuellenverfolgung tatsächlich gegen mann-männliche Sexualität gerichtet war, dass es aber falsch wäre, die Ausdehnung dieser Verfolgung auf lesbische oder zumindest lesbisch handelnde Frauen nicht in Rechnung zu stellen.

---

im Nationalsozialismus. Neue Forschungsperspektiven zu Lebenssituationen von lesbischen, schwulen, bi-, trans- und intersexuellen Menschen 1933 bis 1945, München 2014, S. 85—92, insb. S. 87.

74 Ulrike Janz: „Das Zeichen lesbisch in den nationalsozialistischen Konzentrationslagern", in: Schwartz, Homosexuelle im Nationalsozialismus (wie Anm. 73), S. 77—84.

75 Vgl. Schoppmann, Lesbische Frauen (wie Anm. 73), S. 89.

76 Michael Buddrus: Lebenssituation, polizeiliche Repression und justizielle Verfolgung von Homosexuellen in Mecklenburg 1932 bis 1945. Überlegungen zu einem Forschungsprojekt, in: Schwartz, Homosexuelle im Nationalsozialismus (wie Anm. 73), S. 115—120, insb. S. 119 f.

Szene aus dem 1999 in die Kinos gekommenen Film „Aimée & Jaguar", der auf den Erinnerungen von Zeitzeuginnen beruht. Im Mittelpunkt steht die Liebe zwischen einer Jüdin und einer Nichtjüdin im Berlin der Jahre 1943/44.

Im Übrigen fragt die heutige Forschung nicht mehr allein nur nach Verfolgung, sondern auch nach diversen Graden und Formen von Diskriminierung unterhalb der Schwelle der Inhaftierung oder gar Ermordung. Damit wird der Blick auf die vielfältigen Formen alltäglicher Repression erheblich geweitet, was nicht nur für homosexuelle Frauen, sondern auch für homosexuelle Männer sowie für weitere Gruppen wie Bisexuelle, Trans- und Intersexuelle oder Transvestiten neue Erkenntnisgewinne versprechen dürfte. Doch auch im engeren Bereich staatlicher Verfolgung sind für Lesben ganz bestimmte Erfahrungen festzuhalten. Zu Recht verweist Claudia Schoppmann auf die Zerschlagung der lesbischen Infrastruktur der Weimarer Zeit (Vereinigungen, Lokale, Zeitschriften), auf polizeiliche Ermittlungen, Hausdurchsuchungen, Verhöre und andere einschüchternd-repressive Maßnahmen.[77] Gleichwohl muss man wissenschaftlich und erinnerungspolitisch ernst nehmen, dass die schlimmsten Formen der NS-Repression lesbische Frauen keineswegs zufällig weitaus seltener trafen als homosexuelle Männer.

---

77 Schoppmann, Lesbische Frauen (wie Anm. 73), S. 87.

Bereits in Eugen Kogons erstmals 1946 veröffentlichtem Erlebnisbericht über *Das System der deutschen Konzentrationslager* findet sich eine kurze Passage über *Die Behandlung der Homosexuellen*, worin es heißt: Im Konzentrationslager habe schon der Verdacht genügt, „um einen Gefangenen als Homosexuellen zu deklarieren, um ihn so der Verunglimpfung, dem allgemeinen Mißtrauen und besonderen Lebensgefahren preiszugeben". Dabei sei „die homosexuelle Praxis in den Lagern sehr verbreitet" gewesen; „die Häftlinge taten aber nur jene in Acht und Bann, die von der SS mit dem rosa Winkel markiert waren". Seit 1938 seien diese Homosexuellen geschlossen in die Strafkompanie überführt und zu schwerer Arbeit im Steinbruch gezwungen worden. „Damit gehörten sie gerade in den schwersten Jahren der niedrigsten Kaste des Lagers an." Die aus dieser Unterschichtung resultierende größere tödliche Bedrohung sei bei Selektionen für Todestransporte besonders akut geworden: „Bei Transporten in Vernichtungslager" hätten Homosexuelle

> „im Verhältnis zu ihrer Anzahl den höchsten Prozentsatz gestellt, da das Lager immer die verständliche [!] Tendenz hatte, weniger wichtige und wertvolle oder als nicht wertvoll angesehene Teile abzuschieben".[78]

Vor Kurzem hat Nikolaus Wachsmann in seiner umfassenden Studie zur *Geschichte der nationalsozialistischen Konzentrationslager* Kogon darin bestätigt, dass die Homosexuellen als Häftlingsgruppe in den Konzentrationslagern eine „ungewöhnlich harte Behandlung" durch die SS erfahren hätten.[79] Manche neu eintreffenden Häftlinge seien nur aus dem Grunde unverzüglich ermordet worden, weil man in ihnen Sittlichkeitsverbrecher oder Homosexuelle vermutet habe. Kogons Beobachtung der überproportionalen Einweisung Homosexueller in Todestransporte wird im Hinblick auf den sogenannten „Opfertausch" konkretisiert: Mit dieser Methode hätten die politischen Funktionshäftlinge der Konzentrationslager Angehörige ihrer eigenen Häftlingsgruppe geschützt, indem sie Angehörige von als weniger wichtig betrachteten Häftlingsgruppen − darunter Homosexuelle − anstelle der ersteren auf die Listen für Vernichtungstransporte gesetzt und damit bewusst geopfert hätten. Wichtig ist Wachsmanns ergänzender Hinweis darauf, dass das von Kogon benannte Kriterium der „nicht als wertvoll angesehenen Teile" der KZ-Insassen auch bei der Einbeziehung Homosexueller in die „Eutha-

---

78 Eugen Kogon: Der SS-Staat. Das System der deutschen Konzentrationslager, Stuttgart 1979 [zuerst 1946], S. 263 f.

79 Wachsmann, KL (wie Anm. 71), S. 154. Zum Folgenden ebd., S. 263, 580 und 300.

nasie"-Mordaktionen funktionierte. Bekanntlich wurden die „Euthanasie"-Ärzte nach dem offiziellen Stopp der gegen Teile der deutschen Anstaltspatienten gerichteten „Aktion T4" zwischen 1941 und 1943 im Zuge der sogenannten „Aktion 14f13" von Himmler zur Häftlingsselektion in den Konzentrationslagern eingesetzt. Dabei wurden auch homosexuelle Häftlinge zur Vergasung in Tötungsanstalten selektiert — beispielsweise alle als homosexuell geltenden jüdischen Häftlinge des KZ Buchenwald.

Aber diese verfolgten und gequälten homosexuellen Männer — und auch eine vermutlich kleinere Gruppe homosexueller Frauen[80] — in den Konzentrationslagern waren nur ein Bruchteil aller damals in Deutschland lebenden Homosexuellen, eine Minderheit in der Minderheit. Etwas größer war jene Gruppe, die nicht in Konzentrationslager, aber in die Hände von Kriminalpolizei, Gestapo und NS-Justiz geriet, um gemäß den 1935 verschärften Strafrechtsparagraphen 175 und 175a abgeurteilt zu werden. Man geht davon aus, dass rund 50 000 Männer — und wiederum einige Frauen — zu Gefängnishaft und in schweren Fällen auch zu Zuchthausstrafen verurteilt worden sind; zahlenmäßig somit zehnmal so viele wie jene, die in Konzentrationslagern inhaftiert wurden.[81] Teilweise überschnitten sich beide Gruppen, denn Homosexuelle, bei denen häufige homosexuelle Beziehungen ermittelt werden konnten, wurden ab 1940 von der Gestapo regelmäßig nach Verbüßung ihrer Gefängnishaft unverzüglich in ein Konzentrationslager eingewiesen.[82]

Das verschärfte Strafrecht und dessen Anwendung führten im Vergleich zum Kaiserreich, zur Weimarer Republik, aber auch zur Frühphase des NS-Regimes selbst ab 1935 zu einer drastisch intensivierten Verfolgung von Homosexuellen, die erst nach Beginn des Zweiten Weltkrieges wieder abnahm — vor allem eine Folge der personellen Ausdünnung der Verfolgungsapparate in Deutschland durch Versetzungen an die Front oder in besetzte Länder. Doch zugleich muss man sehen: Selbst wenn man beide Verfolgtengruppen zusammenrechnet, machen diese am schlimmsten betroffenen homosexuellen Opfer des NS-Regimes nur einen Bruchteil aller damals in Deutschland lebenden Homosexuellen aus. Von einer umfassenden Verfolgung zu sprechen oder gar von einer Tendenz zum „Homocaust", wie dies in Schwulengruppen der 1970er-Jahre manchmal üblich war, wäre folglich verfehlt. Insofern sind die nationalsozialistische Judenverfolgung und die

---

80 Schoppmann, Lesbische Frauen (wie Anm. 73), S. 87.

81 Grau, Lexikon der Homosexuellenverfolgung (wie Anm. 9), S. 303.

82 Richard Plant: The Pink Triangle. The Nazi War against Homosexuals, Edinburgh 1987, S. 116 f.

NS-Homosexuellenverfolgung keinesfalls gleichzusetzen. Was es tatsächlich gab, war eine hochgradig gesteigerte Verfolgungsandrohung, die jedoch bei Weitem nicht alle Homosexuelle in gleicher Weise berührte. Das NS-Regime zerstörte weitgehend die gewachsene subkulturelle Szenestruktur der Weimarer Zeit, es vernichtete die Sichtbarkeit von Homosexualität als einen alternativen Lebensentwurf und es negierte das Recht der Homosexuellen auf Emanzipation. Aber es gab, trotz der massiven Homophobie Himmlers und seines Polizeiapparats, keine generelle Vernichtungspolitik.

Es gab vielmehr — wie schon lebensgeschichtliche Interviews der 1980er-Jahre gezeigt haben und neueste Forschungen in Baden-Württemberg wiederum zeigen — so etwas wie eine Normalität neben der Verfolgung, eine „Normalität für viele homosexuelle Männer auch damals", jedenfalls für die vielen, die „nicht auffielen und in die Maschinerie von Strafe und Terror gerieten".[83] Günter Grau stellt daher ausdrücklich fest:

> „Geradezu schädlich ist jede Vereinfachung mit Schlagworten, etwa die Annahme einer durchgängigen Vernichtung und das Winken mit Riesenziffern [hinsichtlich vermeintlicher Opferzahlen]. Formeln und Pauschalisierungen eignen sich nicht dazu, das Geschehen im Dritten Reich zu verstehen."[84]

Diese Feststellung deckt sich mit einem Trend der neuesten Forschung, beim Thema „Homosexuelle im Nationalsozialismus" nicht mehr nur die NS-Verfolgung und damit die Opfereigenschaft der Betroffenen in den Blick zu nehmen. Vielmehr soll auch nach möglichst verschiedenartigen „Lebenssituationen" Ausschau gehalten werden, wobei Verfolgung und Diskriminierung einen wichtigen Platz behalten, aber gleichzeitig die von Grau angesprochenen Erfahrungen weiterlaufender „Normalität" und vielfältiger Selbstbehauptung berücksichtigt werden. Dabei handelte es sich zweifellos um eine fragwürdige Normalität im Kontext der NS-Diktatur, quasi um Normalität in der Anomalität, die entweder durch Ausweich- und Verhüllungsstrategien zu bewahren war oder durch diverse Strategien des Anpassens, des Mitmachens, des Sich-Absicherns. Aber im Endeffekt endete nicht alles in Verfolgung, nicht jeder Homosexuelle im „Dritten Reich" wurde verfolgt.

Als dritte Dimension dieser breiten Skala von Lebenssituationen kommen die sogenannten „schwulen Nazis" hinzu, die zum Teil Mitläufer waren, zum Teil aber auch aktive Unterstützer des NS-Regimes und dessen Mittäter. Hier ist zunächst an die SA-Führungsgruppe um Ernst Röhm zu denken, die 1933/34 eine große Verantwortung für den NS-Terror der Machtergreifungs-

---

83 Grau, Lexikon der Homosexuellenverfolgung (wie Anm. 9), S. 9.
84 Ebd., S. 11.

phase trug und die Mitte 1934 dann selbst ähnlichen Terrormethoden ihrer NS-internen Gegner zum Opfer fiel. Die ziemlich offen demonstrierte, aggressive Homosexualität eines Teils dieser SA-Führer war provokativ gemeint – Röhm hatte schon 1928 in seiner Autobiographie ziemlich deutlich gegen das „Muckertum" der Mehrheitsgesellschaft aufbegehrt.[85] Die Beseitigung dieser provozierenden SA-Führung in einem regimeinternen Machtkampf wurde dann ja auch als sittlich motivierte „Säuberung" verkauft.

Doch auch nach diesem Putsch gegen die Röhm-Gruppe gab es im NS-Regime immer wieder Gruppen verfolgter Homosexueller, die nicht nur Opfer, sondern zuvor auch Täter gewesen waren. Das gilt etwa für jene SS-Männer, die seit dem „Führererlass" von 1941 im Falle homosexueller Handlungen mit dem Tode bestraft werden sollten und zuweilen auch bestraft wurden.[86] Das gilt für jene Homosexuellen, die das jahrelange mann-männliche Zusammenleben in der Wehrmacht während des Zweiten Weltkrieges als relativen Freiraum zu nutzen verstanden,[87] irgendwann aufflogen und verurteilt wurden – zwischen 1939 und 1944 immerhin über 6400 Verurteilte durch die Wehrmachtsjustiz.[88] Bis dahin aber hatte diese Gruppe NS-verfolgter Homosexueller – worauf Clayton Whisnant treffend hingewiesen hat – loyal alle Eroberungskriege und Besatzungspolitiken des NS-Regimes mitgetragen.[89]

Dieselbe Opfer-Täter-Ambivalenz findet sich sogar bei einem Teil der in Konzentrationslagern Inhaftierten und Gequälten. Das gilt zumindest für jene homosexuellen KZ-Häftlinge, die – woran Nikolaus Wachsmann jüngst erinnert hat – zu jenen rund 2000 Konzentrationslagerhäftlingen zählten, die im Zweiten Weltkrieg an die SS-Sonderformation Dirlewanger überwiesen wurden und die seither zwangsläufig Opfer und Täter zugleich im brutal geführten Ostkrieg dieses SS-Strafbataillons geworden sind.[90] Nahezu unvermeidlich war eine ähnliche Vermischung von Opfer- und Tätereigenschaften auch bei jenen homosexuellen KZ-Häftlingen, die in der Endphase des Krieges von der SS plötzlich zu Funktionshäftlingen gemacht wurden – zu Schreibern, Blockältesten, Vorarbeitern, in einem Fall sogar zum Lageräl-

85 Ernst Röhm: Die Geschichte eines Hochverräters, 7. Aufl. München 1934, S. 306.

86 Grau, Lexikon der Homosexuellenverfolgung (wie Anm. 9), S. 125–127.

87 Ebd., S. 9.

88 Ebd., S. 324.

89 Clayton J. Whisnant: Queer Identities and Politics in Germany. A History 1880–1945, New York 2016, S. 232.

90 Wachsmann, KL (wie Anm. 71), S. 557.

testen — und damit zu Machthabern über Leib und Leben anderer Häftlinge.[91]

Inkonsistenz der NS-Homosexuellenpolitik: Schonräume im Kontext der Verfolgung

Lebensräume für homosexuelle Nationalsozialisten wurden ab Mitte 1934 drastisch eingeengt, aber selbst durch die NS-Strafrechtsverschärfungen und die beginnende brutale KZ-Inhaftierung waren solche Freiräume keineswegs vollständig beseitigt. Der Kampf gegen Homosexualität in der Hitlerjugend dauerte bis zum Ende der NS-Diktatur unvermindert an — was zugleich bedeutete, dass homosexuelle Handlungen trotz verschärfter Repression gerade in homosozialen Organisationen nicht zu unterbinden waren.[92]

Homosexualitätsvorwürfe wurden gegen NS-Funktionsträger seit dem „Röhm-Putsch" immer wieder für innerparteiliche Machtkämpfe genutzt. Zwischen 1938 und 1940 wurden entsprechende Vorwürfe gegen führende NSDAP- und HJ-Funktionäre im neu annektierten „Sudetengau" — den bisherigen Sudetengebieten der Tschechoslowakei — von Reinhard Heydrichs SS- und Polizeistellen systematisch erhoben und teilweise rigoros verfolgt. Dieser Machtkampf zielte auf die Entmachtung des Gauleiters Konrad Henlein, die tatsächlich für mehrere Jahre erfolgte, auch wenn eine offizielle Ablösung unterblieb und Henlein nach dem Tode Heydrichs ab 1942 wieder an Einfluss gewann.[93] Solche Vorkommnisse bezeugen nicht nur die Instrumentalisierung des Homosexualitätsvorwurfs in NS-internen Machtkämpfen, sie zeigen umgekehrt auch, dass es nach der Beseitigung des homosexuellen Röhm-Zirkels im NS-Staat Homosexuelle nicht nur in Gefängnissen und Konzentrationslagern, sondern weiterhin auch in den Machtapparaten und in der NS-Führung selbst gab. Im Falle des Staatssekretärs im Propagandaministerium, Walther Funk, über den Gerüchte umliefen, trotz seiner Ehe homosexuell zu sein, verbot Hitler persönlich 1937 alle weiteren Nachforschungen über dessen sexuelle Orientierung. Funk sollte es 1938/39

---

91 Ebd., S. 599.

92 Vgl. Kathrin Kollmeier: Ordnung und Ausgrenzung. Die Disziplinarpolitik der Hitler-Jugend, Göttingen 2007.

93 Vgl. zu dieser sich auch auf die HJ im Sudetenland erstreckenden politisch motivierten Homosexuellenverfolgung: Volker Zimmermann: Die Sudetendeutschen im NS-Staat. Politik und Stimmung der Bevölkerung im Reichsgau Sudetenland (1938–1945), Essen 1999, S. 237–240 und 243; Ralf Gebel: „Heim ins Reich!" Konrad Henlein und der Reichsgau Sudetenland (1938–1945), München 1999.

zum Reichswirtschaftsminister und Reichsbankpräsidenten bringen und diese Ämter bis 1945 innehaben.[94]

Neuere Studien zu Österreich im 20. Jahrhundert belegen eine sozial deutlich differenzierte Verfolgungsintensität unterschiedlicher politischer Systeme. Während unter demokratischen Verhältnissen nach Hitler überwiegend Angehörige der Unterschichten von polizeilichen Ermittlungen und Strafverfolgung wegen homosexueller Handlungen betroffen waren, versuchte das NS-Regime offensichtlich, diese Verfolgung auch auf Angehörige der Mittelschichten auszudehnen.[95] Das wiederum bedeutet im Umkehrschluss: Oberschicht und große Teile der Mittelschichten blieben – von Ausnahmen abgesehen[96] – praktisch auch unter der NS-Diktatur von Verfolgung ausgenommen. Diese unterschiedlichen Lebenssituationen – je nach sozialem Status – führten dazu, dass sozial höher gestellte Homosexuelle von Verfolgung unbehelligt ihre Beziehungen „dezent" leben konnten – vor allem feste Paarbeziehungen.

Das galt insbesondere für den künstlerischen Sektor. Künstler wie der Schriftsteller und Drehbuchautor Erich Ebermayer, Spross einer großbürgerlichen Leipziger Juristenfamilie, und erst recht der prominente Schauspieler und Theaterintendant Gustaf Gründgens genossen offensichtliche Immunität. Ebermayer und sein junger Partner konnten als Männer- und Künstlerfreunde bei gesellschaftlichen Anlässen während der gesamten 1930er-Jahre auftreten, bevor sie sich 1939 auf ein abgeschiedenes Schloss in Franken zurückzogen.[97]

---

94 Angela Hermann: Der Weg in den Krieg 1938/39. Quellenkritische Studien zu den Tagebüchern von Joseph Goebbels, München 2011, S. 56.

95 Philipp Korom/Christian Fleck: Wer wurde als homosexuell verfolgt? Zum Einfluss sozialstruktureller Merkmale auf die strafrechtliche Verfolgung Homosexueller in Österreich während des Nationalsozialismus und der Zweiten Republik, in: Kölner Zeitschrift für Soziologie und Sozialpsychologie 64 (2012), S. 755–782.

96 Eine solche Ausnahme war der Münchner Innenarchitekt Fürst Joachim Cantacuzène, der 1935 im KZ Dachau als homosexueller Häftling ermordet wurde; Cantacuzène wurde auch durch seine Verwandtschaft mit der Münchner Verlegergattin Elsa Bruckmann, einer geborenen Cantacuzène und Förderin Hitlers, nicht geschützt; vgl. Moritz Pirol: Halali. Ein Thema mit 20 Variationen, Bd. 2, Bonn 2010, S. 434; Wolfgang Benz/Angelika Königseder: Das Konzentrationslager Dachau. Geschichte und Wirkung nationalsozialistischer Repression, Berlin 2008, S. 246.

97 Erich Ebermayer: Denn heute gehört uns Deutschland … Persönliches und politisches Tagebuch. Von der Machtergreifung bis zum 31. Dezember 1935, Hamburg 1959; ders., … und morgen die ganze Welt. Erinnerungen an Deutschlands dunkle Zeit [Tagebuch 1936–1939], Bayreuth 1966.

Dem thüringischen Staatsrat Hans Severus Ziegler — ein Mitglied der NS-Landesregierung und zugleich Generalintendant des Weimarer Nationaltheaters — wurden ebenfalls homosexuelle Neigungen nachgesagt, was ihm 1935 ein Ermittlungsverfahren und den drohenden politischen Sturz einbrachte; doch überstand Ziegler die ergebnislos eingestellten strafrechtlichen Ermittlungen unbeschadet und blieb bis 1945 in seinen Ämtern.[98] Auch Ebermayer kam aus Gestapo-Ermittlungen wegen des § 175 StGB im Herbst 1936 unbeschadet heraus.[99] Gustaf Gründgens, der im Frühsommer 1934 noch nacktbadende junge Schauspieler auf seinem brandenburgischen Gut beherbergte,[100] musste sich angesichts neiderfüllter Denunziationen in den Folgejahren sehr viel stärker zurückhalten. Laut Ebermayer fühlte sich Gründgens im Februar 1936 „beobachtet, gehetzt, gefährdet, jedem Klatsch und jeder Intrige preisgegeben", insbesondere nachdem man „seinen sympathischen Privatsekretär [...] verhaftet" habe.[101] Die Situation entspannte sich, als 1937 der notorische Homosexuellenverfolger Heinrich Himmler der Polizei die Weisung erteilte, Schauspieler und andere Künstler nur noch mit seiner ausdrücklichen Genehmigung wegen Verstößen gegen § 175 RStGB zu verhaften — es sei denn, sie würden *in flagranti* ertappt.[102] Damit erwies Himmler wahrscheinlich dem damals noch mächtigeren Hermann Göring einen Gefallen. Dieser — der zweite Mann des NS-Regimes nach Hitler — schützte nicht nur Gründgens, sondern auch diverse andere homosexuelle Schauspielerkollegen seiner Ehefrau Emmy Sonnemann vor dem Zugriff der Gestapo oder des weniger toleranten Propagandaministers Goebbels.[103] Gründgens jedenfalls sicherte sich 1936 durch eine zehn Jahre später wieder geschiedene Ehe mit der Schauspielerin Marianne Hoppe zusätzlich ab.[104]

Auch jenseits der Kulturszene gab es ein politisch angepasstes oder sogar offen pronationalsozialistisches Milieu von Homosexuellen. Im Januar 1936 traf Erich Ebermayer in Berliner Salons den französischen Rechtsintellektuellen André Germain — „Pariser Bankierssohn, Multimillionär, Lyriker, Faschist und Homoerot" — und stieß dabei auch auf „viel zarte Jünglinge,

---

98 Machtan, Hitlers Geheimnis (wie Anm. 34), S. 284; Ernst Klee, Das Kulturlexikon zum Dritten Reich. Wer war was vor und nach 1945, Frankfurt/M. 2007, S. 682.

99 Ebermayer, ... und morgen die ganze Welt (wie Anm. 97), S. 111 f.

100 Ebermayer, Denn heute gehört uns Deutschland ..., (wie Anm. 97), S. 314–316.

101 Ebermayer, ... und morgen die ganze Welt (wie Anm. 97), S. 10.

102 Plant, The Pink Triangle (wie Anm. 82), S. 116.

103 Friedemann Beyer u. a.: UFA in Farbe: Technik, Politik und Starkult zwischen 1936 und 1945, München 2010, S. 29.

104 22. Juni 1936 — Gustaf Gründgens und Marianne Hoppe heiraten, in: https://¬www1.wdr.de/stichtag/stichtag5306.html (Zugriff am 24.1.2018).

Szene aus dem Film „Tanz auf dem Vulkan" mit Gustaf Gründgens, darin das Lied „Die Nacht ist nicht allein zum Schlafen da".

hysterische Baroninnen, übergescheite Franzosen, die in Hitler den gültigen Repräsentanten des künftigen Europa sehen" wollten.[105] Und als Ebermayer mit seinem Partner im Dezember 1938 einer Theateraufführung in Oldenburg beiwohnte, „schleppte" ihn der dortige Generalintendant „zu einem fürstlichen Diner bei einem schwerreichen Kaufmann", der in seiner Villa ganz offen mit seinem homosexuellen Lebenspartner residierte:

> „Herr F. ist ein Herr Mitte 60, ‚Frau F.', wie er seinen Freund unbekümmert auch neuen Gästen vorstellt, ist ‚erst' 47 und zeigt noch letzte Spuren einstiger juveniler Schönheit, was außerdem ein großes Aktgemälde an der Wand des Eßzimmers bestätigt. Die beiden Freunde leben seit 30 Jahren zusammen. Und das in Oldenburg! ‚Das macht den Oldenburgern gar nichts …', sagt Herr F., und ‚Frau F.' lächelt dazu. Auch der Generalintendant, der uns in das originelle Haus kultivierter Gastfreundschaft brachte, lächelt."[106]

Was aber trotz solcher Nischen seit 1934 unwiderruflich ein Ende gefunden hatte, war Röhms aggressives Beharren auf Anerkennung seiner sexuellen

---

105 Ebermayer, …und morgen die ganze Welt (wie Anm. 97), S. 10 und ähnlich S. 18.
106 Ebd., S. 332.

69

Identität, das heterosexuellen Parteigenossen wie Alfred Rosenberg so gegen den Strich gegangen war. Wer noch homosexuell war und sozial (und physisch) überleben wollte, musste dezent und vorsichtig sein, musste zur Not wie Gründgens eine (Schein?-)Ehe eingehen oder sich wie Ebermayer 1939 mit seinem Partner in die ländliche Einsamkeit zurückziehen.

Trotz aller Repressionen unter dem NS-Regime wurde diese eingeschränkte, aber weiterhin gegebene Pluralität der Lebenssituationen von Homosexuellen dadurch wesentlich erleichtert, dass das NS-Regime seine ab 1934 eindeutig homophobe Grundhaltung im Hinblick auf praktische Konsequenzen erheblich ausdifferenzierte. Es gab keine einheitliche NS-Politik. Vielmehr spricht Clayton Whisnant treffend von „real inconsistencies" in der praktischen Behandlung von Homosexuellen durch das NS-Regime, die er sowohl auf ideologische Differenzen als auch auf die soziale Fragmentierung des Regimes und auf die alltäglichen Probleme der Verfolgungsdurchsetzung zurückführt.[107]

Abgesehen von der Frage, inwiefern auch das NS-Regime ältere Elemente einer „Klassenjustiz" beibehielt, die insbesondere Angehörige der Unterschichten zu Opfern faktischer Repression machte und höhere Schichten deutlich weniger tangierte, muss man deutlich sehen, dass sich die Situation unter dem Nationalsozialismus zu unterschiedlichen Zeiten in unterschiedlichen Gesellschaftsbereichen sehr differenziert darstellte. Zwar wurden viele Institutionen der Weimarer homosexuellen „Szene" bereits 1933 zwangsweise geschlossen oder verboten — von Szenelokalen über homosexuelle Zeitschriften bis hin zu Magnus Hirschfelds emanzipativem Berliner Institut für Sexualforschung. Andererseits überlebten auch Szenelokale: Dies galt etwa für „Ellis Bier-Bar" in Berlin-Kreuzberg, damals noch eine nicht ausschließlich homosexuelle Kneipe, in der auch Ernst Röhm verkehrte und deren Inhaberin während der gesamten NS-Zeit gute Kontakte zur NS-Reichsfrauenschaftsführerin Gertrud Scholtz-Klink pflegte.[108] Ebenso geöffnet blieb zumindest bis 1938 Hamburgs einschlägiges „Stadtcasino". Bäder, Kinos und öffentliche *Cruising*-Treffpunkte wurden weiterhin rege frequentiert.[109]

Trotz der Ermordung des homosexuellen Führungszirkels der SA 1934 und der Strafrechtsverschärfung von 1935 inklusive der zusätzlichen repressiven Möglichkeit staatspolizeilich angeordneter KZ-Inhaftierung blieb Homosexualität in allen homosozialen NS-Organisationen ein Dauerphäno-

---

107 Whisnant, Queer Identities and Politics in Germany (wie Anm. 89), S. 228.
108 Jennifer Evans: Life among the Ruins. Cityscape and Sexuality in Cold War Berlin, Houndmills 2011, S. 177 – 179.
109 Whisnant, Queer Identities and Politics in Germany (wie Anm. 89), 231 f.

men. Allein in der Hitlerjugend war ein Drittel der rund 7500 Ausschlüsse zwischen 1934 und 1941 auf Sexual- und Sittlichkeitsdelikte zurückzuführen, überwiegend auf homosexuelle Handlungen.[110] Das ist einerseits ein Indiz für eine intensivierte Verfolgung, andererseits aber auch für eine anhaltende Praxis und zumindest teilweise für Versuche homosexueller Selbstbehauptung.

Das deutsche Militär – homosozial, homosexuell, homophob?

Seit den um Homosexualität kreisenden Eulenburg- und Redl-Affären vor dem Ersten Weltkrieg war das deutsche Militär zumindest diskursiv eine Bastion der Heteronormativität und Homophobie geworden — zweifellos eine besonders starke Kontinuitätslinie für das 20. Jahrhundert. Durch beide Skandale hatte das Ansehen des jeweiligen Offizierskorps und der Armee schwer gelitten. Nicht zufällig ähnelten sich daher auch die scharfen homophoben Erklärungen der zuständigen Minister: 1907 hatte der preußische Kriegsminister General Karl von Einem auf dem Höhepunkt der Eulenburg-Affäre vor dem Reichstag erklärt, homosexuell veranlagte Menschen seien ihm „ekelhaft", er „verachte" sie und sei überzeugt, „ein solcher Mann darf nie und nimmer Offizier sein" — ein Bekenntnis, das ihm lebhafte Bravorufe auf der Rechten einbrachte.[111] Die Affäre Redl bewirkte eine ähnliche Erklärung des österreichischen Landesverteidigungsministers General Friedrich von Georgi vor dem Wiener Abgeordnetenhaus, der Redls Landesverrat eine „physische Abnormität" nannte, aus der man nur den Schluss ziehen könne: „Für alles Minderwertige, ob physisch oder moralisch minderwertig, ist in unserem Berufe kein Raum."[112]

Noch als der § 175 StGB im Jahre 1969 für die „einfache Homosexualität" zwischen Erwachsenen endlich abgeschafft wurde, wurde ein reformierter § 175a bewusst beibehalten — jener erst von den Nationalsozialisten 1935 eingeführte Zusatzparagraph, der neben Missbrauch oder Verführung von Minderjährigen vor allem die homosexuelle Nötigung durch Vorgesetzte bestrafen wollte. Im NS-Staat und in der DDR war diese Bestimmung angesichts großer homosozialer Partei- oder Jugendorganisationen nicht nur für das Militär wichtig. Im NS-Staat blieb insbesondere die Hitler-Jugend auch nach 1934 eine permanente Problemzone, denn die endlose „Reihe sittlicher

---

110 Kollmeier, Ordnung und Ausgrenzung (wie Anm. 92), S. 163, 166 f. und 181.

111 Zit. nach Bösch, Öffentliche Geheimnisse (wie Anm. 7), S. 147.

112 Zit. nach Marcus G. Patka: Egon Erwin Kisch. Stationen im Leben eines streitbaren Autors, Wien 1997, S. 35.

Verfehlungen von Hitler-Jugendführern" an ihnen anvertrauten Jugendlichen wurde immer wieder zum Tagesgespräch.[113] Insofern erscheint die starke Betonung des Jugendschutzes im Homosexuellenstrafrecht der NS-Diktatur nicht nur als Konzession an homophobe Mentalitäten innerhalb der Gesellschaft, sondern auch als Folge des Systemwiderspruchs von Heteronormativität und Homosozialität.

In der Bundesrepublik hingegen wurde ab 1969 die Konstruktion eines seltsamen Jugendschutzalters zwischen 18 und 21 Jahren im reformierten Homosexuellenstrafrecht als unsachgemäßes Geschenk an die Bundeswehr kritisch diskutiert und folgerichtig 1973 fallengelassen.[114] Homophobie konnte in der Bundeswehrführung damals ganz unverstellt artikuliert werden. Als das Bundesverteidigungsministerium 1960 eine Broschüre für „Innere Führung" unter dem Titel *Schwierige junge Soldaten. Hinweise zum Erkennen und Erziehen* erarbeitete und dabei auch Homosexualität thematisierte, stellte der hochrangige Truppenkommandeur Wolf Graf von Baudissin gegenüber dem Wehrbeauftragten des Deutschen Bundestages Helmuth von Grolman verächtlich fest, leider würden viele Wehrkreisersatzämter nicht von vornherein strenge Maßstäbe an die Musterung anlegen, da sie fälschlicherweise davon ausgingen, die Bundeswehr könne gerade schwierige junge Männer wieder auf den rechten Weg bringen. Sie hätten noch nicht begriffen, „daß die Truppe an vielen Stellen Plattfüßler, nirgends aber Labile und Asoziale gebrauchen kann".[115]

Aber die deutsche Militärgeschichte wäre mit dem Schlagwort Homophobie unzureichend beschrieben. Ausgerechnet der erste deutsche Wehrbeauftragte und frühere Wehrmachtsgeneral von Grolman sah sich 1961 zum Rücktritt gezwungen und in einen Strafprozess verwickelt, nachdem seine Beziehung zu einem siebzehnjährigen Kellner publik geworden war.[116]

---

113 NRW-Staatsarchiv Münster, Politische Polizei Drittes Reich Nr. 413, Staatspolizeistelle Dortmund, Bericht für Oktober 1934, S. 16, wonach „wieder eine Reihe sittlicher Verfehlungen von Hitler-Jugendführern festgestellt" worden seien; ein erneuter HJ-Vorfall wird erwähnt in ebd., Staatspolizeistelle Münster, Bericht für Dezember 1935, S. 11.

114 Schäfer, „Widernatürliche Unzucht" (wie Anm. 8), S. 303 und 309.

115 Kai Uwe Bormann: Als „Schule der Nation" überfordert. Konzeptionelle Überlegungen zur Erziehung des Soldaten in der Aufbauphase der Bundeswehr, in: Karl-Heinz Lutz u. a. (Hrsg.): Reform — Reorganisation — Transformation. Zum Wandel in deutschen Streitkräften von den preußischen Heeresreformen bis zur Transformation der Bundeswehr, München 2010, S. 365—368, insb. S. 366.

116 Michael Schwartz: „Warum machen Sie sich für die Homos stark?" Homosexualität und Medienöffentlichkeit in der westdeutschen Reformzeit der 1960er und

Während der verzweifelte Jugendliche versuchte, sich mit Schlaftabletten zu töten, was durch die rechtzeitige Entdeckung verhindert werden konnte, griff Grolman angesichts der drohenden öffentlichen Schande zu einer Giftampulle, die ihm – wie vielen anderen Funktionsträgern – 1945 vom NS-Regime ausgehändigt worden war, deren Inhalt sich jedoch glücklicherweise nicht mehr als wirksam erwies.[117]

Antrittsbesuch des Wehrbeauftragten des Bundestags Helmut von Grolman im April 1959 bei Bundesverteidigungsminister Franz Josef Strauß.

Rückblickend betrachtete Heinrich Albertz – Theologe, Sozialdemokrat, zum Zeitpunkt des Skandals Berliner Innensenator und später dort auch Regierender Bürgermeister – den Gestürzten als „Opfer einer schmutzigen Intrige". Albertz war Grolman seit Langem freundschaftlich verbunden, denn während des Zweiten Weltkrieges hatte der General den zur Bekennenden Kirche zählenden Pastor vor dem Zugriff der Gestapo geschützt. Al-

---

1970er Jahre, in: Jahrbuch Sexualitäten 1.2016, Göttingen 2016, S. 51–93, insb. S. 62.

117 Grolman: Die Bekenntnisse des Krull, in: Der Spiegel vom 26.7.1961, zitiert nach: http://www.spiegel.de/spiegel/print/d-43366138.html [Zugriff am 2.2.2016].

bertz wiederum — unterdessen zum Vertriebenenminister in Niedersachsen avanciert — verhalf einige Jahre nach Kriegsende dem Ex-General zu einer zweiten zivilen Karriere innerhalb seines Ressorts, in dem Grolman später zum Staatssekretär aufstieg.[118] Interessant an Albertz' Stellungnahme zum Grolman-Skandal ist vor allem, dass die homosexuelle Beziehung des langjährigen Berufsoffiziers (der verheiratet war und Kinder hatte) für den Theologen gar kein Skandalon war, sondern dass er deren Veröffentlichung als den eigentlichen Skandal empfand. Während das Hamburger Nachrichtenmagazin *Spiegel* Sensationsberichte über den „alternden General" und seinen schönen blonden Jungkellner brachte,[119] konnte in Albertz' Sicht ein ehemaliger General der Wehrmacht selbstverständlich auch homoerotische Gefühle entwickeln.

Was für die Nachkriegsöffentlichkeit des Jahres 1961 eher eine Überraschung und teilweise ein Skandal war, wäre ein halbes Jahrhundert zuvor noch als sehr viel alltäglicher wahrgenommen worden. Freilich wurde Homosexualität im Militär gerade damals — in den letzten Jahren vor dem Ersten Weltkrieg, in dem auch Helmuth von Grolman seine langjährige Karriere als Berufsoffizier beginnen sollte — zunehmend skandalisiert und bekämpft. Die Bloßstellung der vermeintlich oder wirklich homosexuellen Generäle in der Eulenburg-Moltke-Affäre von 1907/08 fiel zusammen mit zwei noch schwerer wiegenden sozialgeschichtlichen Phänomenen, die ebenfalls in den Fokus einer kritischen bürgerlichen Öffentlichkeit gerückt wurden: Zum einen die verbreitete Soldatenprostitution in Deutschland, zum anderen die systematische Verführung von Untergebenen durch preußische Offiziere. Noch 1920 wurde dem Publizisten Maximilian Harden von einem ansonsten scharfen Kritiker „das große Verdienst" zugutegehalten, „eine stinkende Pestbeule am Volkskörper aufgerissen zu haben", denn seither habe öffentliche Kritik „an dem faulen Gebälk der führenden Schichten" gerüttelt und die Exekutive zum Handeln genötigt:

> „Mit großer Energie wurde von der Regierung der Kampf gegen die Popografen, vor allen Dingen die der Armee, aufgenommen."[120]

Mit diesem gleichermaßen homophoben wie antiaristokratischen Schimpfwort war eine wichtige Nebenwirkung des Eulenburg-Moltke-Prozesses ange-

---

118 Heinrich Albertz: Blumen für Stukenbrock. Biographisches, 5. Aufl. Stuttgart 1981, S. 111.

119 Schwartz, „Warum machen Sie sich für die Homos stark?" (wie Anm. 116), S. 62.

120 Dietrich Stürmer: Maximilian Harden: Der geheimnisvolle Gewaltige?! Eine Studie, Leipzig 1920, S. 20.

sprochen, denn damit wurde ein aristokratisches, bis in die Hohenzollern-dynastie hineinreichendes Netzwerk von Gardeoffizieren öffentlich, die einander junge Untergebene zuführten. Im Zuge dieses zusätzlichen Skandals verloren etliche Betroffene ihre militärischen Ränge und ihre gesellschaftliche Stellung. Zugleich berichtete ein ehemaliger Gardesoldat, der als Zeuge im Moltke-Prozess 1907 über seine alltägliche Erfahrung aussagte, dass junge Gardesoldaten in ihren prächtigen Ausgehuniformen außerhalb der Kasernen in Berlin und Potsdam „sehr viel von Männern belästigt" würden. Daraufhin versuchte der preußische Kriegsminister Karl von Einem im Parlament „das Militär als durch homosexuelle Zivilisten bedroht darzustellen". Das war eine einseitige und höchst riskante Sichtweise, galt doch Berlin – so jedenfalls Hans Ostwald in seinem 1906 publizierten Buch über *Männliche Prostitution im kaiserlichen Berlin* – neben London geradezu als das Mekka der Soldatenprostitution. Laut Ostwald gab es ein halbes Dutzend ständig wechselnder Örtlichkeiten in der Stadt, die als Soldatenstriche bekannt waren. Darüber hinaus würden die unter Soldaten beliebten Kneipen in Kasernennähe gezielt von homosexuellen Zivilisten aufgesucht:

> „Fast bei allen Kasernen, fast bei allen geschilderten Kneipen sind Soldaten zu sehen, die einzeln oder paarweise sich den Homosexuellen anbieten."

Diese eher pekuniär denn durch Veranlagung motivierte Prostituierung von Soldaten reichte demnach bis in Unteroffiziersränge hinauf.[121] Der Berliner Sittendezernent von Tresckow bestätigte diese Schilderungen nachträglich 1922 – sowohl die ständigen Annäherungsversuche homosexueller Zivilisten gegenüber Soldaten, die Verführung von Soldaten durch homosexuelle Offiziere als auch „das ungenierte Treiben der Soldaten" im Tiergarten, über das sich der Berliner Polizeipräsident 1907 offiziell beim Militärgouvernement der Hauptstadt beschwert hatte. Der gut informierte Tresckow hatte selbst 1907 in seinem Tagebuch festgehalten:

> „Die Soldaten benehmen sich in dieser Gegend wie die Prostituierten. Sie bieten sich den Homosexuellen, die zumeist den gebildeten Kreisen angehören, direkt an."

Sogar von einem eindeutigen Angebot eines Soldaten gegenüber dem damaligen preußischen Innenminister Theobald von Bethmann Hollweg, der als Spaziergänger dessen Weg kreuzte, wusste Tresckow zu berichten, da

---

121 Hans Ostwald, Männliche Prostitution im kaiserlichen Berlin, Leipzig 1906 (ND 3. Aufl. Berlin 1992, S. 86–88.

Karikatur aus der französischen illustrierten Zeitschrift „Fantasio" (1915) mit dem Titel „Das Urteil des deutschen Paris".

ihm der spätere Reichskanzler diesen Vorfall „entrüstet" mitgeteilt hatte.[122]

Das deutsche Heer hatte damals eine Friedensstärke von über einer halben Million Mann.[123] Man darf vermuten, dass die geschilderten Phänomene von Homosexualität innerhalb des Militärs nicht auf Berlin und Potsdam beschränkt blieben, sondern auch in anderen Garnisonsstädten zu beobachten waren. Der Missbrauch von Kavalleriesoldaten durch den bayerischen

---

122 Tresckow, Von Fürsten (wie Anm. 14), S. 122 f. und 185 f.

123 Generaloberst [Karl] von Einem: Erinnerungen eines Soldaten 1853−1933, Leipzig 1933, S. 71.

König Ludwig II. wurde in München seinerzeit allenthalben besprochen und war einer jener regierungsoffiziellen Vorwürfe, die 1886 der Entmündigung des homosexuellen Monarchen vorangingen.[124] Auch wissen wir durch einen empörten Bericht des Sozialdemokraten Franz Bergg, „der in den späten 1880er-Jahren seinen Militärdienst in einem Hamburger Infanterieregiment ableistete und von dort in die Arbeiterabteilung Ehrenbreitstein bei Koblenz strafversetzt wurde", dass homosexuelle Handlungen — bis hin zu Küssen — zwischen Soldaten damals weitverbreitet waren und von niemandem beanstandet wurden. Bergg erklärte sich dieses Verhalten mit der homosozialen Zwangskasernierung, quasi als Notstandshandlung aufgrund des Fehlens von Frauen.[125]

Eine weitere Frage ist, wie lange solche Phänomene anhielten oder wieder auflebten. Das NS-Regime hat gegen einen der damals ranghöchsten deutschen Soldaten, Generaloberst Werner von Fritsch, 1938 den Vorwurf gesetzwidriger homosexueller Handlungen mit einem Prostituierten erhoben, um den politisch unliebsam gewordenen Oberbefehlshaber des Heeres zu stürzen. Fritsch wurde — ob gezielt oder versehentlich, spielt für uns keine Rolle — mit einem sehr viel rangniedrigeren Offizier, dem früheren Rittmeister Achim von Frisch, verwechselt, der tatsächlich von jenem wegen § 175 StGB vorbestraften Prostituierten erpresst worden war, den die Gestapo dann als Belastungszeugen gegen Generaloberst von Fritsch instrumentalisierte.[126] Homosexualität wurde hier nicht nur als Straftat, sondern vor allem als mit der Offiziersehre unvereinbare Schande inszeniert. Für die NS-Elitetruppe der SS ging deren Reichsführer Heinrich Himmler noch deutlich weiter, als er im März 1942, einem Befehl Hitlers folgend, die Todesstrafe für homosexuelle Vergehen von SS-Männern oder Polizeibeamten androhen ließ.[127]

1949 aber behauptete der Sportmediziner Martin Brustmann, der zeitweilig als Hausarzt Heydrichs 1938 zum SS-Führer und medizinischen Berater

---

124 Heinz Häfner: Ein König wird beseitigt. Ludwig II. von Bayern, München 2011, S. 63.

125 Ute Frevert: Die kasernierte Nation. Militärdienst und Zivilgesellschaft in Deutschland, München 2001, S. 237.

126 Angela Hermann: Der Weg in den Krieg 1938/39. Quellenkritische Studien zu den Tagebüchern von Joseph Goebbels, München 2011, S. 35, 37 und 60 f.; Frisch wurde von der Gestapo verhaftet, sein Schicksal ist unklar; der Erpresser und gescheiterte Belastungszeuge Otto Schmidt wurde 1942 im KZ Sachsenhausen ermordet; vgl. Klaus-Jürgen Müller: Das Heer und Hitler. Armee und nationalsozialistisches Regime 1933–1940, 2. Aufl. Stuttgart 1988, S. 637.

127 Plant, The Pink Triangle (wie Anm. 82), S. 144.

des RSHA aufgestiegen war,[128] einen Zusammenhang zwischen Himmlers Todesstrafenerlass für homosexuelle SS-Männer und der Entwendung von SS-Uniformen durch Stricher, die in Berlin viel Geld damit verdient hätten, den „Rock des Führers [...] schänden" zu lassen.[129] War der einstige kaiserliche Soldatenstrich vor 1914 ausgerechnet als SS-uniformierter Strich im Zweiten Weltkrieg wiederauferstanden?

Eigentlich sollte man mit Richard Plant meinen, dass nach den Ereignissen von 1934 ohnehin kein halbwegs intelligenter Homosexueller ausgerechnet in die SS eingetreten wäre,[130] doch die Realität sah – vielleicht auch durch die gewaltige Aufblähung der Waffen-SS im Zweiten Weltkrieg – anders aus. Das hatte nicht nur mit zeitweiliger Ersatzsexualität unter Männern in Kampfverbänden zu tun, wie sie in beiden Weltkriegen vorkam.[131] Es hatte auch mit der grundlegenden sexuellen Ambivalenz eines homosozialen Verbandes wie der SS zu tun, der das Nacktbaden unter Kameraden zuließ und das Thema Penislänge in den Lehrplan aufgenommen haben soll, zugleich aber radikale Homophobie predigte.[132] Hinzu kam, dass die Kampfverbände des „Dritten Reiches" ab 1942 verstärkt „fremdvölkische" Freiwillige aufnahmen, in deren nationalen Kulturen Homosexualität teilweise freier gehandhabt wurde als in Deutschland – Angehörige diverser Kaukasusvölker, Kosaken, Belgier oder Franzosen. Die Militärjustiz ging mit Vergehen solcher Soldaten milde um, während dieselben Handlungen unter Zwangsarbeitern zur Hinrichtung durch die Gestapo oder zu KZ-Haft hätten führen können.[133] Man fragt sich, wie die Waffen-SS mit Homosexualität innerhalb ihrer fremdvölkischen Verbände umging. Zumindest innerhalb der deutschen SS-Verbände kam es zu rigoroser Verfolgung. Homosexueller Handlungen bezichtigte SS-Männer wurden selbst zu Häftlingen in SS-Konzentrationslagern und kamen zum Teil dort um.[134]

---

128 Klee, Kulturlexikon (wie Anm. 98), S. 79; Peter Longerich: Heinrich Himmler. Biographie, München 2010, S. 374.

129 Dagmar Herzog: Die Politisierung der Lust. Sexualität in der deutschen Geschichte des Zwanzigsten Jahrhunderts, München 2005, S. 104 f.

130 Ebd., S. 143.

131 Vgl. Jason Crouthamel: An Intimate History of the Front. Masculinity, Sexuality, and German Soldiers in the First World War, New York 2014; David Raub Snyder: Sex Crimes under the Wehrmacht, Lincoln 2007.

132 Herzog, Politisierung der Lust (wie Anm. 129), S. 104 f.

133 Plant, The Pink Triangle (wie Anm. 82), S. 146 f.

134 Albert Knoll: Lebenssituationen und Repressionen von LSBTI im Nationalsozialismus. Die Forschungssituation in München, in: Schwartz, Homosexuelle im Nationalsozialismus (wie Anm. 73), S. 135–139.

Wenn man nach Lebensformen und Freiräumen fragt – die zugleich immer von Repression bedroht waren –, wird man die Wirkungen der Massenmobilisierung in beiden Weltkriegen für die männliche Bevölkerung nicht ausblenden dürfen. Der aus Rottweil stammende deutsch-jüdische Publizist Ernst Iros konstatierte 1919, „nach den Erfahrungen in Kasernen, Knabeninternaten etc.", die man schon zu Friedenszeiten gemacht habe, hätten „homosexuelle Erscheinungen" an der Front in größerem Umfang „erwartet werden" können. Zugleich aber habe man solche Phänomene infolge der „aus Furcht vor schwerer Strafe veranlaßte[n] vorsichtige[n] Geheimhaltung" nur vereinzelt ahnden können. Iros erwähnte den spektakulären Fall eines Zahlmeisters, der – obschon verheiratet und Vater von sechs Kindern – „eines umfangreichen homosexuellen Verkehrs überführt und schwer bestraft" worden sei.[135] Neuerdings ist das Massenphänomen homoerotischer und homosexueller Beziehungen in der deutschen Armee des Ersten Weltkriegs eingehender untersucht worden, einschließlich der Wirkungen der Fronterfahrung und der Bilder und Selbstbilder von „echten Männern" auf die Nachkriegsgesellschaft der 1920er-Jahre, in der die auf 100 000 Mann reduzierte Reichswehr homosexuelle Soldaten gezielt aus dem Dienst entfernte. Aufgrund der Kriegserfahrung „vermännlichte" sich offenbar das vor 1914 eher als effeminiert definierte Bild von Homosexuellen selbst im Wissenschaftlich-humanitären Komitee.

Auch Röhm und seine SA-Kameraden passten in dieses maskulinisierte neue (Selbst-)Bild. Gleichwohl ließen die Nazis nicht zu, dass homosexuelle Bindungen als Teil der Frontkämpfererinnerung thematisiert wurden, auch wenn sie – wie Jason Crouthamel glaubt – gewisse feminine Züge in ihr martialisches Männlichkeitsbild inkorporierten.[136] Es waren daher eher wortlose, aber dennoch vielsagende Körperbilder, die nach den Röhm-Morden von 1934 die Ambivalenz der NS-Männlichkeitsbilder weiterhin zum Ausdruck brachten. So beobachtete ein polnischer Journalist auf dem NSDAP-Reichsparteitag von 1936 den Massenaufmarsch von Reichsarbeitsdienstmännern mit nackten Oberkörpern und stellte ironisch fest: „Freikörperexzesse dieser Art hätten die hier anwesenden Machthaber vor 1933 als

---

135 Ernst Iros [i. e. Julius Rosenstiel]: Die sexuelle Not im Schützengraben, in: Hans Dolsenhain (Hrsg.): Das Liebesleben im Weltkriege, Bd. 1, Teilband 2, Nürnberg 1919, S. 3–17, insb. S. 12 f.; ferner Jason Crouthamel: Love in the Trenches. German Soldiers' Conceptions of Sexual Deviance and Hegemonic Masculinity in the First World War, in: Gender and the First World War, hrsg. von Christa Hämmerle, Basingstoke 2014, S. 52–71.

136 Crouthamel, Intimate History (wie Anm. 135), S. 128–167.

schamlos oder homosexuell bezeichnet."[137] Sittenstrenge Katholiken emp-
fanden denn auch solche Anblicke als anstößig und provokativ. So be-
schwerte sich laut Gestapo der Propst des Marienwallfahrtsortes Telgte im
Münsterland

> „schriftlich höheren Orts darüber [...], daß am 22.6.35 die Arbeitsdienst-Männer
> von ihrem Lager [...] in kurzer Badehose, also mit entblößtem Oberkörper, an der
> Kirche vorbei zur Emsbadeanstalt gegangen seien".[138]

Reichsparteitag der NSDAP 1937: Beim „Ehrentag des Reichsarbeitsdienstes" treten auf dem Zeppelin-
feld in Nürnberg die Kolonnen als „Symbol der deutschen Arbeit" mit entblößtem Oberkörper vor dem
„Führer" auf.

Interessant ist die Frage nach den Militärtraditionen im Umgang mit Homosexualität im Vergleich der beiden Weltkriege. Im Ersten Weltkrieg zöger-
ten militärische Stellen offenbar mit der Verfolgung und Bestrafung von Homosexualität unter Soldaten, weil sie eine — im Eulenburg-Skandal bereits
erfolgte — Beschädigung des Ansehens der Armee durch Verweiblichungs-
und Degenerationsvorwürfe befürchteten. Konsensueller Sex wurde daher

---

137 Sobański, nachrichten aus berlin (wie Anm. 30), S. 208.
138 NRW-Staatsarchiv Münster, Politische Polizei Drittes Reich Nr. 435, Staatspoli-
      zeistelle Recklinghausen, Bericht für Juni 1935, S. 50.

offenbar kaum verfolgt, während man das Augenmerk auf Missbrauch der Dienstgewalt gegenüber Untergebenen legte. Außerdem verhandelten Angeklagte mit der Militärjustiz, indem sie homosexuelle Kontakte zwar zugaben, zugleich aber insistierten, keine beischlafähnlichen Handlungen vorgenommen und damit den damaligen § 175 StGB nicht verletzt zu haben.[139] Interessanterweise wandte die 1935 als erneute Wehrpflichtarmee an die Stelle der Reichswehr-Berufsarmee getretene Wehrmacht, deren Kommandeure trotz homophober Grundeinstellung keineswegs die Obsessionen des Reichsführers-SS teilten,[140] im Zweiten Weltkrieg die ebenfalls 1935 vom NS-Regime eingeführten Verschärfungen des § 175 in der Militärjustiz gar nicht an. Stattdessen konzentrierte sie sich weiterhin auf das traditionelle – und traditionell schwer nachweisbare – Kerndelikt der beischlafähnlichen Handlung. Zwar konnte in solchen Fällen die Bestrafung hart ausfallen, doch wurden Verurteilte offenbar nie – anders als zivile Homosexuelle seit 1940 – in Konzentrationslager überstellt, sondern nach Strafverbüßung überwiegend wieder in die kämpfende Truppe eingereiht. Der konkrete Ausgang eines Verfahrens hing offenbar stark von den beteiligten Militärjuristen und Kommandeuren ab. Es gab keine einheitliche Linie – so sehr Hitler die aus seiner Sicht zu milde Wehrmachtsjustiz auch attackierte. Die weitere Frontverwendung betroffener Soldaten hatte tendenziell Vorrang vor ernstlicher Bestrafung.[141] Allerdings wurden Verstöße gegen den NS-Paragraphen 175a – insbesondere der darin kriminalisierte Missbrauch von Vorgesetztengewalt – drakonisch bestraft, was auch zu Selbstmorden von Beschuldigten in der Untersuchungshaft führte.[142]

Normen und Erfahrungen: das Doppelleben der deutschen Gesellschaft

1953 publizierte der junge Soziologe Ludwig von Friedeburg eine Allensbach-Umfrage, die bereits im Herbst 1949 – zum Zeitpunkt der Gründung der Bundesrepublik – mit über 1000 Befragten durchgeführt worden war. Diese „Umfrage in der Intimsphäre" thematisierte auch Erfahrungen und Einstellungen in Bezug auf Homosexualität. Auf die Frage, ob sie ihre erste sexuelle Erfahrung mit einer Person desselben Geschlechts gemacht hätten, antworteten sechs Prozent der Männer und fünf Prozent der Frauen mit Ja,

---

139 Crouthamel, Intimate History (wie Anm. 135), S. 124–126.
140 Plant, The Pink Triangle (wie Anm. 82), S. 143.
141 Snyder, Sex Crimes under the Wehrmacht (wie Anm. 131), S. 106 f. und 132; zu Hitler: Plant, The Pink Triangle (wie Anm. 82), S. 144.
142 Snyder, Sex Crimes under the Wehrmacht (wie Anm. 131), S. 116 f.

während zwanzig bzw. 15 Prozent (wenig glaubwürdig) erklärten, sich nicht mehr erinnern zu können. Die Frage, ob man „später einmal in Berührung mit homosexuellen Erlebnissen gekommen" sei, bejahten 23 Prozent der Männer. Den befragten Frauen wurde diese Frage ebenso wenig gestellt wie jene nach ihrer grundsätzlichen Einstellung zur Homosexualität. Letztere wurde von 48 Prozent der befragten Männer als „Laster" eingestuft, also moralisch verurteilt, während weitere 39 Prozent dieselbe als „Krankheit" und damit zumindest als nicht strafwürdig betrachteten; 15 Prozent erblickten in Homosexualität eine „Angewohnheit", die man annehmen und auch wieder ablegen konnte; nur vier Prozent sahen darin eine ganz „natürliche Sache", während sich drei Prozent „unentschieden" äußerten.[143] Der von Nationalsozialisten verfolgte deutsch-jüdische Jurist Botho Laserstein verwies 1954 ebenfalls auf die ungewöhnliche Breite homosexueller Erfahrungen innerhalb der damaligen Generation:

> „Etwa eine Million Männer […] leidet unter der heutigen Gesetzeslage, und weit mehr noch haben einmal in ihrer Jugend homosexuelle oder ähnliche Erlebnisse gehabt, auch in Kasernen, Gefängnissen, Konzentrations- und Gefangenenlagern und in Internaten."[144]

Die damalige Gesellschaft war somit — vor 1933, unter der NS-Diktatur und auch nach 1945 — gewissermaßen schizophren. Die Verurteilung homosexueller Beziehungen wurde zur sozialen Norm erhoben und unter der NS-Diktatur 1935 auch zur denkbar weitreichenden strafrechtlichen Norm gemacht, die in der Bundesrepublik bis 1969 unverändert gültig blieb. Zur selben Zeit aber hatte zumindest eine beträchtliche Minderheit der Männer (und wahrscheinlich auch der Frauen) in Deutschland gegen diese Normen gelegentlich, zuweilen auch kontinuierlich verstoßen. Die Ebenen der Normativität und der individuellen Erfahrungen der Deutschen kamen auf sehr lange Zeit nicht überein.

Ausblick: der Opfer gedenken – aber wie?

Differenziertes Erinnern ist nicht leicht, denn erinnerungspolitische Verallgemeinerungen wirken lange nach. Nikolaus Wachsmann hat jüngst in Erinnerung gerufen, dass die zutiefst ungleichen „Häftlingshierarchien" der NS-Zeit leicht modifiziert in den „Überlebenden-Hierarchien" der Nachkriegszeit ihre Fortsetzung fanden. Gesellschaftliche Außenseiter wie Homo-

---

143 Ludwig von Friedeburg: Die Umfrage in der Intimsphäre, Stuttgart 1953, S. 5, 8 und 87.
144 Laserstein, Strichjunge Karl (wie Anm. 63), S. 15.

sexuelle oder sogenannte „Zigeuner" waren in der Nachkriegszeit erneut ganz unten eingestuft worden.[145] Ihnen wurde nicht nur die Anerkennung als genuine Opfer des Nationalsozialismus versagt, ihre Verfolgung wurde teilweise auch nach 1945/49 — zumindest im Hinblick auf Strafverfolgung und soziale Diskriminierung — noch lange weitergeführt. Erst allmählich wurden diese Opferhierarchien der Nachkriegszeit, an deren Spitze stets politische Helden standen — die Helden des 20. Juli 1944 in Westdeutschland, die Helden des kommunistischen Widerstands in der DDR —, denen alle nichtkämpferischen Opfer untergeordnet wurden, durch vielfältige Opferkonkurrenzen (Jean-Michel Chaumont) maßgeblich umgestaltet.[146] Dadurch gelangten die jüdischen NS-Opfer vom unteren Ende der Hierarchie um 1980 an deren Spitze. Die kämpferischen Helden wurden durch die Figur der schuldlosen, weil wehrlosen Opfer abgelöst. Erst in den 1980er-Jahren wurde diese neue Opferhierarchie breiter und inklusiver, indem bisher vernachlässigten oder ausgegrenzten Opfergruppen ebenfalls Raum gegeben wurde — auch ganz wörtlich auf Gedenktafeln in KZ-Gedenkstätten. So gab es im ehemaligen KZ Mauthausen seit 1984 auch ein Mahnmal für Homosexuelle, seit 1994 für Roma und Sinti und seit 1998 für die Zeugen Jehovas.[147]

Eine problematische Folge dieser notwendigen Konflikte und Veränderungen war und ist jedoch eine unhistorische Selbststilisierung mancher um Anerkennung ringender Opfergruppen. Die Geschichte der homosexuellen NS-Opfer etwa wurde im Zuge interessenpolitischer Selbstorganisation allzu umstandslos zum Identifikationspunkt für alle Homosexuellen schlechthin umfunktioniert. Auf diese Weise wurde, wie Magdalena Beljan kritisch beobachtet, eine übergreifende homosexuelle „Opfergemeinschaft" konstruiert, die ihre Identität aus der NS-Verfolgung bezieht, aber persönlich kaum damit in Verbindung gebracht werden kann.[148] Die Gestaltung des Berliner Homosexuellendenkmals von 2008 sieht Beljan noch kritischer. Damals sei durch die unterschiedslose Einbeziehung lesbischer Frauen die an sich schon fragwürdige „schwule Opfergemeinschaft" zu einer erst recht unhistorischen „*schwul-lesbischen* Opfergemeinschaft" ausgedehnt worden,[149]

---

145 Wachsmann, KL (wie Anm. 71), S. 711.

146 Vgl. Jean-Michel Chaumont: Die Konkurrenz der Opfer. Genozid, Identität, Anerkennung, Lüneburg 2001.

147 Wachsmann, KL (wie Anm. 71), S. 716 f.

148 Magdalena Beljan: Rosa Zeiten? Eine Geschichte der Subjektivierung männlicher Homosexualität in den 1970er und 1980er Jahren der BRD, Bielefeld 2014, S. 80.

149 Ebd., S. 80 f.

die in der Tat weder für die NS-Zeit noch für die ziemlich konflikthafte schwul-lesbische Bewegungszeit der 1970er-Jahre historische Anknüpfungspunkte besitzt.

Am Berliner Nollendorfplatz erinnert eine Gedenktafel an die homosexuellen Opfer des Nationalsozialismus.

Das bedeutet: Wer zu einer historisch adäquaten Erinnerungspolitik gelangen will, innerhalb derer viele Gruppen ihren berechtigten Platz finden, ohne miteinander gleichgesetzt oder für heutige Zwecke instrumentalisiert und nivelliert zu werden, muss sich die interessengebundene Rolle von Identitätspolitiken und Opferkonkurrenzen deutlich bewusst machen. Nur dann können die unvermeidlichen Konstruktionsversuche der Gegenwart durch sorgfältige Rekonstruktion der Vergangenheit wenigstens ein Stück weit eingehegt werden.

Eine erste Faustregel muss lauten: Keine Gleichsetzung mit dem Holocaust, weder mit Blick auf Völkermord (der anmaßende Begriff des „Homocaust" ist längst fallengelassen worden) noch auf umfassende NS-Verfolgung. Vielmehr ist die Erkenntnis ernst zu nehmen: Nicht alle waren gleichmäßig bedroht, es gab sehr unterschiedliche Lebenssituationen.

Zweiter Punkt: Es gibt — ähnlich wie das bei Frauen im Nationalsozialismus festgestellt worden ist — auch bei homosexuellen NS-Verfolgten ein „Ende der Eindeutigkeit" (Christina Herkommer). Man muss bei ihnen grundsätzlich von „Rollenvielfalt" ausgehen, denn einige waren Opfer, andere Täter, wieder andere „beides zugleich".[150]

Die Wahrnehmung von Opfer-Täter-Ambivalenzen zwingt dazu, jede Sakralisierung von Opferidentitäten möglichst zu vermeiden. Stattdessen geht es darum, wie Albert Knoll dies einmal beschrieben hat, „die Verschiedenheit der Verfolgtencharaktere" von *damals* auch *heute* zur Darstellung zu bringen:

> „Die Bandbreite reicht vom homosexuellen SA-Mann über das im einvernehmlichen sexuellen Austausch stehende Paar, über den Kleinkriminellen, den Erpresser, den Strichjungen, bis zum Universitätsprofessor".

Der Schlussfolgerung, jeder heutige „Erinnerungsdiskurs" müsse daher „die Vielfalt homosexuellen Lebens" abbilden,[151] kann man sich dezidiert anschließen.

Literatur

Aßmus, Burghard: Jesuitenspiegel. Interessante Beiträge zur Naturgeschichte der Jesuiten, Berlin-Friedenau 1938.

Aßmus, Burghard: Klosterleben. Enthüllungen über die Sittenverderbnis in den Klöstern, Berlin-Friedenau 1938.

Aßmus, Burghard: Nonnenschicksal. Interessante Enthüllungen aus Klosterpapieren, Berlin-Friedenau 1938.

Bader, Karl S.: Soziologie der deutschen Nachkriegskriminalität, Tübingen 1949.

Beachy, Robert: Das andere Berlin. Die Erfindung der Homosexualität — Eine deutsche Geschichte 1867–1933, München 2015.

Beljan, Magdalena: Rosa Zeiten? Eine Geschichte der Subjektivierung männlicher Homosexualität in den 1970er und 1980er Jahren der BRD, Bielefeld 2014.

Benz, Wolfgang/Königseder, Angelika: Das Konzentrationslager Dachau. Geschichte und Wirkung nationalsozialistischer Repression, Berlin 2008.

---

150 Christina Herkommer: Frauen im Nationalsozialismus — Opfer oder Täterinnen? Eine Kontroverse der Frauenforschung im Spiegel feministischer Theoriebildung und der allgemeinen historischen Aufarbeitung der NS-Vergangenheit, München 2005, S. 61.

151 Knoll, Lebenssituationen und Repressionen (wie Anm. 134), S. 139.

Beyer, Friedemann u. a.: UFA in Farbe: Technik, Politik und Starkult zwischen 1936 und 1945, München 2010.

Blüher, Hans: Studien zur Inversion und Perversion, Schmieden [o. J.] [1965].

Bormann, Kai Uwe: Als „Schule der Nation" überfordert. Konzeptionelle Überlegungen zur Erziehung des Soldaten in der Aufbauphase der Bundeswehr, in: Karl-Heinz Lutz u. a. (Hrsg.): Reform − Reorganisation − Transformation. Zum Wandel in deutschen Streitkräften von den preußischen Heeresreformen bis zur Transformation der Bundeswehr, München 2010.

Bösch, Frank: Öffentliche Geheimnisse. Skandale, Politik und Medien in Deutschland und Großbritannien 1880−1914, München 2009.

Buddrus, Michael: Lebenssituation, polizeiliche Repression und justizielle Verfolgung von Homosexuellen in Mecklenburg 1932 bis 1945. Überlegungen zu einem Forschungsprojekt, in: Michael Schwartz (Hrsg.): Homosexuelle im Nationalsozialismus. Neue Forschungsperspektiven zu Lebenssituationen von lesbischen, schwulen, bi-, trans- und intersexuellen Menschen 1933 bis 1945, München 2014, S. 115−120.

Chaumont, Jean-Michel: Die Konkurrenz der Opfer. Genozid, Identität, Anerkennung, Lüneburg 2001.

Cohn, Willy: Kein Recht, nirgends. Tagebuch vom Untergang des Breslauer Judentums 1933−1941, 2 Bde., Köln 2006.

Corvin, Otto von: Pfaffenspiegel. Historische Denkmale des Fanatismus in der römisch-katholischen Kirche, 43. revidierte Original-Ausgabe, Berlin-Friedenau [o. J., Erstveröffentlichung 1845].

Crouthamel, Jason: An Intimate History of the Front. Masculinity, Sexuality, and German Soldiers in the First World War, New York 2014.

Crouthamel, Jason: Love in the Trenches. German Soldiers' Conceptions of Sexual Deviance and Hegemonic Masculinity in the First World War, in: Gender and the First World War, hrsg. von Christa Hämmerle, Basingstoke 2014, S. 52−71.

Dittrich, Lisa: Antiklerikalismus in Europa. Öffentlichkeit und Säkularisierung in Frankreich, Spanien und Deutschland (1848−1914), Göttingen 2014.

Domeier, Norman: Der Eulenburg-Skandal. Eine politische Kulturgeschichte des Kaiserreichs, Frankfurt/M. 2010.

Ebermayer, Erich: Denn heute gehört uns Deutschland … Persönliches und politisches Tagebuch. Von der Machtergreifung bis zum 31. Dezember 1935, Hamburg 1959.

Ebermayer, Erich: … und morgen die ganze Welt. Erinnerungen an Deutschlands dunkle Zeit [Tagebuch 1936−1939], Bayreuth 1966.

Einem, [Karl] von: Erinnerungen eines Soldaten 1853−1933, Leipzig 1933.

Evans, Jennifer: Life among the Ruins. Cityscape and Sexuality in Cold War Berlin, Houndmills 2011.

Frevert, Ute: Die kasernierte Nation. Militärdienst und Zivilgesellschaft in Deutschland, München 2001.

Friedeburg, Ludwig von: Die Umfrage in der Intimsphäre, Stuttgart 1953.

Friedländer, Hugo: Interessante Criminal-Prozesse von kulturhistorischer Bedeutung. Darstellung merkwürdiger Strafrechtsfälle aus Gegenwart und Jüngstvergangenheit, Bd. 11, Berlin-Grunewald 1920.

Fromm, Bella: Als Hitler mir die Hand küßte, Berlin 1993.

Gebel, Ralf: „Heim ins Reich!" Konrad Henlein und der Reichsgau Sudetenland (1938–1945), München 1999.

Grau, Bernhard: Kurt Eisner 1867–1919. Eine Biographie, München 2001.

Grau, Günter: Lexikon zur Homosexuellenverfolgung 1933–1945. Institutionen – Personen – Betätigungsfelder, Berlin 2011.

Hancock, Eleanor: Ernst Röhm. Hitler's SA Chief of Staff, New York 2008.

Häfner, Heinz: Ein König wird beseitigt. Ludwig II. von Bayern, München 2011.

Heilmann, Andreas: Normalität auf Bewährung. Outings in der Politik und die Konstruktion homosexueller Männlichkeit, Bielefeld 2011.

Hermann, Angela: Der Weg in den Krieg 1938/39. Quellenkritische Studien zu den Tagebüchern von Joseph Goebbels, München 2011.

Herzer, Manfred: Magnus Hirschfeld und seine Zeit, Berlin 2017.

Herzog, Dagmar: Die Politisierung der Lust. Sexualität in der deutschen Geschichte des Zwanzigsten Jahrhunderts, München 2005.

Herzog, Dagmar: Paradoxien der sexuellen Liberalisierung, Göttingen 2013.

Hilmes, Oliver: Ludwig II. Der unzeitgemäße König, München 2013.

Hockerts, Hans Günter: Die Sittlichkeitsprozesse gegen katholische Ordensangehörige und Priester 1936/37, Mainz 1971.

Hoven, Herbert (Hrsg.): Der unaufhaltsame Selbstmord des Botho Laserstein. Ein deutscher Lebenslauf, Frankfurt/M. 1990.

Iros, Ernst [i. e. Julius Rosenstiel]: Die sexuelle Not im Schützengraben, in: Hans Dolsenhain (Hrsg.): Das Liebesleben im Weltkriege, Bd. 1, Teilband 2, Nürnberg 1919.

Janz, Ulrike: „Das Zeichen lesbisch in den nationalsozialistischen Konzentrationslagern", in: Michael Schwartz (Hrsg.): Homosexuelle im Nationalsozialismus. Neue Forschungsperspektiven zu Lebenssituationen von lesbischen, schwulen, bi-, trans- und intersexuellen Menschen 1933 bis 1945, München 2014, S. 77–84.

Kather, Linus: Von Rechts wegen? Prozesse, Esslingen 1982.

Kirchknopf, Johann Karl: Ausmaß und Intensität der Verfolgung weiblicher Homosexualität in Wien während der NS-Zeit. Rechtshistorische und quantitative Perspektiven auf Dokumente der Verfolgungsbehörden, in: Invertito 15 (2013), S. 75–112.

Klee, Ernst, Das Kulturlexikon zum Dritten Reich. Wer war was vor und nach 1945, Frankfurt/M. 2007.

Knoll, Albert: Lebenssituationen und Repressionen von LSBTI im Nationalsozialismus. Die Forschungssituation in München, in: Michael Schwartz (Hrsg.): Homosexuelle im Nationalsozialismus. Neue Forschungsperspektiven zu Lebenssituationen von lesbischen, schwulen, bi-, trans- und intersexuellen Menschen 1933 bis 1945, München 2014, S. 135–139.

Kogon, Eugen: Der SS-Staat. Das System der deutschen Konzentrationslager, Stuttgart 1979 [zuerst 1946].

Kollmeier, Kathrin: Ordnung und Ausgrenzung. Die Disziplinarpolitik der Hitler-Jugend, Göttingen 2007.

Korom, Philipp/Fleck, Christian: Wer wurde als homosexuell verfolgt? Zum Einfluss sozialstruktureller Merkmale auf die strafrechtliche Verfolgung Homosexueller in Österreich während des Nationalsozialismus und der Zweiten Republik, in: Kölner Zeitschrift für Soziologie und Sozialpsychologie 64 (2012), S. 755–782.

Laserstein, Botho: Strichjunge Karl. Ein kriminalistischer Tatsachenbericht, Hamburg 1954 (ND Berlin 1994).

Lehmstedt, Mark: Bücher für das „dritte Geschlecht". Der Max Spohr Verlag in Leipzig, Wiesbaden 2002.

Longerich, Peter: Heinrich Himmler. Biographie, München 2010.

Maase, Kaspar: Die Kinder der Massenkultur. Kontroversen um Schmutz und Schund seit dem Kaiserreich, Frankfurt/M. 2012.

Machtan, Lothar: Prinz Max von Baden. Der letzte Kanzler des Kaisers. Eine Biographie, Berlin 2013.

Machtan, Lothar: Hitlers Geheimnis. Das Doppelleben eines Diktators, Berlin 2001.

Mancini, Elena: Magnus Hirschfeld and the Quest for Sexual Freedom. A History of the First International Sexual Freedom Movement, New York 2010.

Matthäus, Jürgen/Bajohr, Frank (Hrsg.): Alfred Rosenberg. Die Tagebücher von 1934 bis 1944, Frankfurt/M. 2015.

Mayer, Hans: Außenseiter, Frankfurt/M. 1975.

Menzel, Wolfgang: Roms Unrecht, Stuttgart 1871.

Menzel, Wolfgang: Geschichte der neuesten Jesuitenumtriebe in Deutschland (1870−1872), Stuttgart 1873.

Munier, Julia Noah: Sexualisierte Nazis. Erinnerungskulturelle Subjektivierungspraktiken in Deutungsmustern von Nationalsozialismus und italienischem Faschismus, Bielefeld 2017.

Müller, Klaus-Jürgen: Das Heer und Hitler. Armee und nationalsozialistisches Regime 1933−1940, 2. Aufl. Stuttgart 1988.

Nieden, Susanne zur: Aufstieg und Fall des virilen Männerhelden. Der Skandal um Ernst Röhm und seine Ermordung, in: dies. (Hrsg.): Homosexualität und Staatsräson. Männlichkeit, Homophobie und Politik in Deutschland 1900−1945, Frankfurt/M. 2005, S. 147−192.

Olenhusen, Irmtraud Götz von: Klerus und abweichendes Verhalten. Zur Sozialgeschichte katholischer Priester im 19. Jahrhundert: Die Erzdiözese Freiburg, Göttingen 1994.

Ostwald, Hans (Hrsg.): Im Sittenspiegel der Großstadt. Gesammelte Großstadt-Dokumente, Bd. 3: Der Großstadt Lust und Leid, Berlin [o. J.].

Ostwald, Hans: Männliche Prostitution im kaiserlichen Berlin, Leipzig 1906 [Reprint 3. Aufl. Berlin 1992].

Patka, Marcus G.: Egon Erwin Kisch. Stationen im Leben eines streitbaren Autors, Wien 1997.

Piper, Ernst: Alfred Rosenberg. Hitlers Chefideologe, München 2005.

Pirol, Moritz: Halali. Ein Thema mit 20 Variationen, Bd. 2, Bonn 2010.

Plant, Richard: The Pink Triangle. The Nazi War against Homosexuals, Edinburgh 1987.

Plötz, Kirsten: „Wo blieb die Bewegung lesbischer Trümmerfrauen?", in: Andreas Pretzel/Volker Weiss (Hrsg.): Politiken in Bewegung. Die Emanzipation Homosexueller im 20. Jahrhundert, Hamburg 2017, S. 145−160.

Raab, Heike: Sexuelle Politiken. Die Diskurse zum Lebenspartnerschaftsgesetz, Frankfurt/M. 2011.

Rogge, Walter: Österreich seit der Katastrophe Hohenwart-Beust, Bd. 1, Leipzig 1879.

Rose, Franz: Mönche vor Gericht, 2. Aufl. Berlin 1939.

Rothe, Friedrich: Karl Kraus. Die Biographie, München 2003.

Röhm, Ernst: Die Geschichte eines Hochverräters, 7. Aufl. München 1934.

Sauer, Paul: Regent mit mildem Zepter. König Karl von Württemberg, Stuttgart 1999.

Schäfer, Christian: „Widernatürliche Unzucht" (§§ 175, 175a, 175b, 182 a. F. StGB). Reformdiskussion und Gesetzgebung seit 1945, Berlin 2006.

Schmiechen-Ackermann, Detlef: Rassismus, politische Verfolgung und Migration. Ausgrenzung und Austreibung „unerwünschter" Gruppen aus dem nationalsozialistischen Deutschland, in: Jochen Oltmer (Hrsg.): Handbuch Staat und Migration in Deutschland seit dem 17. Jahrhundert, Berlin 2015, S. 573 – 642.

Schoppmann, Claudia: Nationalsozialistische Sexualpolitik und weibliche Homosexualität. 2. Aufl. Pfaffenweiler 1997.

Schoppmann, Claudia: Verbotene Verhältnisse. Frauenliebe 1938 – 1945, Berlin 1999.

Schoppmann, Claudia: Lesbische Frauen und weibliche Homosexualität im Dritten Reich. Forschungsperspektiven, in: Michael Schwartz (Hrsg.): Homosexuelle im Nationalsozialismus. Neue Forschungsperspektiven zu Lebenssituationen von lesbischen, schwulen, bi-, trans- und intersexuellen Menschen 1933 bis 1945, München 2014, S. 85 – 92.

Schuster, Jörg (Hrsg.): Harry Graf Kessler: Das Tagebuch, Bd. 4, Stuttgart 2005.

Schwartz, Michael: 1600 Jahre Klosterprozesse, Leipzig [o. J.] [1938].

Schwartz, Michael: Funktionäre mit Vergangenheit. Das Gründungspräsidium des Bundes der Vertriebenen und das „Dritte Reich", München 2013.

Schwartz, Michael: „Warum machen Sie sich für die Homos stark?" Homosexualität und Medienöffentlichkeit in der westdeutschen Reformzeit der 1960er und 1970er Jahre, in: Jahrbuch Sexualitäten 1.2016, Göttingen 2016, S. 51 – 93.

Sobański, Antoni Graf: nachrichten aus berlin 1933 – 36, Berlin 2007.

Söhn, Gerhart: Wolfgang Menzel. Leben – Werk – Wirkung. Bibliographie, Düsseldorf 2006.

Snyder, David Raub: Sex Crimes under the Wehrmacht, Lincoln 2007.

Steinbacher, Sybille: Wie der Sex nach Deutschland kam. Der Kampf um Sittlichkeit und Anstand in der frühen Bundesrepublik, München 2011.

Stürmer, Dietrich: Maximilian Harden: Der geheimnisvolle Gewaltige?! Eine Studie, Leipzig 1920.

Thies, Ralf: Ethnograph des dunklen Berlin. Hans Ostwald und die „Großstadt-Dokumente" (1904 – 1908), Köln 2006.

Tilitzki, Christian: Alltag in Ostpreußen 1940 – 1945. Die geheimen Lageberichte der Königsberger Justiz, Würzburg 1991.

Tresckow, Hans von: Von Fürsten und anderen Sterblichen. Erinnerungen eines Kriminalkommissars, Berlin 1922.

Wachsmann, Nikolaus: KL. Die Geschichte der nationalsozialistischen Konzentrationslager, München 2016.

Whisnant, Clayton J.: Queer Identities and Politics in Germany. A History 1880 – 1945, New York 2016.

Zimmermann, Volker: Die Sudetendeutschen im NS-Staat. Politik und Stimmung der Bevölkerung im Reichsgau Sudetenland (1938 – 1945), Essen 1999.

Zinn, Alexander: Die soziale Konstruktion des homosexuellen Nationalsozialisten. Zur Genese eines Stereotyps, Frankfurt/M. 1997.

Zobl, Johann: Vinzenz Gasser, Fürstbischof von Brixen, in seinem Leben und Wirken dargestellt, Brixen 1883.

Kirsten Plötz

Der Entzug der elterlichen Gewalt beziehungsweise des Sorgerechts als Aspekt der Diskriminierung in der Bundesrepublik

N eben dem Strafrechtsparagraphen 175 sind diverse Formen der staatlichen und gesellschaftlichen Repression gleichgeschlechtlicher Liebe zu entdecken. Gerichte entzogen beispielsweise Elternteilen die elterliche Gewalt bzw. das elterliche Sorgerecht, wenn bekannt war, dass sie das gleiche Geschlecht liebten. Im Folgenden werden erste Forschungsergebnisse präsentiert. Sie sind ohne Forschungsauftrag, sozusagen „nebenbei", entstanden. Es ist davon auszugehen, dass wesentlich mehr solcher Fälle vorkamen. Als Quellenbasis wurden vor allem Publikationen der Lesben- und Frauenbewegung herangezogen. Daher konzentriert sich der folgende Beitrag auf die Zeit, in der diese Bewegungen öffentlich aktiv waren.

Sittenstrenges Familienrecht

„Frau R. wurde 1973 schuldig geschieden und verlor anschließend noch das Sorgerecht über ihren schulpflichtigen Sohn." So berichtete es *Unsere Kleine Zeitung*, eine Berliner Zeitschrift für Lesben.[1] Die Zeitschrift gab das Gerichtsurteil wider, wonach Frau R. mit einer schweren Eheverfehlung die Ehe schuldhaft tief zerrüttet habe. Als schwere Eheverfehlung scheint das Gericht lesbische Liebe gewertet zu haben.

Von der Feststellung der Schuld hing seit der Verschärfung des Ehescheidungsrechts 1961 unter Bundeskanzler Konrad Adenauer viel ab: Der „schuldige" Teil verlor grundsätzlich Unterhaltsanspruch und Sorgerecht. Ausdrücklich sollte diese Reform Verstöße gegen die konservativen Geschlechternormen bestrafen. Die konservativen Gründerväter der Republik bezogen sich vielfach auf ein christliches „Sittengesetz", das auch die Begründung für die Beibehaltung des § 175 StGB und die Strafbarkeit der „Kuppelei" war. Es galt das Leitbild der Hausfrauenehe mit einer ökonomisch abhängigen Ehefrau. Das Strafrecht kannte keine eheliche Vergewaltigung. Gewalt des Ehemanns reichte als Scheidungsgrund nicht aus. Erst

---

1 Unsere Kleine Zeitung Nr. 11, 1976, S. 20 f.

Illustration zum Artikel über das Sorgerecht und „Frau R." in „Unsere Kleine Zeitung" von 1976.

durch ein Urteil des Bundesverfassungsgerichts von 1959 hatten Ehefrauen überhaupt die formelle Gleichberechtigung im elterlichen Sorgerecht erhalten. Seitdem hatte der Vater nicht mehr das uneingeschränkte Entscheidungsrecht über seine Kinder.

Mit der sozialliberalen Koalition ab 1969 kam ein neues Leitbild in die Frauen- und Familienpolitik. 1970 trat bereits eine Reform in Kraft, die nichtverheirateten Müttern erstmals seit Inkrafttreten des Bürgerlichen Gesetzbuches im Jahre 1900 die elterliche Gewalt über ihr Kind einräumte. Unverheiratete Mütter und ihre Kinder galten jetzt rechtlich als Familie. Es sollte jedoch Jahre dauern, bis das Ehe- und Familienrecht reformiert war.

Um in ihrer Not „Rat und Hilfe zu erfahren", wandten sich Mütter immer wieder an Berliner Lesbengruppen.[2] In einem lesbischen Positionspapier aus Berlin heißt es: „Um die Angst verheirateter Lesben zu reduzieren, müßte gewährleistet sein, daß sie bei einer Scheidung nicht mehr automatisch die Kinder verlieren."[3] So stellte sich die Lage also für die beratenden Lesben-

---

2 Vgl. der anonymisierte Beitrag von „I. K.": Lesbische Mütter vor Gericht, in: Unsere Kleine Zeitung, Nr. 11, 1976, S. 20 f.

3 Zitiert bei Ina Kuckuc [Ilse Kokula]: Gesellschaftspolitische Arbeit und Emanzipation von Lesbierinnen, in: Rüdiger Lautmann (Hrsg.): Seminar: Gesellschaft und Homosexualität, Frankfurt/M. 1977, S. 465–473, hier S. 468.

gruppen dar: Lesbische Mütter verloren ihre Kinder grundsätzlich vor Gericht. Die Angst davor band Mütter an ihre Ehen.

Manche lesbisch lebende Mutter ließ sich dennoch scheiden und die Androhung des Sorgerechtsentzugs begleitete diverse Ehescheidungen. So erinnert sich Christiane Z., die 1974 als Mutter von zwei Kindern geschieden wurde und nun lesbisch lebte, ihr Mann

> „versuchte mich zu erpressen, ich bin darauf zum Anwalt gegangen und habe mich beraten lassen. [...] Dann ging die Sache mit dem Sorgerecht los, das mir zugesprochen wurde. Mein Mann hatte noch versucht, auf mich Druck auszuüben, aber ihm war wohl klar, daß er die Kinder überhaupt nicht versorgen konnte. Er versuchte später immer wieder, Einfluß auf mein Leben zu nehmen und darauf, wie ich mit den Kindern lebe."[4]

Reformiertes Familienrecht

1977 trat ein grundlegend erneuertes Ehe- und Familienrecht in Kraft. Damit war die Schuldfrage bei einer Scheidung nicht mehr zentral. Unterhalt und Sorgerecht hingen nun nicht mehr von einer Schuldzuweisung ab. Das neue Leitbild ging in Richtung einer partnerschaftlichen Ehe, was auf den Einfluss der Frauenbewegung zurückging. Da inzwischen nicht mehr die Herrschaft über die Kinder, sondern das Kindeswohl wesentlich geworden war, wurde im bundesdeutschen Recht 1980 der Begriff der „elterlichen Gewalt" zur „elterlichen Sorge". Das Europäische Parlament empfahl 1981 den Mitgliedstaaten, das Sorgerecht nicht (mehr) nur wegen homosexueller Tendenzen eines Elternteils einzuschränken. Dennoch entzog die bundesdeutsche Justiz Müttern mit lesbischen Beziehungen weiterhin ihre Kinder.

Eine lesbische Müttergruppe, die sich 1980 bildete, beschrieb die Lage so:

> „Alleinstehende lesbische Mütter müssen in ständiger Angst davor leben, daß ihnen ihre Kinder weggenommen werden, wenn die Tatsache, daß sie lesbisch sind, öffentlich wird. Ihre Kinder können in Kindergärten, Schulen und von Nachbarn ausgefragt werden [...]. Wird das Jugendamt von ,um das Wohl des Kindes besorgten' Kindergärtnerinnen, Lehrer(inne)n etc. informiert, so wird u.U. überprüft, ob der ,Lebenswandel' der Mutter das ,sittliche' Wohl des Kindes gefährdet. Es besteht die Möglichkeit, daß der Mutter das Sorgerecht entzogen wird. [...] Viele von uns leben deshalb zurückgezogen, verstecken die Tatsache, daß sie Frauen lieben, vor Außenstehenden, ja selbst vor ihren Kindern. Lesbische Mütter, die noch verheiratet sind, in Scheidung leben oder geschieden sind, müssen befürchten,

---

4 Ilse Kokula: „Wir leiden nicht mehr, sondern sind gelitten!" Lesbisch leben in Deutschland, München 1990 [zuerst Köln 1987], S. 83.

daß den Vätern das Sorgerecht für ihre Kinder übertragen wird. [...] Selbst Jahre nach der Scheidung ist es den Vätern noch möglich, das Sorgerecht für die Kinder noch zu bekommen, wenn sie angeben, daß ihre Frau Frauen liebt."[5]

Die Praxis der Jugendämter und Familiengerichte wurde von diesen Müttern als eindeutig feindselig gegenüber lesbischer Liebe beschrieben. Ein Entzug des Sorgerechts 1983 in München stützte diese Ansicht. In dessen Verlauf hatte eine sachverständige Psychologin der lesbischen Mutter eine Psychoanalyse „angeboten", um ihre Homosexualität zu „heilen". Die Frau habe jedoch abgelehnt. Die Psychologin betonte, sie sehe nicht ein, warum sie den Begriff der „sittlichen Gefährdung" nivellieren sollte. In einer solchen „psychisch gestörten" Atmosphäre werde das Kind möglicherweise Schaden nehmen. Ein zweites Gutachten wurde angefertigt. Auch darin wurde empfohlen, „der sozialen Normalität und Angepaßtheit in jedem Fall den Vorzug gegenüber dem sozial stigmatisierten Leben bei einer lesbischen Mutter zu geben". Der Mutter, die dieses Verfahren öffentlich machte und bei Gericht eine Unterschriftenliste mit der Forderung einreichte, „lesbischen Müttern nicht aufgrund ihrer lesbischen Lebensweise das Sorgerecht [zu] entziehen", wurde gerade diese Öffentlichkeitsarbeit negativ angelastet. Das Gericht entschied, die weitere Entwicklung des Kindes werde beim Vater, „bei dessen Leben im Rahmen der üblichen gesellschaftlichen Normen, überschaubarer und ruhiger verlaufen, als bei der Mutter".[6]

Ähnlich urteilte das Familiengericht Mainz im Jahr 1981. Es entspräche dem Wohl des älteren Kindes, so das Gericht, wenn der (wieder heterosexuell gebundene) Vater die elterliche Sorge ausübe, denn die Mutter führe lesbische Beziehungen und habe den Zusammenbruch der Familie verursacht. Das Kind würde die lesbische Lebensform der Mutter als fortwährenden Schock empfinden und könne die Außenseiterrolle der Mutter kaum verkraften. Das jüngere Kind, ein Kleinkind, könne vorläufig bei der Mutter verbleiben. Im Interview erinnert sich die Mutter, für sie

„war der Schock groß, dass man das eine Kind weggenommen hat. Dann halte ich doch jetzt möglichst still, sonst holen sie dir auch noch das andere weg. Bloß nicht mehr auffallen! Nicht sichtbar sein, niemandem vors Schienbein treten. Ganz still und leise und gut die Kinder erziehen, dass da nichts passiert. Sonst steht ja immer noch im Raum: Dann holen wir das andere auch noch weg. Und

---

5 Gruppe lesbischer Mütter, in: Lesbenstich, Nr. 3, 1983, S. 37—39, hier S. 38 f.

6 Gisela Leppers: Sorgerechtsentzug — Ein Damoklesschwert?, in: Ulli Streib (Hrsg.): Von nun an nannten sie sich Mütter. Lesben und Kinder, Berlin 1991, S. 200—214, hier S. 206.

da hat man sich schon sehr eingeigelt. Wir waren wie ein Iglu. Da kamen nur meine Eltern mit rein."[7]

So manche Mutter verbarg ihre lesbische Beziehung — und hatte allen Grund dazu. Die Strategien der Kindsväter können folgendermaßen zusammengefasst werden: Väter verzichteten nur selten darauf, „ihr As — die Mutter ist ‚nicht normal' — nicht bei den Streitigkeiten um die Kinder auszuspielen."[8] Beispielsweise kündigte ein Ehemann im Verlauf einer Scheidung ab 1980 an, er werde um das Sorgerecht kämpfen, damit sein Kind nicht in einer „perversen Umgebung" aufwachse. Die Mutter des Kindes beriet sich nun unter anderem mit Juristinnen und Juristen. Alle rieten ihr, die lesbische Beziehung zu verleugnen, weil sie sonst unweigerlich das Kind verlieren würde. Tatsächlich gaben sie und ihre Lebensgefährtin sich jahrelang als Wohngemeinschaft aus — sogar vor dem Kind, damit der Vater es nicht aushorchen konnte.[9]

Von striktem Entzug zu „Russisch Roulette"

Eine neue Richtung schlug das Amtsgericht Mettmann 1984 ein, als es einer bekanntermaßen lesbischen Mutter das Sorgerecht zusprach. Das Gericht war „der Auffassung, daß die gleichgeschlechtliche Veranlagung eines Elternteils und die Tatsache, daß dieser Elternteil mit seinem gleichgeschlechtlichen Lebenspartner zusammenlebt, für sich allein diesen Elternteil nicht als Sorgerechtsinhaber disqualifiziert".[10] Dass endlich ein Gericht einer ausdrücklich lesbisch lebenden Mutter ihr Kind ließ, erregte einiges Aufsehen. In feministischen, juristischen und lesbischen Publikationen wurde dieses Urteil in den folgenden Jahren positiv besprochen. Es läutete jedoch keine rasche und geradlinige Liberalisierung ein, sondern war eher ein Meilenstein in einer langwierigen und wechselhaften Entwicklung.

---

7 Kirsten Plötz: Verfolgung und Diskriminierung der weiblichen Homosexualität in Rheinland-Pfalz 1947 bis 1973, in: Verfolgung und Diskriminierung der Homosexualität in Rheinland-Pfalz. Bericht der Landesregierung zum Beschluss des Landtags vom 13. Dezember 2012 zur Drucksache 16/1849: Aufarbeitung der strafrechtlichen Verfolgung und Rehabilitierung homosexueller Menschen, Teil III, 2017 (https://mffjiv.rlp.de/de/themen/vielfalt/rheinland-pfalz-unterm-regenbo¬gen/materialienmedien; Zugriff am 22.5.2017), S. 273.

8 Kokula, „Wir leiden nicht mehr, sondern sind gelitten!" (wie Anm. 4), S. 22.

9 Birgit Sasse: Ganz normale Mütter. Lesbische Frauen und ihre Kinder, Frankfurt/M. 1995, S. 9 ff.

10 Sorgerecht für Lesben: Russisch Roulette vor Gericht, in: beiträge zur feministischen theorie und praxis, Nr. 25/26, 1989/90, S. 209.

Inzwischen hatte sich in der Bundesrepublik Deutschland das politische Klima gewandelt. 1982 hatte die von der Union geführte Regierung unter Helmut Kohl die sozialliberale Koalition abgelöst. Kohl propagierte eine „geistig-moralische Wende". Mit dem 1985 verabschiedeten Unterhaltsreformgesetz konnte dann auch Unterhalt eingeschränkt oder sogar versagt werden, wenn den Berechtigten — in der Regel den geschiedenen Frauen — ein schwerwiegendes Fehlverhalten zur Last gelegt werden konnte. Die Anforderung eines tadellosen Verhaltens galt auch nach einer Ehescheidung.

Ab 1987 brachte die Bundestagsabgeordnete Jutta Oesterle-Schwerin (Die Grünen) lesbische und schwule Anliegen im Bundestag vor. Ein so kämpferisches Auftreten für die Gleichberechtigung von Lesben (und Schwulen) mit Heterosexuellen hatte der Bundestag bis dahin nicht erlebt. So fragte sie am 20. Januar 1988, was die Regierung tun wolle, um die Benachteiligungen abzubauen, die durch die Privilegierung der Ehe entstünden. Viele entsprechende Beiträge in Debatten folgten. 1989 betonte sie in einer Kleinen Anfrage, Homosexualität und Heterosexualität seien gleichwertige Formen sexueller Orientierung. Deswegen setzten sich die Grünen

„für ein uneingeschränktes Adoptions-, Pflege- und Sorgerecht für Lesben und Schwule ein. Eine Ungleichbehandlung gegenüber Ehepaaren oder heterosexuellen nichtehelichen Lebensgemeinschaften sowie Einzelpersonen fußt auf Vorurteilen und ist sachlich nicht zu begründen."[11]

Oesterle-Schwerin hatte einige Jahre in Ulm gelebt, bevor sie über die Landesliste der Grünen in Baden-Württemberg in den Bundestag gekommen war. Sie selbst war Mutter zweier minderjähriger Kinder und lebte seit einigen Jahren lesbisch. Aus ihrer Sicht musste das Problem lesbischer Mütter dringend angegangen werden. Die Androhung eines Sorgerechtsentzugs beschrieb sie als eines der massivsten Probleme: „Die Angst davor, durch offen-lesbisches Leben Kinder zu verlieren, ist sicher eine der massivsten Bedrohungen, durch die Frauen von ihrem Coming-out abgehalten werden."[12]

Wäre nach einer Ehescheidung das gemeinsame Sorgerecht gerechter und entspräche es stärker dem Kindeswohl als das alleinige Sorgerecht eines Elternteils? Diese Frage wurde jahrelang hitzig und breit diskutiert. Für Mütter, lautete eine feministische Kritik, brachte das 1988 eingeführte grundsätzlich gemeinsame Sorgerecht insgesamt Nachteile. Ob dies auch für den drohenden Entzug des Sorgerechts lesbisch lebender Mütter gilt, wäre zu er-

---

11 Deutscher Bundestag, 11. Wahlperiode, Drucksache 11/5138, S. 1.

12 Jutta Oesterle-Schwerin: Zwei Jahre Lesben-Politik im Bundestag — Wie alles anfing und wie es weitergehen könnte, in: beiträge zur feministischen theorie und praxis, Nr. 25/26, 1989/90, S. 201–208, hier S. 207.

DAS LESBENMAGAZIN FÜR DEN AUFRECHTEN GANG   10. Jahrgang ·Pfingsten bis Lesbenwoche   DM 5.—   Nr. 2/89

Lesben Stich

Lesbische Mütter   ... und die Kids

Lesbische Mutterschaft als Thema einer Lesben-Zeitschrift von 1989.

97

kunden. Jedenfalls blieb das Sorgerecht für lesbisch lebende Mütter, wie es eine Publikation 1989 übertitelte, *Russisch Roulette vor Gericht*.[13]

So entschied das Familiengericht Dortmund auf Empfehlung der Gerichtspsychologin, ein Kind dem Vater zuzusprechen. Die Mutter hatte sich während der Ehe in eine Frau verliebt und war zu ihr gezogen. Im gerichtspsychologischen Gutachten heißt es, es sei zu erwarten, dass der Sohn „in der Begegnung mit dem Vater Unterstützung und Orientierung auch im Hinblick auf die notwendige Ausbildung seiner sexuellen und männlichen Identität" finde. Bei der Mutter zu leben, würde für den Sohn eine „intensivere Auseinandersetzung mit der homosexuellen Lebensform seiner Mutter" zur Folge haben. Das galt im Gutachten als eine eindeutig negative Entwicklung, vor der der Sohn geschützt werden müsse.[14]

Eine ehemalige Hausbesetzerin erinnert sich, bei ihrer Scheidung

> „sprach die Richterin das Sorgerecht dem Vater zu wegen meiner lesbischen Lebensweise und meiner politischen Vergangenheit. Meine lesbisch-feministische Anwältin fand das eine Superlösung. ‚Sollen sich ruhig die Männer um ihre Söhne kümmern', sagte sie zufrieden, während ich am selben Abend vor Verzweiflung von einer Brücke sprang."[15]

Es wurde unterschiedlich eingeschätzt, wie häufig Müttern ihre Kinder entzogen wurden, nur weil die Mütter lesbisch leben wollten. Der *Rechtsratgeber Frauen* sah die Tendenz der Rechtsprechung für lesbische Mütter eher positiv. Entscheidungen, die in lesbischer Liebe eine Gefahr für das Kindeswohl sahen, würden nur vereinzelt getroffen. Allerdings seien „Versuche, den lesbischen Frauen das Sorgerecht für ihre Kinder vorzuenthalten bzw. zu entziehen, fast die Regel".[16] Jede lesbische Mutter lebe, heißt es in einer anderen Publikation aus dem Jahr 1994, „im Falle einer Scheidung im Ausnahmezustand". Vorsichtig meinte diese Autorin, selbst lesbisch lebende Mutter, zurzeit bekämen „auch lesbische Mütter ihre Kinder zugesprochen, aber das ist regional unterschiedlich".[17]

---

13 Sorgerecht für Lesben (wie Anm. 10).

14 Kein Sorgerecht für lesbische Mutter, in: Unsere Kleine Zeitung, Nr. 4, 1988, S. 28 f.

15 Adriana Stern: Ab heute heißt du Marianne. Lesben und Antisemitismus, in: Gabriele Dennert/Christiane Leidinger/Franziska Rauchut (Hrsg.): In Bewegung bleiben. 100 Jahre Politik, Kultur und Geschichte von Lesben, Berlin 2007, S. 168–174, hier S. 171.

16 Renate Augstein: Lesbische Lebensgemeinschaften, in: Doris Lucke/Sabine Berghahn (Hrsg.): Rechtsratgeber Frauen, Reinbek 1990, S. 285–290, hier S. 288.

17 Tine: Lesbisch und Mutter?! Ökonomische und soziale Aspekte eines scheinbaren Paradoxons, in: Ihrsinn, Nr. 9, 1994, S. 86–92, hier S. 89.

Allein die Drohung vieler Männer, das Sorgerecht zu erstreiten, wirke als Druckmittel, meinte der erste Ratgeber für lesbische Mütter von 1991. Manche Mütter verzichteten deshalb auf das Sorgerecht. Tatsächlich sei diese Drohung jedoch oft nur ein „Schachzug, um die Frauen einzuschüchtern und auf diesem Weg zu ‚Wohlverhalten' zu zwingen, beispielsweise zum Verzicht auf Unterhalt".[18] Übrigens entschied 1989 das Landgericht München, in der Berufung 1990 das dortige Oberlandesgericht sowie 1993 das Oberlandesgericht Celle, eine gleichgeschlechtliche Beziehung der Mutter stelle keinen Grund dar, den Unterhalt zu versagen.[19]

Der *Rechtsratgeber für Lesben* von 1991 betonte allerdings, aus Sicht der Rechtsprechung sei es offensichtlich nicht zum Wohl der Kinder, wenn diese bei lesbischen Müttern aufwuchsen. Mütter, die nach einer Scheidung sorgeberechtigt sind, müssten einen „untadeligen Lebenswandel" aufzeigen — für lesbische Mütter angesichts der Wertungen lesbischer Liebe kaum einlösbar. Auch werde der soziale Druck gegen lesbische Lebensweisen als Argument gegen das Sorgerecht lesbischer Mütter eingesetzt. Damit werde, empörte sich der *Rechtsratgeber*, gleichzeitig Diskriminierung gegenüber Lesben anerkannt und wieder gegen sie gerichtet.[20]

Bisher ist unbekannt, wann es keine übliche Praxis der Gerichte mehr war, lesbischen Müttern ihre Kinder zu entziehen. Noch 1994 kam eine „Richterin zu dem Schluss: ‚Es widerspricht dem Wohl des Kindes eklatant, wenn deren Betreuung durch die ‚Lebensgefährtin' der Mutter erfolgen soll'".[21] Der Mutter wurde das Sorgerecht entzogen. Hierzu ist anzumerken, dass eine neue Lebensgefährtin des Kindsvaters in vielen Verfahren nicht nur ausgesprochen positiv gewertet wurde. Oftmals war des Vaters neue Frau sogar die Voraussetzung dafür, das Sorgerecht auf den Vater zu übertragen. Das Umsorgen von Kindern galt als Frauensache.

Noch 1996 fasste eine Sozialwissenschaftlerin die Rechtspraxis wie folgt zusammen: „In der Regel werden insbesondere kleine Kinder nach einer Trennung der Mutter zugesprochen. Die Meinung, daß ein Kind zur Mutter gehöre, ist fest in unserer Gesellschaft verankert — es sei denn, sie ist les-

---

18 Leppers, Sorgerechtsentzug (wie Anm. 6), S. 209.

19 Vgl. Kein Unterhaltsausschluß bei lesbischer Lebensgemeinschaft, in: Streit, Nr. 4, 1994, S. 184 f. und S. 188; sowie: Unterhalt für lesbische Mutter, in: Streit, Nr. 1, 1990, S. 36 f.

20 Karin Behrmann/Bea Trampenau: Mit der Doppelaxt durch den Paragraphen-Dschungel. Rechtsratgeberin für Lesben (und Schwule und andere Unverheiratete), Hamburg 1991.

21 Angelika Thiel: Kinder? Na klar! Ein Ratgeber für Lesben und Schwule, Frankfurt/M. 1996, S. 79.

bisch".[22] Um den Jahrhundertwechsel gab bei einer Umfrage insgesamt ein Drittel der Befragten — vor allem Frauen — an, sie würden vom Jugendamt wegen der eigenen sexuellen Identität benachteiligt werden.[23] In einer Beratungsstelle rangen noch in den 2000er-Jahren Mütter damit, dass ihnen Kinder nur wegen der lesbischen Lebensweise entzogen wurden. Davon berichtete mir eine ehemalige Mitarbeiterin dieser Beratungsstelle im Frühjahr 2017.

Schlussbemerkungen

Wenn es um staatlich geschaffene Unfreiheit gleichgeschlechtlicher Liebe geht, ist der Entzug der Kinder bisher kaum im Blick. Vermutlich hat dies damit zu tun, dass bei der historischen Betrachtung staatlicher Repression vor allem auf den § 175 StGB geachtet wird. Zweifellos hatte dieser Paragraph verheerende Folgen. Aber nicht nur durch diesen Paragraphen verursachte der Staat bei gleichgeschlechtlich Liebenden Leid. Verdienen nicht alle Formen der Unterdrückung gleichgeschlechtlicher Liebe unsere Aufmerksamkeit?

Als ich 2015 in Rheinland-Pfalz einen Vortrag über lesbische Geschichte hielt, um Zeitzeuginnen für ein Interview zu gewinnen, erzählte mir eine Frau, ihr sei in den 1980er-Jahren ihr Kind entzogen worden, weil sie lesbisch lebte. So sehr mich das interessierte, dachte ich zuerst doch, ich könne diese Schilderung nicht in meine Forschung aufnehmen. Denn mein Auftrag lautete, Diskriminierungen bis 1973 zu erkunden, also bis zum zweiten Schritt der Reform des § 175 StGB. Erfreulicherweise entschied mein Auftraggeber, das Institut für Zeitgeschichte München-Berlin, dass neue Erkenntnisse wichtiger als solche Zäsuren seien. Vielleicht wurden besonders in den 1970er- und 1980er-Jahren viele Kinder ihren lesbisch lebenden Müttern entzogen. In dieser Zeit befreiten sich viele Frauen, angeregt durch die Frauenbewegung, von unbefriedigenden, einengenden Ehen. Ob der Kindesentzug auch Vätern drohte, die schwul lebten, ist bisher gänzlich ungeklärt.

Besonders im Bereich von Ehe- und Familienpolitik sowie den entsprechenden Gesetzen wurde seit Beginn der Bundesrepublik ein einziges Modell privilegiert: die Familie, die auf einer Ehe gründet. Andere Lebenswei-

---

22 Thiel, Kinder (wie Anm. 21), S. 77.
23 Hanspeter Buba/Laszlo A. Vaskovics (Hrsg.): Benachteiligung gleichgeschlechtlich orientierter Personen und Paare. Studie im Auftrag des Bundesministeriums der Justiz, Köln 2001, S. 179.

sen wurden offen und ausdrücklich benachteiligt. Allerdings wurde über diese Politik und Rechtsprechung von Anfang an auch gestritten. Bereits vor 1900 war die unselbständige Rechtsposition von Ehefrauen und Müttern im Bürgerlichen Gesetzbuch (BGB) Anlass für einen „Frauen-Landsturm" gewesen. In den Jahren nach 1948 sorgte die Anpassung des Rechts an das Gleichheitsgebot des Grundgesetzes für jahrelange hitzige Auseinandersetzungen. Noch in der Gegenwart sind Familien mit gleichgeschlechtlichen Eltern benachteiligt. Wenn beispielsweise innerhalb einer Eingetragenen Lebenspartnerschaft ein Kind geboren wird, bestehen Jugendämter vielerorts auf einer häufig ein Jahr andauernden Stiefkindadoption.

Der Umfang, in dem Gerichte Heteronormativität durchsetzten und lesbisch lebenden Müttern ihre Kinder entzogen, ist bisher unbekannt. Aber es deutet einiges darauf hin, dass er beträchtlich war. Jedenfalls ist auffällig, dass oft Erinnerungen geäußert werden, wenn ich das Thema vorstelle. Als ich den ersten Vortrag zum Entzug der Kinder hielt, erinnerte sich der ehemalige Bundesanwalt Manfred Bruns daran, wie er von einem Kollegen hörte, der in den 1950er-Jahren lesbisch lebenden Müttern ihre Kinder entzog. Spreche ich vor lesbisch lebenden Frauen im mittleren oder höheren Alter, erzählt in der Regel mindestens eine von ihnen, dass sie ebenfalls mit der Drohung leben musste oder ihr sogar das Kind weggenommen wurde. Oft hatten die Mütter zurückgezogen gelebt und ihre lesbische Beziehung verborgen, bis die Kinder volljährig waren. Von dem Leid, das ihnen und den Kindern damit angetan wurde, haben sie bis heute kaum öffentlich gesprochen. Dieses Schweigen zu beenden und das Thema gründlich zu erforschen, ist höchste Zeit.

Literatur

Augstein, Renate: Lesbische Lebensgemeinschaften, in: Doris Lucke/Sabine Berghahn (Hrsg.): Rechtsratgeber Frauen, Reinbek 1990, S. 285 – 290.

Bahr-Jendges, Jutta: Was heißt hier Liebe? Oder: Was aus der Eherechtsreform geworden ist? Oder: Wie wir uns über die Eherechtsreform geirrt haben?, in: Streit Nr. 4, 1999, S. 155 – 160.

Behrmann, Karin/Trampenau, Bea: Mit der Doppelaxt durch den Paragraphen-Dschungel. Rechtsratgeberin für Lesben (und Schwule und andere Unverheiratete), Hamburg 1991.

Buba, Hanspeter/Vaskovics, Laszlo A. (Hrsg.): Benachteiligung gleichgeschlechtlich orientierter Personen und Paare. Studie im Auftrag des Bundesministeriums der Justiz, Köln 2001.

Flügge, Sybilla: Ambivalenzen im Kampf um das Sorgerecht. Die Geschichte der elterlichen Gewalt und die aktuelle Diskussion um die „gemeinsame Sorge", in: Streit Nr. 1, 1991, S. 4 – 15.

Gerhard, Ute: Unerhört. Die Geschichte der deutschen Frauenbewegung, Reinbek 1990.

Kokula, Ilse: „Wir leiden nicht mehr, sondern sind gelitten!" Lesbisch leben in Deutschland, München 1990 [zuerst Köln 1987].

Kuckuc, Ina [Kokula, Ilse]: Gesellschaftspolitische Arbeit und Emanzipation von Lesbierinnen, in: Rüdiger Lautmann (Hrsg.): Seminar: Gesellschaft und Homosexualität, Frankfurt/M. 1977, S. 465—473.

Lähnemann, Lela: Lesben und Schwule mit Kindern — Kinder homosexueller Eltern. Dokumente lesbisch-schwuler Emanzipation für gleichgeschlechtliche Lebensweisen Nr. 16, Berlin 1997.

Leidinger, Christiane: Lesbische Existenz 1945—1969. Aspekte der Erforschung gesellschaftlicher Ausgrenzung und Diskriminierung lesbischer Frauen mit Schwerpunkt auf Lebenssituationen, Diskriminierungs- und Emanzipationserfahrungen in der frühen Bundesrepublik, hrsg. von der Senatsverwaltung für Arbeit, Integration und Frauen, Berlin 2015.

Leppers, Gisela: Sorgerechtsentzug — Ein Damoklesschwert?, in: Ulli Streib (Hrsg.): Von nun an nannten sie sich Mütter. Lesben und Kinder, Berlin 1991, S. 200—214.

Odenbach, Daniela/Straub, Pia: Tendenzen der Rechtsprechung nach der Reform des Kindschaftsrechts, in: Streit Nr. 4, 2000, S. 164—166.

Oesterle-Schwerin, Jutta: Zwei Jahre Lesben-Politik im Bundestag — Wie alles anfing und wie es weitergehen könnte, in: beiträge zur feministischen theorie und praxis Nr. 25/26, 1989/90, S. 201—208.

Plötz, Kirsten: Als fehle die bessere Hälfte. „Alleinstehende" Frauen in der frühen BRD 1949—1969, Königstein/Ts. 2005.

Plötz, Kirsten/Zacharias, Christian: Abschlussbericht zur Entwicklung der Kampagne Gemeinsam für Vielfalt* in Niedersachsen. Im Auftrag des Niedersächsischen Ministeriums für Soziales, Gesundheit und Gleichstellung, 2016 (www.ms.nieder¬sachsen.de/themen/familie/lesben_und_schwule/kampagne_geschlechtliche_und_¬sexuelle_vielfalt/kampagne-gemeinsam-fuer-vielfalt-in-niedersachsen—141624.ht¬ml)

Plötz, Kirsten: Verfolgung und Diskriminierung der weiblichen Homosexualität in Rheinland-Pfalz 1947 bis 1973, in: Verfolgung und Diskriminierung der Homosexualität in Rheinland-Pfalz. Bericht der Landesregierung zum Beschluss des Landtags vom 13. Dezember 2012 zur Drucksache 16/1849: Aufarbeitung der strafrechtlichen Verfolgung und Rehabilitierung homosexueller Menschen, Teil III, 2017 (https://mffjiv.rlp.de/de/themen/vielfalt/rheinland-pfalz-unterm-regenbogen/m¬aterialienmedien).

Sasse, Birgit: Ganz normale Mütter. Lesbische Frauen und ihre Kinder, Frankfurt/M. 1995.

Stern, Adriana: Ab heute heißt du Marianne. Lesben und Antisemitismus, in: Gabriele Dennert/Christiane Leidinger/Franziska Rauchut (Hrsg.): In Bewegung bleiben. 100 Jahre Politik, Kultur und Geschichte von Lesben, Berlin 2007, S. 168—174.

Thiel, Angelika: Kinder? Na klar! Ein Ratgeber für Lesben und Schwule, Frankfurt/M. 1996.

Wiegmann, Barbelies: Das neue Scheidungs-Un-Recht, in: Feministische Studien, Nr. 2, 1986, S. 82—90.

Julia Noah Munier

Lebenswelten oder Verfolgungsschicksale? Zur Auskunftsfähigkeit archivalischer Nachlässe von Verfolgungsinstitutionen über Lebenswelten homosexueller Männer

I m Rahmen des Projektes *LSBTTIQ in Baden und Württemberg. Lebenswelten, Repression und Verfolgung im Nationalsozialismus und in der Bundesrepublik Deutschland*, das an der Abteilung Neuere Geschichte der Universität Stuttgart durchgeführt wird und das sich in Kooperation mit der Bundesstiftung Magnus Hirschfeld, dem Institut für Zeitgeschichte München-Berlin und unter Mitarbeit von Zeitzeugen entwickelt, werden derzeit „Lebenswelten und Verfolgungsschicksale homosexueller Männer in Baden und Württemberg im NS und nach 1945" erforscht und dokumentiert.[1] Dazu werden unter anderem zahlreiche Strafprozess-,[2] Strafvollzugs- oder Polizeiakten aufgespürt, gesichtet und analysiert.

Auf der Grundlage eines allgemein verständlichen Lebensweltbegriffs, in dem die Lebenswelt als diejenige Welt begriffen wird, in der Menschen − hier homosexuelle Männer − leben, erscheint es durchaus problematisch und möglicherweise auch wenig ergiebig, das Konzept der Lebenswelt in die Forschung einbringen zu wollen, wenn wesentliche Quellen einer solchen Forschung Strafprozess-, Strafvollzugs- oder Polizeiakten sind. Dies würde bedeuten, Lebenswelten vorwiegend auf der Grundlage von archivalischen Nachlässen der Verfolgungsbehörden und Institutionen zu dokumentieren und zu rekonstruieren. Aus einer quellenkritischen Perspektive ließe sich so fragen, ob derartige Quellen nicht eher Verfolgungsschicksale als Lebenswelten dokumentieren.

Blicken wir auf diese Quellengattungen, so ist zu fragen, worüber genau sie Auskunft geben können. Aber es ist auch zu fragen, wie diese zur Erfor-

---

1 Siehe hierzu die Internetseite des dazugehörigen Vermittlungsprojektes, des Public-History-Projektes www.lsbittiq-bw.de, die durch Nina Reusch aufgebaut und von Karl-Heinz Steinle und Kirsten Plötz weiter gestaltet wurde. Die Männer wurden nach § 175 (R)StGB bzw. 175a (R)StGB verfolgt. Wie sie sich im Einzelnen selbst definierten, ob z. B. als „Freunde", „Homophile" oder „Homosexuelle" usw., wird weiter in den Blick zu nehmen sein.

2 Zum Beispiel Amtsgerichtsprozessakten, Landesgerichtsprozessakten oder Prozessakten von Oberlandesgerichten.

schung von Lebenswelten homosexueller Männer fruchtbar gemacht werden können. Wie vermögen es derartige Quellen, Einblicke in Lebenswelten jenseits von Haft und Strafvollzug zu geben? Und wie muss eine geschichtswissenschaftliche Forschung aufgestellt sein, um anhand dieser archivalischen Nachlässe der Verfolgungsinstitutionen Lebenswelten homosexueller Männer zu erforschen und zu dokumentieren?

Dokumente der Verfolgungsinstitutionen

Der Historiker Michael Buddrus beschreibt in seinen Überlegungen zu dem Forschungsprojekt *Lebenssituation, polizeiliche Repression und justizielle Verfolgung von Homosexuellen in Mecklenburg 1932 bis 1945* den möglichen geschichtswissenschaftlichen Erkenntnisgewinn durch Häftlingsakten. Häftlingsakten und jene darin zumeist befindlichen Gerichtsurteile geben, so der Historiker, Auskunft über die persönlichen Verhältnisse der Gefangenen. Anhand dieser Akten werden die Tatumstände, die herangezogenen rechtlichen Bestimmungen und das Strafmaß deutlich.[3] Außerdem geben sie Auskunft über Alter, Namen, Herkunft und die Nationalität der Verurteilten. Buddrus konstatiert:

> „Wir erfahren, wie das Delikt den Polizei- oder Justizbehörden bekannt geworden ist, wer angezeigt und denunziert hat, aber auch, welche Dienststellen (zumeist Kripo und Gestapo) und welche Beamten die Ermittlungen geleitet haben. Deutlich wird weiterhin, welches Gericht sich mit der Verfolgung des Straftatkomplexes § 175 (R)StGB befasst hat."[4]

Eine Auswertung dieser Quellen lässt damit Rückschlüsse über die Organe und Akteure der Verfolgung zu. So ist zu erfahren, ob es sich um Amts- bzw. Landesgerichte handelte, oder in der NS-Zeit um Kriegsgerichte, Reichsgericht sowie Sondergerichte, die an der Verurteilung homosexueller Männer beteiligt waren. Zugleich lässt sich in Erfahrung bringen, ob zum Beispiel Gefängnisaufenthalte lediglich durch Oberstaatsanwaltschaften oder die Gestapo veranlasst wurden, also nicht auf einem Urteilsspruch beruhten. Die Quellen geben auch Auskunft darüber, welche Richter die Angeklagten verurteilt haben, welche Staatsanwälte die Anklage verfasst haben und wer die

---

3 Vgl. Michael Buddrus: Lebenssituation, polizeiliche Repression und justizielle Verfolgung von Homosexuellen in Mecklenburg 1932 bis 1945. Überlegungen zu einem Forschungsprojekt, in: Michael Schwartz (Hrsg.): Homosexuelle im Nationalsozialismus. Neue Forschungsperspektiven zu Lebenssituationen von lesbischen, schwulen, bi-, trans- und intersexuellen Menschen 1933 bis 1945, München 2014, S. 115–120, hier S. 116 f.

4 Buddrus, Lebenssituationen (wie Anm. 3), S. 117.

Angeklagten vor Gericht vertreten hat.[5] Darüber hinaus zeichnet sich auf dieser Grundlage ab, dass es auch in Baden, Hohenzollern und Württemberg so war, dass sich eine bei Staatsanwaltschaften und Gerichten „deliktbezogen herausbildende Spezialzuständigkeit" (Buddrus) entwickelte:[6]

> „Aus den Häftlingsakten werden [...] Einzelheiten und Spezifika des Strafvollzugs an Homosexuellen erkennbar, so über das Einlieferungsprozedere, den Gesundheitszustand und die Haftbedingungen, über mögliche Delikte während der Haft und darauf folgende Hausstrafen sowie über die kriminalpsychologische Beurteilung durch Strafanstaltsbeamte." Außerdem liegen in nicht wenigen Fällen auch die von der „Anstaltszensur zurückgehaltenen und in der Gefangenenakte überlieferten Briefe eines Häftlings und seiner Angehörigen Zeugnis ab vom persönlichen Befinden des Verurteilten, dem Verhalten seiner Familie und dem Alltag innerhalb und außerhalb der Gefängnismauern."[7]

So schreibt ein im Frühjahr 1943 von einem Kriegsgericht nach § 175 RStGB zu zweieinhalb Jahren Gefängnis verurteilter junger Mann aus dem Strafgefängnis Ulm im Juli 1944 einen Brief an seine Eltern. Dieser Brief ist bemerkenswert, weil er nicht nur die Sorgen des jungen Mannes über und seine ganz persönlichen Ängste bezüglich der Aufnahme seiner Homosexualität im Umfeld seiner Eltern dokumentiert, sondern auch zeigt, dass seine Eltern ihm beistehen und ihm emotionalen Halt bedeuten. So schreibt der Student:

> „Die Besuchszeit war ja leider so kurz, dass wir nur über die rechtliche Sache sprechen konnten. Ich hätte zu gerne gewusst, wie sich unsere Bekannten zu Euch — meinen Fall betreffend — gestellt haben. Nicht aus Neugierde oder weil deren Urteil mich irgendwie bewegen könnte, sondern weil ich mir in langen Nächten vorgestellt habe, wie wohl die einzelnen darauf reagieren würden, und ich habe mir von jedem ein bestimmtes Bild gemacht."[8]

---

5 Vgl. Buddrus, Lebenssituationen (wie Anm. 3), S. 117 f.

6 Eine Spezialzuständigkeit der Kriminalpolizei konnte Ralf Bogen bei der Untersuchung der Verfolgung homosexueller Männer in Stuttgart der 1950er-Jahre ausmachen. Bogen hebt in seinem Aufsatz von 2015 auf die Dienststelle „Sitte" der Stuttgarter Kriminalpolizei ab. Vgl. Ralf Bogen: „Zum Schrecken der Homosexuellen Stuttgarts ...". Ausgrenzung und Verfolgung homosexueller Männer in Württemberg, in: Homophobie und Sexismus. Der Bürger im Staat 65 (2015), hrsg. von der Landeszentrale für politische Bildung Baden-Württemberg, S. 36—43, hier S. 36 f; sowie Ralf Bogen: „Vorkämpfer im Kampfe um die Ausrottung der Homosexualität", in: Ingrid Bauz/Sigrid Brüggemann/Roland Maier (Hrsg.): Die Geheime Staatspolizei in Württemberg und Hohenzollern, Stuttgart 2013, S. 305—320, hier S. 317 f.

7 Vgl. Buddrus, Lebenssituationen (wie Anm. 3), S. 119 (beide Zitate).

8 Staatsarchiv Ludwigsburg (StA LB) E356 G 5241: Brief eines Studenten aus dem Strafgefängnis Ulm an seine Eltern vom 22.7.1944.

Hier wird bereits deutlich, wie diese Quellen möglicherweise nicht nur über die Verfolgungsschicksale der historischen Akteure Auskunft geben können,[9] sondern weitere Einsichten in Lebenswelten ermöglichen. Vermittels dieser Quellen erhalten wir also „durch den spezifischen Blick der Verfolgungsinstanzen gefilterte [...]" Einblicke in die Lebenswelten homosexueller Männer.[10]

Auch über die Quellengruppe der Strafprozessakten sind Rückschlüsse auf die Lebenswelten homosexueller bzw. nach § 175 (R)StGB oder § 175a (R)StGB verfolgter Männer möglich. Unter Umständen enthalten diese ebenfalls Angaben zum Anfangsverdacht, wie zum Beispiel Denunziationsschreiben. Darüber hinaus enthalten sie die Aussagen der Beschuldigten, gegebenenfalls auch die möglicher Zeug_innen sowie Anwaltsschreiben und medizinische Gutachten. Außerdem finden sich immer wieder „Beweisstücke", die beispielsweise bei Wohnungsdurchsuchungen konfisziert wurden und die aus der Perspektive einer historiographischen Forschung als Ego-Dokumente einzustufen sind. Das können Tagebücher und Terminkalender, aber auch Zeitschriften, Photographien, private Korrespondenzen zwischen „Freunden", Liebhabern und Sexualpartnern, Briefe an Familienangehörige sowie Korrespondenzen mit offiziellen Vertretern von Homosexuellenorganisationen sein, um nur einige Beispiele zu nennen. Hinzu kommen unter anderem Anklage und Verteidigungsschriften, der Verlauf der Gerichtsverhandlung, das Strafmaß sowie teilweise auch Angaben über die Strafverbüßung.[11]

Jan-Henrik Peters, der die Verfolgung homosexueller Männer in Mecklenburg und Vorpommern im „Dritten Reich" untersucht hat, betont im Hinblick auf die Quellengruppe der Polizeiakten, dass diese Aussagen zu allen Ermittlungsfällen enthalten, auch zu

> „denjenigen, bei denen es zu keiner Anklageerhebung gekommen war. Außerdem informieren sie über Ansätze und Methoden der Ermittlungsarbeit. Nicht zuletzt

---

9 Eine Beschreibung der homosexuellen Männer als Akteur_innen birgt die Problematik einer Feminisierung homosexueller Männer und damit das Risiko, historisch gewachsene Vorurteile gegenüber homosexuellen Männern zu tradieren. Die Lebenswelten homosexueller Männer verschränkten sich vielfach mit Menschen, sozialen Gruppen und Lebenswelten derer, die andere Sexual-, Geschlechter- und Identitätsentwürfe für sich beanspruchten. Daher wird hier auch auf den Begriff der historischen Akteur_innen rekurriert.

10 Vgl. Buddrus, Lebenssituationen (wie Anm. 3), S. 119.

11 Vgl. Jan-Henrik Peters: Verfolgt und Vergessen. Homosexuelle in Mecklenburg und Vorpommern im Dritten Reich, Rostock 2004, S. 11.

St. Blasien/ Schwarzwald, den 12.9.1924

Sehr geehrter Herr !

Im Kleinen Blatt lese ich soeben Ihre
Annonce und wäre gern bereit mit Ihnen in
Briefwechsel zu treten.

Anliegend sende ich Ihnen eine Photographie von mir zu und bitte Sie mir dieselbe
wieder zurück zuerstatten. Ich bin Kaufmann,
20 Jahre alt, dunkel (brünett) schlank und
über Mittelgrösse. Schreiben Sie mir bitte
ob Sie eventuell mit mir korrespondieren wollen und bitte ebenfalls um Zusendung Ihres
Bildes.

Mit freundschaftlichem Gruss

bin ich Ihr ergebener

Conrad

Korrespondenz unter „Freunden", Schwarzwald 1924.

dokumentieren die Akten dieser Sicherheits- und Terrororgane die sogenannte ‚polizeiliche Vorbeugung', d. h. Deportation Schwuler in die Konzentrationslager."[12]

Trotz der geschilderten Problematik und der zunächst scheinbar einseitigen
Auskunftsfähigkeit derartiger Quellenbestände zu den Lebenswelten und
Verfolgungsschicksalen homosexueller Männer können Strafprozess-, Straf-
vollzugs- und Polizeiakten in dieser Perspektive die Erforschung von Lebenswelten ermöglichen, und zwar sowohl im Kontext staatlicher Repression,

12 Vgl. zur schwierigen Überlieferungssituation beispielsweise von Gestapo-Akten
in Württemberg und Hohenzollern auch Ingrid Bauz/Sigrid Brüggemann/Roland
Maier: Die Geheime Staatspolizei in Württemberg und Hohenzollern, Stuttgart
2013, S. 15.

Sehnsuchtsräume homosexueller Männer im deutschen Südwesten.

wie beispielsweise des „Strafvollzugs", aber teilweise auch von Lebenswelten jenseits des Strafvollzugs.

Um dennoch vielfältige Lebenswelten nicht auf die Repressions- und Verfolgungsrealitäten zu reduzieren und um sie in möglichst vielen Facetten zu dokumentieren, erscheint es sinnvoll, einen solchen Quellenkorpus um weitere Quellen zu ergänzen. Hierzu gehören beispielsweise weitere private Dokumente, die nicht dem direkten Verfolgungskontext entspringen, Publikationen der homosexuellen Emanzipationsbewegung, zeitgenössische Filme oder Literatur sowie sexualpolitische Diskurse der Untersuchungszeit. Für das laufende Forschungsprojekt in Baden-Württemberg ist besonders der Mut der an diesem Projekt beteiligten Zeitzeug_innen hervorzuheben, die unter anderem Karl-Heinz Steinle im Rahmen des Public-History-Projektes für die Bundestiftung Magnus Hirschfeld interviewt hat. Ihre bewegenden Erzählungen werden den Nachgeborenen nicht nur als filmische Dokumente von ihrem trotz ihrer Verfolgung gelebten Leben, von ihrem Schicksal und ihrem Engagement berichten, sondern sie dienen auch als wichtige historische Quelle und Ausgangspunkt für weitere Forschungen.[13]

Lebenswelten in der Perspektive einer kulturwissenschaftlichen Geschichtswissenschaft

Im Rahmen der Forschung zu den Lebenswelten und Verfolgungsschicksalen homosexueller Männer in Baden, Hohenzollern und Württemberg wird eine praxeologische Perspektivierung auf die historischen Lebenswelten zur Anwendung kommen.[14] In dieser methodischen Ausrichtung kann der Quellenvielfalt, die zur Untersuchung der Lebenswelten homosexueller Männer unabdingbar ist, aus einer kulturwissenschaftlichen und einer geschichtswissenschaftlichen Forschungsperspektive begegnet werden. In einer solchen Perspektive gilt es, den Blick auf Lebenswelten zu richten, die in und durch historische soziale Praktiken (performativ) im Sinne eines *doing culture* hervorgebracht werden. Lebenswelten sind dabei nicht als soziokultureller „Hintergrund" zu begreifen, vor dem sich historische soziale Praktiken ereignen, sondern historische Lebenswelten werden in dieser Perspektive begriffen als in und durch historische soziale Praktiken hervorgebracht.

---

13 Siehe hierzu die Interviews mit Heinz Schmitz (* 1943), Helmut Kress (* 1946) und Richard Moosdorf (* 1924) auf der Website www.lsbttiq-bw.de/zeitzeugin¬ nen-interviews/.

14 Vgl. hierzu meinen Vortrag „Lebenswelten und Verfolgungsschicksale homosexueller Männer in Baden und Württemberg im NS und nach 1945" im Rahmen der Tagung „Kritik der Selbst-Bildung. Routine und Eigensinn in den Praktiken der Subjektivierung", Carl von Ossietzky Universität Oldenburg (13. – 14.9.2016), der eine praxeologische Perspektive im Hinblick auf die Erforschung von Lebenswelten zum Thema hatte. Vgl. allgemein Thomas Alkemeyer/Gunilla Budde/Dagmar Freist (Hrsg.): Selbst-Bildungen. Soziale und kulturelle Praktiken der Subjektivierung, Bielefeld 2013; sowie Lucas Haasis/Constantin Rieske: Historische Praxeologie. Zur Einführung, in: Lucas Haasis/Constantin Rieske: Historische Praxeologie. Dimensionen vergangenen Handelns, Bielefeld 2015, S. 7 – 54.

Zu diesen Praktiken zählen einerseits die sozialen Praktiken historischer Akteur_innen und ihre Interaktionen. In den Blick der Forschung geraten dementsprechend Praktiken, in denen ihr soziales Miteinander erkennbar und beobachtbar wird, zum Beispiel in ihren schriftlichen privaten Korrespondenzen, über die Briefe und Aufzeichnungen Auskunft geben. Hierzu gehören ebenso Alltagszeugnisse und Egodokumente, mittels derer Rückschlüsse auf Lebenswelten möglich sind, etwa auf öffentliche und private Orte des Zusammenkommens und deren Nutzung.[15]

In dieser Perspektive stellt sich damit nicht nur die Frage nach den spezifischen Topographien homosexueller Lebenswelten, also nach den Räumen und Orten, an bzw. in denen homosexuelle Männer sich trafen,[16] sondern auch danach, wie die Männer diese Räume gestaltet haben.

> „Wie haben sich die Männer zurechtgefunden in einer ständigen Restrukturierung urbaner Räume? Es waren umkämpfte Räume, nicht nur bedrohte, sondern auch eroberte, temporär erkundete und genutzte Räume, die homosexuelle Männer an öffentlichen Orten, in [damals noch nicht so genannten, A. d. V.] *Cruising Areas* und in Lokalen für sich in Anspruch nahmen."

Der Fokus auf die Verräumlichung der Lebenswelten und die Nutzung städtischer und teilweise auch ländlicher Räume verweist auf individuelle Handlungsoptionen, aber auch auf kollektive Handlungsräume, die es anhand der von den Überwachungs- und Verfolgungsinstitutionen überlieferten Quellen zu untersuchen gilt.[17]

---

15 Zum Begriff der Praktik vgl. Andreas Reckwitz: Grundelemente einer Theorie sozialer Praktiken. Eine sozialtheoretische Perspektive, in: Zeitschrift für Soziologie 32 (2003), S. 282 – 301, hier S. 290. Ich begreife Praktiken unter Rekurs auf Theodore Schatzki als „temporally unfolding and spatially dispersed nexus of doings and sayings". Schatzki bezieht damit explizit auch Sprachhandlungen in seine Überlegungen mit ein. Vgl. hierzu auch Haasis/Rieske, Historische Praxeologie (wie Anm. 14), S. 16.

16 Es geht hier eben nicht lediglich um eine Bestandsaufnahme der Lokale, Gaststätten, Treffpunkte, Vereine, Bars, Tanzlokale und Clubs, in denen zumindest zeitweilig viele oder vorwiegend homosexuelle Gäste verkehren. Dazu gehören ebenso Parks, bestimmte städtische Zonen wie Straßen und Plätze sowie als „Klappen", im deutschen Südwesten teilweise auch als „Tempele" bezeichnete öffentliche Bedürfnisanstalten, aber auch öffentliche Bäder. Vgl. das Zeitzeugeninterview mit Richard Moosdorf: „… ich war halt so, und so wie's isch, so isch's" (www.lsbttiq-bw.de/zeitzeuginnen-interviews/ich-war-halt-und-wies-isch-ischs-ric¬ hard-moosdorf).

17 Andreas Pretzel: Verfolgung und Selbstbehauptung – homosexuelle Männer während der Zeit des Nationalsozialismus, in: Bundesstiftung Magnus Hirschfeld

Neben den sozialen Praktiken der historischen Akteure gilt es andererseits ergänzend die die Lebenswelten konstituierenden „Praktiken der Bedeutungsproduktion" mit einzubeziehen,[18] also den Blick beispielsweise auf visuelles oder literarisches Material zu richten, das Teil der Lebenswelten war. Der Soziologe Andreas Reckwitz betont, dass Diskurse als ein Netzwerk sprachlicher, visueller und architektonischer semiotischer Aussagesysteme „nichts anderes [sind] als spezifische soziale Praktiken der Produktion von geregelten Repräsentationen; sie sind Praktiken der Repräsentation, [...] die regeln, was wie darstellbar ist".[19] In den Blick geraten damit auch Praktiken des Zu-Sehen-Gebens und Zu-Lesen-Gebens.[20] Visuelle Repräsentationen gilt es in der Tradition der *Cultural Studies* als Modi oder Praktiken der Wirklichkeitsproduktion zu begreifen.[21] In diesem Sinne gilt es, die Praktiken der Bedeutungsproduktion als Praktiken zu begreifen, „die systematisch die Gegenstände bilden, von denen sie sprechen."[22] Diskursive Praktiken oder „Praktiken der Bedeutungsproduktion" sind damit als performative Praktiken zu verstehen.[23] Repräsentationen bilden die Realität nicht einfach ab, sondern sie sind, wie die sozialen Praktiken der historischen Akteure, beteiligt an der (performativen) Herstellung von Lebenswelten. Damit sind diskursive Praktiken ebenso grundlegender Bestandteil der Lebenswelten homosexueller Männer.

(Hrsg.): Forschung im Queerformat. Aktuelle Beiträge der LSBTI*-, Queer- und Geschlechterforschung, Bielefeld 2014, S. 47−58, hier S. 52.

18 Vgl. Stuart Hall: The Work of Representation, in: Stuart Hall (Hrsg.): Representation. Cultural Representations and Signifying Practices, London 1997, S. 13−64.

19 Zitiert bei Dagmar Freist: Diskurse − Körper − Artefakte. Historische Praxeologie in der Frühneuzeitforschung − eine Annäherung, in: Dagmar Freist (Hrsg.) Diskurse − Körper − Artefakte. Historische Praxeologie in der Frühneuzeitforschung, Bielefeld 2015, S. 9−30, hier S. 12 f.

20 Vgl. hierzu Sigrid Schade/Silke Wenk: Inszenierungen des Sehens. Kunst, Geschichte und Geschlechterdifferenz, in: Hadumod Bußmann/Renate Hof (Hrsg.) Genus: Zur Geschlechterdifferenz in den Kulturwissenschaften, Stuttgart 1995, S. 341−407; Sigrid Schade/Silke Wenk: Strategien des „Zu-Sehen-Gebens". Geschlechterpositionen in der Kunst und Kunstgeschichte, in: Hadumod Bußmann/Renate Hof (Hrsg.): Genus. Geschlechterforschung − Gender Studies in den Kultur- und Sozialwissenschaften, Stuttgart 2005, S. 145−184; sowie Sigrid Schade/Silke Wenk: Studien zur visuellen Kultur. Einführung in ein transdisziplinäres Forschungsfeld, Bielefeld 2011.

21 Vgl. Hall, The Work of Representation (wie Anm. 18), S. 24 und S. 35.

22 Vgl. Michel Foucault: Archäologie des Wissens, Frankfurt/M. 1973 [1969], S. 74.

23 Vgl. Judith Butler: Haß spricht. Zur Politik des Performativen, Frankfurt/M. 2006 [1997].

Für eine Erforschung der Lebenswelten homosexueller Männer im deutschen Südwesten bedeutet dies, Publikationen mit homosexuellem Inhalt, also die in der Weimarer Republik zumeist in Berlin herausgegebenen Publikationen der ersten deutschen homosexuellen Emanzipationsbewegung sowie die nach 1945 neu entstehenden Publikationsorgane im Hinblick auf den zu untersuchenden Kontext Baden, Hohenzollern und Württemberg auszuwerten. Denkbar ist zudem eine fokussierte Analyse von Tageszeitungen, in der ersichtlich wird, wie bestimmte sexualpolitische Themen in der Region des heutigen Baden-Württemberg zur Sprache gebracht wurden und damit Lebenswelten homosexueller Männer prägten.[24] Eine Aufgabe gegenwärtiger Forschung besteht außerdem darin,

> „die Forschungsergebnisse zur Homosexuellenverfolgung in Deutschland – vor, während und nach der NS-Zeit – in die Darstellungen zur Geschichte der Sexualpolitik, Sexualitäten und Geschlechterbeziehungen einzuordnen."[25]

Teil der Lebenswelten ist überdies auch das, was innerhalb dieser Lebenswelten möglicherweise nicht lebbar war: Etwa die sich mit den verändernden politischen Zäsuren auch verändernden imaginierten Sehnsuchtsräume homosexueller Männer.[26]

Die Lebenswelten homosexueller Männer entstehen in der Verschränkung der historischen sozialen Praktiken der historischen Akteur_innen, der Verräumlichung der spezifischen Lebenswelten an spezifischen Orten oder innerhalb bestimmter städtischer Zonen sowie von medialen Praktiken der Bedeutungsproduktion. Lebenswelten werden also in „Doings and Sayings" (Theodore Schatzki) performativ hervorgebracht, das heißt in wiederholten und wiederholbaren kulturellen Praktiken. Und sie werden anhand qualitativ unterschiedlicher historischer Quellen in einer praxistheoretischen Perspektive beobachtbar.

---

24 Ich denke zum Beispiel an eine fokussierte Analyse der Zeitschrift *Die Freundschaft*, der *Blätter für Menschenrecht* u. a. Im Hinblick auf die Verfolgung männlicher Homosexueller in Baden, Hohenzollern und Württemberg in der Weimarer Republik könnten möglicherweise auch Medienereignisse wie der sich 1924 in Hannover ereignete, republikweit wahrgenommene Haarmann-Prozess wirkungsvoll sein.

25 Vgl. Pretzel, Verfolgung und Selbstbehauptung (wie Anm. 17), S. 51.

26 Denkbar ist, dass das Leben in Metropolen wie Berlin, Paris und Zürich als Sehnsuchtsraum imaginiert wird. Sehnsuchtsräume waren im deutschen Südwesten in der NS-Zeit etwa das nahe gelegene Zürich und später auch Amsterdam. Vgl. Karl-Heinz Steinle: Die Geschichte der „Kameradschaft die runde" 1950 bis 1969, Berlin 1998; sowie Karl-Heinz Steinle: „Der Kreis": Mitglieder, Künstler, Autoren, Berlin 1999.

Um die Lebenswelten homosexueller Männer im deutschen Südwesten in der NS-Zeit und der Bundesrepublik zu dokumentieren, gilt es, verstreute und heterogene Quellensplitter zusammenzutragen, zu systematisieren und crossmedial zu analysieren. Vor dem Hintergrund einer praxeologischen Perspektive kommt eine Kombination methodischer Verfahren zum Einsatz: von diskursanalytischen Verfahren, etwa in der Rekonstruktion sexualpolitischer Diskurse, über die geschichtswissenschaftliche Auswertung archivalischer Quellen und bestehender Forschungen bis hin zur Auswertung qualitativer Interviews mit Zeitzeug_innen.

Einer viktimisierenden Perspektive entgehen

Der Kulturhistoriker Andreas Pretzel konstatiert, dass in der überwiegenden Mehrheit der in den Regionalstudien veröffentlichten biographischen Schilderungen bisher individuelle Verfolgungsschicksale in viktimisierender Perspektive dokumentiert werden.[27] Eine praxeologische Perspektive, in deren Mittelpunkt die historischen Akteure und ihre historischen Handlungspraktiken stehen, vermag es, diesem in der Forschung zur NS-Verfolgung homosexueller Männer lange tradierten Dilemma zu entgehen. Die Wahrnehmung der Verfolgten als Akteure und der Fokus auf ihre historischen sozialen Praktiken, etwa Widerstandspraktiken, die Entwicklung von Handlungsstrategien, um sich Repression und Verfolgung zu entziehen oder ihnen zu trotzen, eröffnet neue Forschungsperspektiven auf die Verfolgten und ihre Lebenswirklichkeiten und Fähigkeiten.

Dadurch dass den nach § 175 RStGB und § 175a RStGB verfolgten Männern nahezu ein halbes Jahrhundert der Status als NS-Opfer verweigert und abgesprochen wurde, etwa von Seiten der Bundesrepublik, durch andere Opferverbände und durch die etablierte Historikerzunft, wurden sie, so Andreas Pretzel, „jahrzehntelang in einen Opferdiskurs eingeschrieben, um ihnen historische Gerechtigkeit widerfahren zu lassen." Und der Kulturhistoriker weiter:

> „Diese herkömmlichen Darstellungsweisen bedürfen künftig einer perspektivischen Ergänzung und Neuausrichtung, um den individuellen Handlungsräumen der Verfolgten mehr Aufmerksamkeit und Beachtung zukommen zu lassen sowie die Formen der Solidarität und Unterstützung, gemeinschaftliche Netzwerke und Freundeskreise, Formen des Widerstands und der Selbstbehauptung der Verfolgten zu erkunden und sichtbar zu machen."

---

27 Vgl. hierzu und zum Folgenden Pretzel, Verfolgung und Selbstbehauptung (wie Anm. 17), Zitate S. 52 und S. 54.

Mit einer praxeologischen Perspektive auf Lebenswelten, die ihren Blick auf historische Akteure und ihre sozialen Praktiken richtet, kann eine von Andreas Pretzel problematisierte klassische Opferperspektive umgangen werden. In dieser Perspektive erscheinen die verfolgten homosexuellen Männer „weniger als amorphe Opfergruppe in den Händen von Verfolgern", sondern sie werden als handlungsfähige Subjekte wahrnehmbar. So kann ihren Möglichkeiten von Selbstbehauptung und Eigensinn unter den Verfolgungsumständen bis hin zum Widerstand — dazu ist auch die Emigration zu zählen — wissenschaftlich nachgespürt werden.

Literatur

Alkemeyer, Thomas/Budde, Gunilla/Freist, Dagmar (Hrsg.): Selbst-Bildungen. Soziale und kulturelle Praktiken der Subjektivierung, Bielefeld 2013.

Bauz, Ingrid/Brüggemann, Sigrid/Maier, Roland: Die Geheime Staatspolizei in Württemberg und Hohenzollern, Stuttgart 2013.

Bogen, Ralf: „Vorkämpfer im Kampfe um die Ausrottung der Homosexualität", in: Ingrid Bauz/Sigrid Brüggemann/Roland Maier (Hrsg.): Die Geheime Staatspolizei in Württemberg und Hohenzollern, Stuttgart 2013, S. 305 – 320.

Bogen, Ralf: „Zum Schrecken der Homosexuellen Stuttgarts …". Ausgrenzung und Verfolgung homosexueller Männer in Württemberg, in: Homophobie und Sexismus. Der Bürger im Staat 65 (2015), hrsg. von der Landeszentrale für politische Bildung Baden-Württemberg, S. 36 – 43.

Buddrus, Michael: Lebenssituation, polizeiliche Repression und justizielle Verfolgung von Homosexuellen in Mecklenburg 1932 bis 1945. Überlegungen zu einem Forschungsprojekt, in: Michael Schwartz (Hrsg.): Homosexuelle im Nationalsozialismus. Neue Forschungsperspektiven zu Lebenssituationen von lesbischen, schwulen, bi-, trans- und intersexuellen Menschen 1933 bis 1945, München 2014, S. 115 – 120.

Butler, Judith: Haß spricht. Zur Politik des Performativen, Frankfurt/M. 2006 [1997].

Freist, Dagmar: Diskurse — Körper — Artefakte. Historische Praxeologie in der Frühneuzeitforschung — eine Annäherung, in: Dagmar Freist (Hrsg.) Diskurse — Körper — Artefakte. Historische Praxeologie in der Frühneuzeitforschung, Bielefeld 2015, S. 9 – 30.

Foucault, Michel: Archäologie des Wissens, Frankfurt/M. 1973 [1969].

Haasis, Lucas/Rieske, Constantin: Historische Praxeologie. Zur Einführung, in: Lucas Haasis/Constantin Rieske: Historische Praxeologie. Dimensionen vergangenen Handelns, Bielefeld 2015, S. 7 – 54.

Hall, Stuart: The Work of Representation, in: Stuart Hall (Hrsg.): Representation. Cultural Representations and Signifying Practices, London 1997, S. 13 – 64.

Peters, Jan-Henrik: Verfolgt und Vergessen. Homosexuelle in Mecklenburg und Vorpommern im Dritten Reich, Rostock 2004.

Pretzel, Andreas: Verfolgung und Selbstbehauptung — homosexuelle Männer während der Zeit des Nationalsozialismus, in: Bundesstiftung Magnus Hirschfeld (Hrsg.): Forschung im Queerformat. Aktuelle Beiträge der LSBTI*-, Queer- und Geschlechterforschung, Bielefeld 2014, S. 47 – 58.

Reckwitz, Andreas: Grundelemente einer Theorie sozialer Praktiken. Eine sozialtheoretische Perspektive, in: Zeitschrift für Soziologie 32 (2003), S. 282–301.

Schade, Sigrid/Wenk, Silke: Inszenierungen des Sehens. Kunst, Geschichte und
Geschlechterdifferenz, in: Hadumod Bußmann/Renate Hof (Hrsg.) Genus: Zur
Geschlechterdifferenz in den Kulturwissenschaften, Stuttgart 1995, S. 341–407.

Schade, Sigrid/Wenk, Silke: Strategien des „Zu-Sehen-Gebens". Geschlechterpositionen in der Kunst und Kunstgeschichte, in: Hadumod Bußmann/Renate Hof (Hrsg.):
Genus. Geschlechterforschung – Gender Studies in den Kultur- und Sozialwissenschaften, Stuttgart 2005, S. 145–184.

Schade, Sigrid/Wenk, Silke: Studien zur visuellen Kultur. Einführung in ein transdisziplinäres Forschungsfeld, Bielefeld 2011.

Steinle, Karl-Heinz: Die Geschichte der „Kameradschaft die runde" 1950 bis 1969, Berlin 1998.

Steinle, Karl-Heinz: „Der Kreis": Mitglieder, Künstler, Autoren, Berlin 1999.

Regionale Beispiele

Gerhard Fritz

Zur Homosexualität König Karls von Württemberg

König Karl von Württemberg (* 1823, reg. 1864 – 1891) steht in der bundesdeutschen Wahrnehmung im Schatten seines Königskollegen Ludwig II. von Bayern (* 1845, reg. 1864 – 1886). Der Bayer ist bekannt durch seine Schlösserbauwut, ins Schrullige gehende bajuwarische Eigenbrötelei, den Vorwurf der Regierungsunfähigkeit, den wohl suizidalen Tod und durch seine Homosexualität. König Karl dagegen baute keine Märchenschlösser, ein Eigenbrötler war er gleichwohl. Regierungsunfähigkeit warf man ihm ebenfalls vor, homosexuell war er auch, aber das Leben genommen hat er sich nicht.

Beide Monarchen regierten in turbulenten Zeiten. Sie mussten ihre — im Rahmen des seit 1815 bestehenden Deutschen Bundes — souveränen Staaten durch drei Kriege führen: durch den für sie noch harmlosen Deutsch-Dänischen Krieg von 1864, durch den in hohem Maße existenzbedrohenden Deutschen Krieg von 1866 und schließlich durch den Deutsch-Französischen Krieg von 1870/71. Der Deutsche Bund zerbrach 1866 im Konflikt der Großmächte Preußen und Österreich. Bayern und Württemberg hatten auf die falsche Karte gesetzt und sich — wie die Mehrheit der anderen deutschen Staaten — mit Österreich wider das gegen den Bund rebellierende Preußen und seine norddeutschen Verbündeten gestellt. Der Krieg endete mit einer Katastrophe: Österreich wurde vom siegreichen Preußen aus Deutschland hinausgeworfen. Mehrere Verbündete Österreichs — so das Königreich Hannover — wurden von der Landkarte gestrichen und von Preußen annektiert. Bayern und Württemberg zitterten, denn es bestand durchaus die Gefahr, dass es ihnen genauso ergehen könnte. Die staatliche Existenz konnten die beiden süddeutschen Länder noch retten, aber sie waren durch geheime Bündnisverträge an Preußen gekettet — und als 1870 der Krieg gegen Frankreich begann, war klar, dass man gemeinsam mit Preußen marschieren würde. Und als 1871, als Resultat dieses Krieges, das Deutsche Kaiserreich gegründet wurde, war — gegen alles Widerstreben Ludwigs II. und Karls — wiederum klar, dass Bayern und Württemberg dem neuen Reich beitreten und ihren Status als souveräne Staaten einbüßen würden.

In diesen Zeiten hätte es in der Staatsführung Bayerns und Württembergs politischer Naturtalente bedurft. Stattdessen hatte man in beiden Ländern – vorsichtig gesagt – zwei originelle Könige auf dem Thron. Dem Württemberger soll hier unsere Aufmerksamkeit gelten.[1]

Kindheit und Jugend

Karl hatte keine angenehme Kindheit und Jugend. Er war das Kind König Wilhelms I. (* 1781, reg. 1816–1864) und dessen dritter Frau Pauline, einer direkten Cousine Wilhelms. Die geistig wenig interessierte Mutter führte eine unglückliche Ehe mit Wilhelm. Der König war in zahlreichen nichtehelichen Betten nachtaktiv, weshalb sich die Königin verbittert von ihrem Mann in einen borniertem Pietismus zurückzog, zugleich aber ihren Sohn vergötterte und verhätschelte. Ganz anders war Karls Verhältnis zu seinem Vater: Der Thronfolger erfüllte dessen Erwartungen nicht. Während Wilhelm I. ein intelligenter, disziplinierter und geschickter Vollblutpolitiker war, der zwischen den reaktionären Großmächten Preußen und Österreich das württembergische Staatsschiff auf einem halbwegs liberalen Kurs zu halten suchte, erwies sich der kleine Karl als kränkliches, weiches, verträumtes Kind, das ganz und gar nicht den Erwartungen des Vaters entsprach. Der hatte eine auf Effizienz ausgerichtete, zeitlich und inhaltlich anspruchsvolle Erziehung für den Thronfolger zusammengestellt, die besten Erzieher engagiert – und Karl zeigte Desinteresse. Dabei war er nicht unintelligent. Sprachen beherrschte er rasch und gut, Musik gefiel ihm, aber andere Fächer, die für den künftigen König unumgänglich waren, langweilten ihn: Recht, Wirtschaft, Mathematik, Statistik, Geschichte, Geographie. Dazu war Karl unsportlich, ein schlechter Reiter (was für einen künftigen König gar nicht ging), Militär ödete ihn an (eine Zeit beim Militär gehörte zu seinem Erziehungsprogramm) – und immer wieder fiel er durch geistige Abwesenheit, Initiativlosigkeit und Desinteresse auf. Wilhelm ließ seinen Sohn spüren, dass er ihn für einen Versager hielt. Die väterliche Abneigung steigerte sich bis hin zur offenen Verachtung.

Bei Karl zeigte sich ein Charakterzug, der sich in späteren Jahren verstärken und eine schwere Belastung für seinen Umgang mit anderen Menschen bilden sollte. Zwar konnte Karl gewinnend und leutselig mit seinen Mitschülern reden, aber er konnte auch übergangslos die Lust an seinem Gegenüber verlieren und den Kontakt abbrechen. Der junge Thronfolger ließ

---

1 Grundsätzlich ist zu vergleichen Paul Sauer: Regent mit mildem Zepter. König Karl von Württemberg, Stuttgart 1999.

immer wieder enttäuschte, geradezu schockierte Gesprächspartner zurück, die sich fragten, was sie denn falsch gemacht hätten. Sie hatten nichts falsch gemacht: Karl hatte einfach das Verlangen verloren, mit ihnen zu reden. Das hing wohl auch damit zusammen, dass er merkte, wie der eine oder andere Mitschüler ihm intellektuell überlegen war. In solchen Fällen reagierte Karl mit Kontaktabbruch.

Einem Semester an der Universität Tübingen folgten mehrere Semester in Berlin. Von dort drangen wenig erfreuliche Nachrichten ans Ohr des Vaters in Stuttgart: Karl galt als albern, ziellos, kindlich bis kindisch — auch wenn er die eine oder andere anregende Bekanntschaft machte, so etwa mit der Schriftstellerin Bettina von Arnim und deren Kreis. Wirkliches literarisches Interesse entwickelte sich aber nicht bei ihm — auch nicht in späteren Zeiten. Mit Theater beispielsweise konnte Karl nie etwas anfangen. An das Studium schlossen sich von 1843 bis 1845 vom Vater verordnete Bildungsreisen an. In England sollte der Kronprinz den ersten industrialisierten Staat Europas kennenlernen. Mehr interessiert war er an einer anschließenden Reise nach Italien. Dann ging es nach Österreich, Ungarn, Sachsen und — erneut — nach Berlin.

Erste sexuelle Erfahrungen und Ehe

Dabei machte Karl — wie für Leute seines Standes üblich — offenbar in England beziehungsweise in Italien sexuelle Erfahrungen, wohl im gehobenen Prostituiertenmilieu. Seine Homosexualität scheint schon damals erkennbar geworden zu sein. Die sexuellen Kontakte blieben nicht ohne Folgen. Karl infizierte sich mit Tripper. Obwohl die Krankheit ausheilte, hatte sie Konsequenzen. Es ging nicht nur um dauernde Blasen- und Harnleiterprobleme, sondern um politisch Wichtigeres: Karls spätere, politisch und privat bedeutungsvolle Kinderlosigkeit wird als Resultat seiner einschlägigen Reiseinfektionen angesehen. Nach Aussagen seines Kammerdieners hatte Karl auch schon „seit langer Zeit" (also wohl schon auf seinen Reisen) neben hetero- auch homosexuelle Erfahrungen.[2] Dazu passt, dass bei seinem Aufenthalt in Berlin sein Interesse für Männergesellschaften auffiel. Andererseits war er in Berlin aber auch in eine schwärmerische Liebesbeziehung

---

2 Vgl. den Anhang zum vorliegenden Beitrag; auch: Sauer, Regent mit mildem Zepter (wie Anm. 1), S. 322. Karls Gonorrhoe-Erkrankung wird in dem ausführlichen Krankheitsbericht des Leibarztes Dr. Berthold von Fetzer am ehesten mit Italien in Verbindung gebracht (Hauptstaatsarchiv [HStA S], G 313, Bü 12: Geschichte der Krankheit des verewigten Königs Karl Majestät vom 18 Oktober 1884 an [...], S. 1).

Se. Königl. Hoheit der Kronprinz KARL VON WÜRTEMBERG.

Stich und Verlag von C. Dittmarsch's Kunstanstalt in Stuttgart.

Karl von Württemberg als Kronprinz.

zu einer Engländerin verstrickt.[3] Ob Karl sich die Tripper-Erkrankung bei Männern oder Frauen geholt hat, lässt sich nicht klären.

Nach der Rückkehr von den Reisen stand die Eheschließung an, die für den Thronfolger eine Pflichtaufgabe war. Nach einigem Hin und Her, bei dem mehrere Kandidatinnen ausschieden, fiel die Wahl 1846 auf die russische Großfürstin Olga. Es handelte sich um eine politisch höchst vorteilhafte Entscheidung, denn mit dem Zarenhaus gewann das kleine, im europäischen Mächtespiel schwache Württemberg einen mächtigen Fürsprecher. Die Eheschließung war quasi eine Bestandsgarantie für das kleine König-

---

3 HStA S, G 313, Bü 12, Geschichte der Krankheit (wie Anm. 2), S. 60. Vgl. auch den Anhang zum vorliegenden Beitrag.

reich. Dazu galt Olga als ausgesprochene Schönheit, die überdies mit Charme und Eloquenz überall Eindruck machte. Die Ehepartner bemühten sich zwar, miteinander auszukommen – allein: Leidenschaft wollte nicht aufkommen, insbesondere nicht bei Karl. Dabei mag eine Rolle gespielt haben, dass Karl sich – insbesondere bei öffentlichen Anlässen – neben der strahlenden Olga unbeholfen vorkam. Das Resultat waren die schon aus seiner Schulzeit bekannten Stimmungsschwankungen, die jeden Smalltalk übergangslos in die Peinlichkeit abkippen lassen konnten – was wiederum für das Verhältnis der Eheleute nicht förderlich war.

Eine schwere Belastung für das Paar war die Kinderlosigkeit – hervorgerufen wohl durch die erwähnte Tripper-Erkrankung Karls. Olga ließ 1863 als Ersatz für fehlende eigene Kinder ihre Nichte Wera aus Russland nach Stuttgart kommen. Das verhaltensgestörte Mädchen war jedoch lange Zeit eher eine Belastung für Karl und Olga, die trotzdem 1871 die formale Adoption vornahmen. Der Pubertät entwachsen, erwies sich Wera, die 1874 den Herzog Friedrich aus der schlesischen Seitenlinie Württemberg-Oels heiratete, als intelligente, nach dem frühen Tod Friedrichs 1877 karitativ tätige, im Lande beliebte Frau.[4]

Als Karl 1864 nach dem Tod seines Vaters auf den Thron kam, zeigte er sich anfangs als leutseliger, nicht rundweg passiver Monarch. Zähigkeit und Arbeitseifer seines Vaters fehlten ihm freilich. Karl war von den Herrscherpflichten, die ihn meist nur mäßig interessierten, rasch erschöpft und gönnte sich immer wieder längere Auszeiten im königlichen Schloss in Friedrichshafen am Bodensee. Ende der 1870er-Jahre ließ seine halbwegs aktive Phase nach und er versank zunehmend in Passivität.

Karls Politik

Bei der Beurteilung Karls gehen die Meinungen auseinander. Einerseits gibt es ein durchweg negatives bis vernichtendes Urteil über Karl aus der Feder von Hildegard von Spitzemberg. Sie war eine Tochter des von Karl 1864 als leitenden Minister berufenen, aber 1870 wieder entlassenen Karl von Varnbüler und darüber hinaus eine gute Bekannte Bismarcks. Ihre Äußerungen über den König verschärften sich zwar nach der von ihr als Affront empfundenen Entlassung ihres Vaters, sie waren aber durchaus auch vorher ausgesprochen negativ. Die Baronin Spitzemberg betont in ihren Tagebüchern

---

4 Zu ihr Paul Sauer: Wenn Liebe meinem Herzen fehlt, fehlt mir die ganze Welt. Herzogin Wera von Württemberg, Großfürstin von Russland (1854–1912), Filderstadt 2007.

König Karl mit Königin Olga und den Zwillingstöchtern Olga und Elsa der Herzogin Wera, aufgenom-
men um 1880.

immer wieder Karls Unbeholfenheit und unterstreicht, dass an seinem Hof
in Friedrichshafen „eine Stickluft, ein Mangel an frischem Wehen [herr-
sche], der wahrhaft erschreckend ist. Tag für Tag wird verbummelt, kein
ernstes Wort geredet, kein Buch, keine Zeitung zur Hand genommen."[5] Andererseits wird hervorgehoben, Karl sei eigentlich ein liberaler König gewesen, der niemals versucht habe, eine obsolet gewordene absolute monarchi-

---

5   Vgl. die zahlreichen Äußerungen der Baronin in Rudolf Vierhaus (Hrsg.): Das Ta-
    gebuch der Baronin Spitzemberg, geb. Freiin von Varnbüler. Aufzeichnungen aus
    der Hofgesellschaft des Hohenzollernreiches, Göttingen 1960, S. 72, S. 87 (hier
    das Zitat), S. 112 ff., S. 141, S. 154, S. 255 f., S. 295 f. und S. 428.

sche Herrschaft durchzusetzen. Im Gegenteil, er habe modernisierend ge-
wirkt und sich für maßgebliche Großprojekte – wie etwa die Albwasserver-
sorgung – stark eingesetzt. Außerdem blockierte er die reichsrechtlich eigentlich gebotene Umsetzung der antikatholischen Maßnahmen des
„Kulturkampfes" in den 1870er-Jahren. Auch wurden unter seiner Ägide die
antisozialdemokratischen Maßnahmen des Sozialistengesetzes von 1878 in
Württemberg so milde durchgesetzt wie nirgendwo sonst im Reich. Bei
Empfängen behandelte Karl auch die Linken freundlich.

Gegen die Liberalität spricht indessen manches: So sorgten zwei Hinrichtungen Ende 1866 für einen Sturm der Entrüstung in den liberalen Blättern
Württembergs. Seit 1864 – dem Jahr, in dem Karl auf den Thron kam –
hatte sich eine Landtagsmehrheit für die Abschaffung der Todesstrafe eingesetzt und allgemein wurde deren Ende bald erwartet. Als Karl nun einen
Mann und eine Frau, die wegen Mordes zum Tode verurteilt waren, nicht
begnadigte und hinrichten ließ, war die Presse empört. Draußen im Land,
wo man – anders als im Landtag – eher für die Todesstrafe war, nahm
man dem König seine harte Haltung aber keineswegs übel. Überhaupt ver-
schwand, kaum waren die Köpfe gefallen, Karls Unnachgiebigkeit aus dem
kollektiven Gedächtnis.[6] Mit einer liberalen Haltung passen auch Karls häufige Äußerungen über die Würde des Königsamtes nicht zusammen. Seine
Untertanen kanzelte er in seinen mürrischen Monologen dann immer wieder heftig ab. Er klagte, er werde von ihnen überhaupt nicht verstanden.

Keine Lust mehr auf Politik – aber auf junge Männer

Karls Pseudoliberalität hatte verschiedene Wurzeln. Zum einen kann man
eine Grundeinstellung vermuten, wonach er sich von der erstarrten Politik
seines Vaters abzuwenden suchte. Zum andern dürfte seine scheinbare Liberalität aber auch das Resultat einer charakterbedingten Laissez-faire-Haltung
sein. Karl ließ vieles treiben und lieber Hermann Mittnacht (* 1825, † 1909,
Außenminister 1873, Ministerpräsident 1876) oder seinen Neffen, den Kron-

---

6 Vgl. Gerhard Fritz: Von der öffentlichen zur nichtöffentlichen Vollstreckung: Zur
   Todesstrafe im Königreich Württemberg von 1818 bis 1871, in: Gerhard Fritz/Da-
   niel Kirn (Hrsg.): Florilegium Suevicum. Festschrift für Franz Quarthal zum
   65. Geburtstag, Ostfildern 2008, S. 245–274, hier v. a. S. 264 f.; Robert Uhland
   (Hrsg.): Das Tagebuch der Eveline von Massenbach. Hofdame der Königin Olga
   von Württemberg, Stuttgart 1987, S. 181, erwähnt ein 1864 von Karl unterschrie-
   benes Todesurteil – aber damals noch als Kronprinz, der den Willen seines Vaters ausführen musste. Auf das Todesurteil von 1866 geht die in ihrer politischen
   Wahrnehmung sowieso seltsame Massenbach nicht ein.

125

prinzen Wilhelm (den späteren König Wilhelm II., * 1848, † 1921), machen. Vollends negativ wird das Bild in den 1880er-Jahren. Karl hielt sich stets ein halbes Jahr und mehr in Florenz, Nizza, San Remo und anderen Orten an der Riviera auf. Nach einigen Wochen in Stuttgart, die er wegen der dortigen Repräsentationspflichten und Arbeit als qualvoll empfand, setzte er sich rasch wieder an den Sommersitz in Friedrichshafen ab. Man erkennt hier einen Monarchen, der seinem Amt bei Weitem nicht mehr gewachsen war. Karl war in dieser Zeit nur noch von dem Gedanken bestimmt, die mit seiner Tätigkeit als König verbundene Arbeit zu vermeiden. Alles war bestimmt von seinen Harnleiter- und Blasenbeschwerden und anderen — meist psychosomatischen — Molesten. Karl verbrachte seine Tage mit den schon aus seiner Kindheit und Jugend bekannten Belanglosigkeiten und unter launischen Stimmungsschwankungen, nur aufgeheitert durch seine Männerfreundschaften — seine „Flammen"[7] wie Richard Jackson, Charles Woodcock und Wilhelm Georges.

Karl eindimensional nur als Opfer seiner Homosexualität und einer verklemmten, schwulenfeindlichen Gesellschaft zu sehen, würde den Verhältnissen allerdings nicht gerecht. Schließlich zeigte er schon als Schüler, also im Kindesalter, mit seinen Stimmungsschwankungen Verhaltensauffälligkeiten. Hier scheinen eher Überforderung und daraus resultierende Minderwertigkeitsgefühle Auslöser gewesen zu sein. Die Launenhaftigkeit blieb ihm lebenslang erhalten und wurde unerträglich für alle, die mit ihm zu tun hatten, besonders in den 1880er-Jahren.

Seine Frau Olga war angesichts Karls männlicher (und wohl auch weiblicher) Liebschaften tief getroffen. Er ließ sich von einem bestimmten Männertyp beeindrucken, der als „kläglich, immer schmeichelnd, auf Zerstreuung bedacht" empfunden wurde.[8] Näheres, insbesondere Namen, erfährt man in dieser frühen Phase noch nicht, mit Ausnahme der engen Verbindung zu Wilhelm von Spitzemberg (der Schwager der zu Karl so feindselig eingestellten Hildegard von Spitzemberg). Wilhelm war Karls Generaladjutant und bis zum Zerwürfnis mit seinem königlichen Herrn 1885 dessen loyalster Mitarbeiter. Hildegard höhnte bereits 1869, ihr Schwager verblöde regelrecht ge-

---

7 So der Karl wohlgesonnene Generalleutnant Wilhelm von Spitzemberg am 20.11.1883 aus San Remo an Ministerpräsident Mittnacht. Der Brief ist abgedruckt bei Ludwig Gammerdinger: Der Fall Woodcock, Vaihingen/Enz 1944, S. 10. Sechs Exemplare der Schrift befinden sich im HStA S, G 313, Bü 19. Gammerdinger hatte als loyaler württembergischer Beamter die 1944 gedruckte Schrift im HStA S hinterlegen lassen. Sie durfte wegen ihres kompromittierenden Inhalts erst 1974 geöffnet werden.

8 Das Tagebuch der Eveline von Massenbach (wie Anm. 6), S. 232.

meinsam mit dem König und liege „buchstäblich den ganzen Tag in des Königs Armen".[9] Ob das wörtlich zu nehmen ist und ob Karl tatsächlich ein homosexuelles Verhältnis mit Spitzemberg hatte, wird nirgends ausdrücklich gesagt.

Hildegard Freifrau von Spitzemberg, geb. Varnbüler, war eine vehemente Kritikerin König Karls.

Wie auch immer: In Spitzemberg hatte Karl wenigstens noch einen loyalen und sachkundigen Mitarbeiter. Karls spätere Liebhaber hatten diese Eigenschaften nicht. Sie zeichneten sich nur durch jugendliche Männerschönheit

---

9 Vierhaus, Tagebuch der Baronin Spitzemberg (wie Anm. 5), S. 87.

aus. Um sie in seiner Nähe zu haben, übertrug Karl ihnen an sich belanglo-
se, aber mit unmittelbaren Kontakten zu ihm verbundene Tätigkeiten. An
erster Stelle ist der Amerikaner Richard Jackson zu nennen, den Karl zum
„Vorleser" ernannte. Jackson stand bis 1883 in der Gunst des Königs an erster Stelle, bevor er durch Karls große Liebe Charles Woodcock, ebenfalls
Amerikaner, verdrängt wurde. Bevor auf Woodcock näher eingegangen
wird, sind hier noch einige Bemerkungen über Karls Sexualleben im Allgemeinen zu machen.

In ihren wesentlichen Zügen ist Karls Sexualität seit Langem bekannt. Ein
Eintrag im Tagebuch von Karls Leibarzt, Dr. Berthold von Fetzer, vom
10. Mai 1888 enthüllt weitere, bislang unbekannte Details:[10] Fetzer hatte ein
Gespräch mit dem Kammerdiener des Königs. Der teilte dem Mediziner zunächst Unerfreuliches über den Alkoholkonsum und daraus resultierenden
Peinlichkeiten bei der Abendtoilette, beim Zubettgehen und bei der stets un-
terbrochenen Nachtruhe Karls mit. Dann folgten Informationen über Karls
Sexualleben. Es wird klar das Bild eines Bisexuellen erkennbar, der ständig
„Weiber", aber bevorzugt Männer in seinem Bett gehabt habe — die Frauen
ohne Zweifel auch in der Zeit seiner Ehe, nach den Äußerungen des Kammerdieners wohl bis in die Zeit der 1860er-, wahrscheinlich bis in die
1870er-Jahre. Die „Weiber"-Affären Karls parallel zur Ehe mit Olga erscheinen in der bisherigen Literatur über Karl nicht. Etwa zehn Jahre vor 1888 —
also ungefähr Ende der 1870er-Jahre — sei Karl dann „ruhiger geworden",
das heißt er habe seine offenbar zahlreichen Bettgeschichten erheblich reduziert. Die sexuellen Beziehungen zu Frauen hätten schon vorher geendet.
Wer bis dahin die Sexualpartner und -partnerinnen des Königs waren, teilt
der Kammerdiener nicht mit. Es scheint sich aber eher um politisch und persönlich nicht bedeutende Leute gehandelt zu haben.[11] Der Kammerdiener erwähnt nur einen namentlich nicht genannten „Irren", der unter den Gele-
genheitsbeziehungen wohl wichtiger war und der auch den Kammerdiener
selbst belästigt zu haben scheint. Der Kammerdiener wurde auch Ziel von
Karls Avancen. Bemerkenswert ist, dass der König aber nicht zum Zuge kam.
Der Kammerdiener konnte ihn abweisen: „Ein scharfer Blick und ein entschiedenes Nein" hätten genügt, denn der König sei „zu weiterem zu feig".
Sexuell übergriffig wurde Karl also nicht, nicht einmal gegenüber dem von
ihm abhängigen Kammerdiener. Aber die Aussage des Dieners enthält noch

---

10 Vgl. den Anhang zum vorliegenden Beitrag.
11 Uhland, Tagebuch der Eveline von Massenbach (wie Anm. 6), S. 213 erwähnt
   1866 „ein Gerede über den König und die Sängerin Klettner" — was Karl aber
   mit „Ehrenwort" bestritt.

eine weitere wichtige Information: Zu Woodcock, dem Anlass der Staatsaffä-re, habe der König keine sexuelle Beziehung gehabt, „dazu sei W.[oodcock] schlau genug, um Ihm dies zu versagen". Die bisherige Literatur erweckt — ohne dies je explizit zu sagen — stets den Eindruck, es habe angesichts der emotional ganz außerordentlich intimen Verhältnisse zwischen dem König und Woodcock auch eine sexuelle Beziehung bestanden. Eine solche vermu-tet der Kammerdiener aber zwischen Woodcock und dessen namentlich nicht genannten Freund. Gemeint ist zweifellos Donald Hendry, der gemein-sam mit Woodcock als dessen Adlatus am Hofe Karls aufgetaucht war.

Die Woodcock-Affäre

Die diversen männlichen und weiblichen Affären Karls spielten in politi-scher Hinsicht lange Zeit keine Rolle. Nach außen wurde der Schein einer funktionierenden Ehe aufrechterhalten. Die Öffentlichkeit war nur — ge-nau wie das Königspaar selbst — unglücklich über den ausbleibenden Nach-wuchs. Aber das konnte man als Schicksal ansehen. Politisch brisant wur-den Karls Männerbeziehungen in den 1880er-Jahren. Auf den Vorleser Jackson ging die Presse noch nicht ein. Als 1883 mit Charles Woodcock eine neue „Flamme" in Karls Leben trat und Jackson zügig verdrängte, änderte sich das nach einiger Zeit. Wilhelm von Spitzemberg teilte 1883 in spitzen Worten dem Ministerpräsidenten Mittnacht mit: Woodcock war nach Kenntnisstand Spitzembergs seit vielen Jahren in Stuttgart und sollte von Beruf „Literat" sein. „Er soll eine Fräulein Zoller in einer Krankheit ganz sa-mariterisch gepflegt haben. Dieser Woodcock soll nun nächstens hieher [nach Friedrichshafen] kommen; damit nun der König sich diesem ‚edeln Menschen' der Geld und *gar nichts* vom König will, als für ihn leben und sterben, ganz weihen kann." Spitzemberg selbst und andere Vertraute des Königs sollten dagegen verschwinden.[12] Der Schwiegersohn Mittnachts, Ge-neralleutnant Adolf von Neidhardt (* 1850, † 1930), der Woodcock gesehen hatte, beschrieb diesen als „hübschen, brünetten, großen, schlanken Mann mit großen, schönen, aber suchenden Augen, ausrasiertem Backenbart, ge-wandten, aber schlangenartigen Bewegungen und sehr guten Formen". Ein-gefädelt habe die Bekanntschaft zum König dessen „Stühlerückerin Vaihin-ger", das heißt Karls spiritistisches Medium. Außerdem hätten auch die ehemalige französische Kaiserin Eugénie und ein englischer Diplomat Woodcock empfohlen.[13]

---

12 Vgl. Spitzembergs Brief bei Gammerdinger, Der Fall Woodcock (wie Anm. 7), S. 9 f.

Charles Woodcock gelang es rasch, Karls Vertrauen uneingeschränkt zu gewinnen. Wenn Woodcock abwesend war — so zum Beispiel 1885 auf einer Kur auf Norderney — tauschten die beiden innigliche Liebesbriefe aus. Einige dieser Briefe Karls — leider allesamt undatiert — sind erhalten. Anders als die in klarer Handschrift geschriebenen Briefe aller Personen aus dem Umfeld des Königs sind dessen Briefe fahrig geschrieben und nicht durchweg lesbar. Die Handschrift korrespondiert mit dem diffusen Charakter des Königs. Die Formulierungen, soweit zu entziffern, passen dazu und zeigen einen emotional schwankenden, hilflos Anlehnung suchenden Monarchen: Die Briefe beginnen stets mit „Mein von ganzem Herzen geliebter Karl" oder mit „Lieber, lieber Karl". Es folgen dann Sätze wie:

> „Möge die Vorsehung uns nie mehr trennen, weder hienieden, noch in der andern Welt! Auch im Vorgefühle harter Zeiten werden wir uns stets verstehen und uns gegenseitig Trost und Stütze, mit Rath und That zur Seite stehen. [...] Gott möge uns gegenseitig einander lange erhalten und Du an meiner Seite noch lange Jahre bleiben."

Unterschrieben wurde stets mit Karls Kosenamen: „Dein Tully".[14] Nicht weniger weinerlich wirken die Briefe, die Karl nach dem Ende der Woodcock-Affäre an seinen zweiten Leibarzt Dr. Carl Liebermeister richtete:

> Ach, Liebermeister, auf dessen Herz ich zählen kann, da er viel Verständnis nicht zu Woodcock-Savage und mir hatte, unsere Beziehungen kennend und würdigend, Woodcock-Savage verlässt mich aus edelsten Motiven in treuer Anhänglichkeit der durch die scheußlichen Angriffe gegen ihn kam er zur Ueberzeugung, daß er mir nicht mehr das seyn kann im Umgang, was er immer seyn in so hohem Masse ist und bleibt. Er fürchtete mir zu schaden, ach begreifen Sie und fühlen Sie mit uns sein Herzeleid, das für das ganze Leben ich ihm so dankbar für Alles, was er für mich that. Ich glaubte seine Stellung zu erleichtern durch Standeserhöhung vielfach wurde ich dazu. gedrängt, nur drehte sich der Stiefel dagegen und erfolgte meinem Freund eine ganz infame ungerechte Strafe.
> Herr vergib ihnen, denn sie wissen nicht, was sie thun. Ach denken Sie in meinem Jammer an mich und schreiben Sie mir, Sie wissen was Schmerz ist.
> Karl[15]

---

13 Gammerdinger, Der Fall Woodcock (wie Anm. 7), S. 10 f. Vgl. auch Jürgen Honeck: Der Liebhaber des Königs. Skandal am württembergischen Hof, Mühlacker 2012.

14 HStA S, G 313, Bü. 19, darin in Photokopie sechs Briefe Karls. Die Anrede „Lieber, lieber Karl" zeigt, dass der König Woodcock nicht englisch als Charles anredete, sondern mit der deutschen Form.

15 HStA S, G 313, Bü. 19: Brief, geschrieben in Nizza, 9.11.1888, nur in Abschrift erhalten. Offenbar konnte der Kopist nicht alle Wörter des Königs sicher entziffern.

Vom „Literaten" Woodcock zum Maschinenmeister Georges

Wie war es zum Ende der Beziehung Karls zu Woodcock gekommen? Die in der Literatur ausführlich dargestellte Affäre muss hier nicht in allen Details wiederholt werden.[16] Über die intime Männerbeziehung allein hätte die Umgebung des Königs vielleicht noch kopfschüttelnd hinweggesehen. Es waren aber vor allem drei Themen, die Woodcock untragbar machten: Zum einen erhielt er vom König Schenkungen, die jedes Maß überstiegen – riesige Geldbeträge und eine Villa in Friedrichshafen. Schließlich erhob er Woodcock als Baron Savage gar noch in den Adelsstand. Zum zweiten liefen sämtliche Regierungsgeschäfte über Woodcock. Er bekam offenbar die gesamte, oft politisch brisante Dienstkorrespondenz des Königs auf seinen Tisch und nahm sie zum Teil sogar mit sich fort. Politische Entscheidungen des Königs, soweit sie überhaupt noch zustande kamen, erfolgten fast nur noch auf Ratschlag Woodcocks. Zum dritten, und das wurde entscheidend, begannen 1888 verschiedene Zeitungen über die Zustände am württembergischen Königshof zu berichten. Jetzt wurde der Druck so groß, dass Woodcock abreisen musste und in England die Früchte seiner Tätigkeit genießen konnte.[17]

Karl wurde durch den Verlust seines Geliebten in tiefste Verzweiflung gestürzt. Schon zu Zeiten Woodcocks wurden Karls Einlassungen zu politischen Fragen von seiner Umgebung zunehmend als ahnungslos, grotesk und wirklichkeitsfremd angesehen – von gelegentlichen hellen Momenten abgesehen. Er wurde mittlerweile auch in Preußen als dermaßen herrschaftsunfähig betrachtet, dass Bismarck und der 1888 neu auf den Thron gekommene Kaiser Wilhelm II. bei Mittnacht und beim württembergischen Kronprinzen Wilhelm immer wieder Druck machten, Karl solle abdanken. Bismarck und Wilhelm II. nahmen dem württembergischen König darüber hinaus allgemein sein Verhalten übel. Er sei eine Schande für das monarchische Prinzip und richte dieses weit über Württemberg hinaus zugrunde. Da sowohl Mittnacht als auch der württembergische Kronprinz nicht auf den preußischen Druck eingingen, löste erst Karls Tod am 6. Oktober 1891 die Abdankungsfrage.[18]

---

16 Vgl. insbesondere Sauer, Regent mit mildem Zepter (wie Anm. 1), S. 229–258.

17 Dazu HStA S, Q 2/24, Nr. 3, 6 und 12: Briefe von Woodcocks Vertrauter Fanny Schmidt-Zoller, Trouville vom 4.8.1888, Brighton vom 2./3.12.1888 sowie Bertha Haag, Esslingen von Ende Dezember 1888.

18 Hans Philippi: Das Königreich Württemberg im Spiegel der preußischen Gesandtschaftsberichte 1871–1914, Stuttgart 1972, S. 82–93.

Zuvor hatte ein neuer Liebhaber den Schmerz über Woodcocks Abgang beseitigt. 1889 war der am Stuttgarter Theater tätige, aus Hannover stammende Obermaschinenmeister Wilhelm Georges aufgetaucht. Hier wird man auch eine sexuelle Komponente annehmen dürfen, denn die Diener durften Karls Gemächer nicht betreten, wenn Georges anwesend war. Die Affäre wurde schnell öffentlich, der Skandal erreichte allerdings nie die Dimensionen der Woodcock-Affäre. Für die preußischen Bestrebungen, Karl zur Abdankung zu zwingen, lieferte das Verhältnis zu Georges und Karls fortdauerndes Desinteresse an rundweg allem freilich weitere Munition. Der Tod Karls beendete die Beziehung zu Georges, der testamentarisch mit einem gigantischen Erbe bedacht wurde.[19]

Unter großer Anteilnahme der Bevölkerung zieht 1891 der Trauerzug für König Karl am Stuttgarter Königsbau vorbei.

Zumindest in späteren Jahren hatte Karl eine Neigung zur Homöopathie und zum Spiritismus. Mit seinem (nicht homöopathischen) Leibarzt Fetzer unterhielt er sich immer wieder über Homöopathie. Fetzer und die anderen Ärzte, die den König behandelten, sahen Woodcock als verantwortlich für

---

19 Sauer, Regent mit mildem Zepter (wie Anm. 1), S. 302, S. 304–312 und S. 317.

die homöopathischen Sympathien Karls an.[20] Die spiritistischen Neigungen Karls hatten wiederum derart viel Staub aufgewirbelt, dass noch in der offiziellen Mitteilung im württembergischen *Staatsanzeiger* vom 12. November 1888 über den Abgang Woodcocks der König ausdrücklich dementieren musste: „Zugleich wollen seine Majestät angesprochen wissen, daß der genannte Herr [Woodcock] an spiritistischen Experimenten niemals sich beteiligt habe."[21] Das war eine geradezu ungeheuerliche Selbstrechtfertigung. Der König stand mit dem Rücken zur Wand. Von einem aufgeklärten Monarchen des späten 19. Jahrhunderts erwartete man alles andere, als spiritistischem Hokuspokus zuzuneigen. Tatsächlich stand Karl aber − zumindest 1888 − in täglichem Briefkontakt mit der Spiritistin Vaihinger und ließ sich von ihr stark beeinflussen.[22]

Zusammenfassung

Karls privates und politisches Leben hatte spätestens seit den 1880er-Jahren tragisch-groteske Züge. Aber auch schon vorher fühlte sich Karl − neben erträglichen Lebensphasen − in seiner Haut nicht wohl. Inwieweit war er ein Opfer seiner Homosexualität und deren sozialer Unterdrückung?

Offenbar hatte er keine Komplexe, seine Bi- und Homosexualität auszuleben. Zwar wusste die Öffentlichkeit nichts von Karls männlicher und weiblicher Promiskuität − und falls doch, dann wagte man sie in der Stuttgarter Gesellschaft nicht zu erwähnen; zu groß war der Respekt vor dem Chef des alten Herrscherhauses. Aber in seiner Umgebung waren Karls männliche und weibliche Affären bekannt − und offenbar regte man sich darüber nicht weiter auf. Einem Kronprinzen oder König gestand man einiges zu, solange nach außen die Fassade der Ehe gewahrt wurde. Nicht einmal für Karls Intimfeindin Spitzemberg, die ansonsten kein gutes Haar an ihm ließ, war Karls Sexualleben Anlass für Kritik. Auch Bismarck, der ja schließlich vehement auf Karls Thronverzicht drängte, hatte sich nicht über die Homosexualität als solche aufgeregt. So etwas sei, so Bismarck fast schon verständnisvoll, im Hause Württemberg öfters vorgekommen. Was in Preußen für böses Blut sorgte, war der Aufstieg Woodcocks (über Jackson hatte sich

---

20 Vgl. zur Homöopathie z.B. HStA S, Q 2/3, Bd. 9: Fetzers Tagebucheinträge vom 1.3.1887 und vom 22.3.1887.

21 Der Text des *Staatsanzeigers* vom 12.11.1888 wörtlich bei Gammerdinger, Der Fall Woodcock (wie Anm. 7), S. 29.

22 Sauer, Regent mit mildem Zepter (wie Anm. 1), S. 233; Gammerdinger, Der Fall Woodcock (wie Anm. 7), S. 10.

der Reichskanzler noch nicht ereifert), Karls zunehmende Apathie und vor allem die Tatsache, dass alles an die Presse gekommen war.

Kurz gesagt: Karl hätte seine sexuelle Orientierung in der jahrzehntelang praktizierten Diskretion problemlos weiter ausleben können — aber eben nicht in den Dimensionen der Woodcock-Zeit. Dass das Ganze für seine Gemahlin Olga eine demütigende Tortur war, steht auf einem anderen Blatt. Insgesamt war nicht die Homosexualität Karls (die ja eigentlich über Jahrzehnte eine Bisexualität war — er war ja auch bei Frauen in seinem Bett kein Kostverächter) das erste Element für dessen zunehmend unglückliche Rolle auf dem Thron. Vielmehr resultierte sein Unglück in hohem Maße aus seiner charakterlichen Veranlagung, für die der Beruf des Staatsoberhauptes gewiss nicht das Richtige war — allen Monologen Karls über die „Würde des Monarchenamtes" zum Trotz. Ein so introvertierter, in seinem Urteil schwankender, an Politik weithin desinteressierter Mann wie Karl hätte, gemessen am Maßstab des persönlichen Glücks, niemals König werden sollen. Da er es nun aber wurde, hatte seine Führungsschwäche letztlich ein Ergebnis, das er selbst nie beabsichtigt hatte: Die Demokratisierung und Parlamentarisierung des Landes wurde vorangetrieben.

Anhang: Tagebucheintrag von Dr. Berthold von Fetzer, Leibarzt von König Karl, am 10. Mai 1888[23]

Beim König nichts Neues. H[err] v[on] W[oellwarth][24] theilte mir Bemerkungen über das Verhalten des Königs in der letzten Zeit beim abendl. Kartenspiel mit, daß der König[25] öfters zu viel trinke, nicht ganz bei der Sache sei, eindusle und trotzdem das Spiel unmässig lange ausdehne. Dabei sei er beständig unruhig, stehe immer wieder auf, gehe im Zimmer herum, spiele zwischendurch mit dem Hund u[nd] häufig „wie ein kleines Kind mit den Spielmarken", wobei er das Spiel ganz vergesse. Während er früher mit Feinheit und Verständnis für Raffinement gespielt habe, spiele er jetzt eigentlich mehr nur mechanisch, ohne aufzumerken, ohne für besondere Wechselfälle dabei irgend welches Interesse oder Aufmerksamkeit an den Tag zu legen (man könnte diese Art wie eine Art Herumdämmern bezeichnen). Überhaupt sind H[err] v[on] W[oellwarth] in lezter Zeit bemerkliche Änderungen im Wesen des Königs aufgefallen, so daß er die Befürchtung ausspricht, der König möchte kindisch werden. — der Kammerdiener, mit dem ich wegen des Weinconsums des Königs spreche, sagt mir, der König trinke von Abends 6 Uhr bis zum Schluß des Spieles sechs Wassergläser mit 2/3 Bordeaux 1/3 Champagner — zus. 1 Flasche Bordeaux u. ½ Fl. Champagner; öfters sei er dann leicht beduselt, so daß er Ihm beim Auskleiden u. Baden habe halten müs-

---

23 HStA S, C 2/3, Bd. 11, Eintrag vom 10.5.1888.

24 Vermutlich August von Woellwarth-Lauterburg, seit 1888 Hofmarschall Karls.

25 Hier und in der Folge im Original immer als „K." abgekürzt.

sen, daß er nicht vornüberstürze. So schläfrig der König darnach oft sei, so habe er doch manchmal Mühe, Ihn ins Bett zu bringen. Der König spaziere ohne etwas zu treiben noch im Zimmer auf u. ab und, wenn Er endlich sich niedergelegt habe, so würde Er noch zu plaudern beginnen, wenn er nicht das Zimmer alsbald verließe. Auch in der Nacht stehe der König öfters herauf u. promenire in seinen Zimmern, gehe ans Fenster, um nach der Villa Bequi [?] hinüberzuschauen, und wandle ohne etwas zu treiben umher, wenn ihm der Schlaf fehle u[nd] ohne drauf geführt zu werden, erzähle mir der K[ammer]d[iene]r von den perversen Neigungen des Königs, womit Er auch ihn, wie manche andere — von denen er nur diesen „Irren" nennt — belästigt worden sei. Er sagt, bei ihm habe Der sich vergeblich bemüht, ein scharfer Blick und ein entschiedenes Nein habe genügt, ihn von weiteren Versuchen darnach abzuhalten. „Wenn man Ihn entschieden abweist, steht er davon ab, denn Er ist zu Weiterem zu feig. Aber schlau ist er, wenn er Einen dazu bringen will, und weiß alle Mittel u[nd] Wege um die Sache zu verdecken." Derartige Neigungen habe der König schon seit langer Zeit gehabt, auch mit den Weibern habe er früher anzubinden gewusst. Aber seit etwa zehn Jahren sei er ruhiger geworden u. macht kaum mehr solche Versuche; mit den Weibern sei es schon länger aus. Mit W[oodcock] habe Er in dieser Richtung nichts zu thun gehabt, dazu sei W[oodcock] schlau genug, um Ihm dies zu versagen. Dagegen meint H.,[26] daß es zwischen dem Freund u[nd] seinem Gefährten nicht ganz geheuer sei. — Auch mit dem Pr[inz] W[ilhelm] sei es in dieser Richtung nicht ganz sauber.

[Es folgen Ausführungen über die Alltagsarbeit des Leibarztes am 10. Mai 1888]

Literatur

Fritz, Gerhard: Von der öffentlichen zur nichtöffentlichen Vollstreckung: Zur Todesstrafe im Königreich Württemberg von 1818 bis 1871, in: Gerhard Fritz/Daniel Kirn (Hrsg.): Florilegium Suevicum. Festschrift für Franz Quarthal zum 65. Geburtstag, Ostfildern 2008.

Gammerdinger, Ludwig: Der Fall Woodcock, Vaihingen/Enz 1944.

Honeck, Jürgen: Der Liebhaber des Königs. Skandal am württembergischen Hof, Mühlacker 2012.

Philippi, Hans: Das Königreich Württemberg im Spiegel der preußischen Gesandtschaftsberichte 1871—1914, Stuttgart 1972.

Sauer, Paul: Regent mit mildem Zepter. König Karl von Württemberg, Stuttgart 1999.

Sauer, Paul: Wenn Liebe meinem Herzen fehlt, fehlt mir die ganze Welt. Herzogin Wera von Württemberg, Großfürstin von Russland (1854—1912), Filderstadt 2007.

Uhland, Robert (Hrsg.): Das Tagebuch der Eveline von Massenbach. Hofdame der Königin Olga von Württemberg, Stuttgart 1987.

26 Falls „H." für den Kammerdiener steht, könnte Johann Christian Hartmann gemeint sein (* 1841, 1870 verheiratet, 1887 Kammerdiener 3. Klasse); dieser könnte seine Informationen von dem 1887 gestorbenen Kammerdiener Friedrich Magnus Hell gehabt haben (frdl. Mitteilung von Eberhard Fritz, Archiv des Hauses Württemberg in Altshausen, 20.12.2016).

Vierhaus, Rudolf (Hrsg.): Das Tagebuch der Baronin Spitzemberg, geb. Freiin von Varnbüler. Aufzeichnungen aus der Hofgesellschaft des Hohenzollernreiches, Göttingen 1960.

Walter, Jürgen: Die Woodcock-Affäre (1888). Eine männliche Mätresse am Stuttgarter Hof, in: ders.: Lust und Macht. Mätressen an deutschen Höfen, Mühlacker 2010, S. 189–220.

Frederick Bacher

Der „völlig unhaltbare" § 175: ein Fallbeispiel aus Württemberg

Wilhelm Osswald wurde am 10. März 1896 in Ludwigsburg geboren. Seine Kindheit und Jugend verbrachte er im „schwäbischen Potsdam", wie die Residenzstadt genannt wurde, weil sie eine der größten Garnisonsstädte des Deutschen Kaiserreichs war. Nachdem Osswald die Oberrealschule absolviert hatte, schlug der Sohn eines Bäckermeisters die Laufbahn eines mittleren Verwaltungsbeamten ein. Da Wilhelm Osswald an einem chronischen Lungenleiden litt, wurde er vom Heeresdienst zurückgestellt und konnte sich bereits 1914 ganz auf seine berufliche Karriere konzentrieren. In den ersten Kriegsjahren arbeitete er als Gehilfe beim Bürgermeisteramt im württembergischen Grötzingen, in der zweiten Kriegshälfte war er beim Oberamt Ludwigsburg und beim Bürgermeisteramt in Ludwigsburg-Oßweil tätig. Nach dem Ersten Weltkrieg wechselte Osswald in die Stadtverwaltung seiner Heimatstadt Ludwigsburg. Die mittlere Verwaltungsdienstprüfung bestand er bereits im Mai 1920 mit nur 24 Jahren. So konnte er am 15. Dezember 1921 als Obersekretär in ein Beamtenverhältnis eintreten. Osswald arbeitete daraufhin bei der Stadtpflege in Ludwigsburg; ab 1929 war der Verwaltungsbeamte unter anderem für Baudarlehen und Eheschließungen zuständig.

Anklage wegen Vergehen gegen § 175 StGB

Die klassische Beamtenlaufbahn, die der städtische Obersekretär Osswald bis dahin durchlaufen hatte, endete in der NS-Zeit schlagartig. Am 16. Januar 1934 wurde Osswald wegen eines Vergehens nach § 175 StGB vorläufig festgenommen. In der Anklage hieß es: „Wie der Amtsvorstand des Polizeiamts weiterhin mitgeteilt hat, haben die Ermittlungen und das eigene Geständnis des Obersekretärs ergeben, dass er in fortgesetzter Tat widernatürliche Unzucht getrieben hat." Nach Angabe des Polizeiamtsvorstandes habe sogar Verdunklungsgefahr bestanden.[1] Am 16. Februar 1934 wurde Osswald

---

[1] Vgl. Stadtarchiv Ludwigsburg (StadtA LB) L 11, Buchst. O-1121: hier Aktennotiz vom 18. Januar 1934.

vom Schöffengericht Stuttgart zu sechs Monaten Haft verurteilt.[2] Er war damit einer von vielen schwulen Männern, die der Liebe wegen gegen den § 175 StGB verstoßen hatten.

Als nichtheterosexueller Mann stand man in Deutschland vor dem Problem, seine Sexualität nicht frei ausleben zu können, ohne sich dabei strafbar zu machen. Sexuelle Handlungen unter Männern wurden in Deutschland seit dem Inkrafttreten des § 175 als Reichsgesetz am 1. Januar 1872 unter Strafe gestellt: „Widernatürliche Unzucht" — wie es damals abwertend hieß — zwischen „Personen männlichen Geschlechts" wurde mit Gefängnis bestraft. Zudem konnten die bürgerlichen Ehrenrechte aberkannt werden.[3] Aufgrund dieses Paragraphen saß Osswald zu Beginn der NS-Herrschaft auf der Anklagebank.

Osswald wusste seit seiner Pubertät, dass er schwul war. Während der Weimarer Republik nahm er als junger Mann regelmäßig an Tänzen und Veranstaltungen des Bundes für Menschenrechte teil, die von dem Autor und Verleger Friedrich Radszuweit auch in der württembergischen Landeshauptstadt Stuttgart öffentlichkeitswirksam organisiert wurden. Radszuweit hatte sich in den 1920er-Jahren immer wieder für die Streichung des § 175 StGB eingesetzt. Neben dem Arzt und Sexualforscher Magnus Hirschfeld gilt er als einer der Pioniere der Homosexuellenbewegung in Deutschland.[4] Auf diesen Veranstaltungen lernte Osswald andere schwule Männer kennen, wobei ihm einer davon besonders gefiel. Von 1925 und 1933 kam es zwischen den beiden Männern mehrmals zu „beischlafähnlichen Handlungen", wie dem Gerichtsprotokoll zu entnehmen ist. Osswalds Freunde und Bekannte hatten nicht die leiseste Ahnung von dem Liebesleben der beiden Männer gehabt, da Osswald seinen Partner niemals zu sich nach Hause einlud.[5] Über seine Homosexualität sprach Osswald nicht, weder in

---

2 Vgl. Staatsarchiv Ludwigsburg (StA LB) E 180 VI Bü 396: Urteil der Dienststrafkammer für Körperschaftsbeamte.

3 Die ursprüngliche Fassung gem. RStGB von 1871/72, in: Günter Grau/Claudia Schoppmann (Hrsg.): Homosexualität in der NS-Zeit. Dokumente einer Diskriminierung und Verfolgung, Frankfurt/M. 2004, S. 95; vgl. zur Homosexuellenverfolgung in Württemberg Ralf Bogen: Ausgrenzung und Verfolgung homosexueller Männer in Württemberg, in: Der Bürger im Staat. Homophobie und Sexismus, Heft 1/2015, S. 36–43.

4 Vgl. Friedrich Radszuweit: Irrlehren über die Homosexualität. § 175 muss abgeschafft werden!, in: Bund für Menschenrechte (Hrsg.): Denkschrift an den Deutschen Reichstag zur Beseitigung einer Kulturschande, Berlin 1927.

5 StA LB E 180 VI Bü 396: Urteil der Dienststrafkammer für Körperschaftsbeamte.

der Familie noch vor Freunden — und das, obwohl er vor Gericht aussagte, dass auch sein Vater schwul gewesen sei.[6]

Der aus dem Jahr 1820 stammende § 175 StGB ist in seiner jetzigen Fassung völlig unhaltbar und schon lange umstritten, da durch sein Vorhandensein, wie gerade mein Fall beweist, unschuldige Menschen verurteilt und schwer geschädigt werden. Er lässt auch die biologischen Erkenntnisse der letzten Jahrzehnte insbesondere auf dem Gebiet der Erforschung der innersekretorischen Drüsen, durch die das Wesen der Homosexualität fast restlos aufgeklärt wurde, völlig unberücksichtigt. Nach dem Entwurf des neuen Strafgesetzbuchs sollte auch nur noch strafbar sein,

1. ein Mann, der einen andern Mann unter Missbrauch einer durch ein Dienst- oder Arbeitsverhältnis begründeten Abhängigkeit nötigt, sich zur Unzucht missbrauchen zu lassen;

2. ein Mann, der mit einem Manne gewerbsmässig Unzucht treibt;

3. ein Mann über 21 Jahren, der einen männlichen Minderjährigen zur Unzucht missbraucht.

So äußerte sich Wilhelm Osswald im Verlauf seines Dienststrafverfahrens über den § 175.

Wilhelm Osswald machte kein Hehl daraus, was er von dem § 175 StGB hielt:

„Der [...] § 175 StGB ist in seiner jetzigen Fassung völlig unhaltbar und schon lange umstritten, da durch sein Vorhandensein, wie gerade mein Fall beweist, unschuldige Menschen verurteilt und schwer geschädigt werden" (vgl. Abbildung).

Er vertrat zudem den Standpunkt, dass Homosexualität unter Männern nur strafbar sein sollte, falls Missbrauch oder Prostitution vorliege.[7] In seinem mutigen Plädoyer bezog sich Osswald auf Magnus Hirschfeld, der bereits am 15. Mai 1897 zusammen mit dem Verleger Max Spohr, dem Juristen Eduard

---

6 StA LB E 180 VI Bü 396: Äußerung Osswalds im Dienststrafverfahren, S. 2.

7 StA LB E 180 VI Bü 396: Äußerung des Wilhelm O., Obersekretär in Ludwigsburg, anlässlich des gegen ihn gemäss Art. 251 Gem.O eingeleiteten gerichtlichen Dienststrafverfahrens, S. 5.

Oberg und dem Schriftsteller Franz Joseph von Bülow das Wissenschaftlich-humanitäre Komitee (WhK) gegründet hatte, um Unterschriften „vieler hervorragender Deutscher" gegen das „Unrecht des § 175" zu sammeln. Neben dem Komitee errichtete Hirschfeld am 6. Juli 1919 schließlich sein Institut für Sexualwissenschaft (IfS), das in erster Linie eine Art Anlauf- und Beratungsstelle für schwule Männer gewesen war. Als Osswald auf der Anklagebank saß, war Hirschfelds Institut jedoch bereits geschlossen. Nationalsozialistische Horden hatten es im Zuge der Bücherverbrennung am 6. Mai 1933 geplündert und verwüstet.[8]

Strafrechtsverschärfung während der NS-Zeit

Zum Zeitpunkt des Verfahrens gegen Wilhelm Osswald war Adolf Hitler bereits seit über einem Jahr an der Macht. Die Etablierung des unmenschlichen NS-Machtapparats war bereits in vollem Gange. Mit der Reichstagsbrandverordnung vom 28. Februar 1933, dem sogenannten „Ermächtigungsgesetz" vom 24. März 1933 und mit dem Terror paramilitärischer Kampforganisationen auf der Straße war die Weimarer Verfassung bereits außer Kraft gesetzt. Deutschland befand sich längst auf dem Weg zur absoluten Führerdiktatur.[9] Die nationalsozialistische Machtübernahme machte auch vor dem einstigen freien Volksstaat Württemberg nicht halt. Seit dem 15. März 1933 saßen in der Villa Reitzenstein zum größten Teil überzeugte Nationalsozialisten. Der württembergische Landtag war bereits seiner bisherigen Zuständigkeiten beraubt und tausende Gegner des Regimes saßen hinter Gittern. In Württemberg agierte zudem mit Wilhelm Murr ein linientreuer Reichsstatthalter, der die Landespolitik der Ministerien beobachtete und kontrollierte.[10] Eine freie Presse gab es nicht mehr. Auch die in der Weimarer Republik erhältlichen

---

8 Vgl. Christian Helfer: Magnus Hirschfeld, in: Neue Deutsche Biographie 9 (1972), S. 226−227; Ralf Dose: Magnus Hirschfeld. The Origins of the Gay Liberation Movement, New York 2014; Hauptstaatsarchiv Stuttgart (HStA S) E 130 b Bü 2254, Eingabe gegen das Unrecht des § 175 mit vielen Unterschriften hervorragender Deutscher den gesetzgebenden Körperschaften des Deutschen Reichs überreicht vom Wissenschaftlich-humanitären Komitee.

9 Vgl. dazu z. B. Albrecht Tyrell: Auf dem Weg zur Diktatur. Deutschland 1930 bis 1934, in: Karl Dietrich Bracher/Manfred Funke/Hans-Adolf Jacobsen (Hrsg.): Deutschland 1933−1945. Neue Studien zur nationalsozialistischen Herrschaft, Bonn 1993, S. 15−31.

10 Vgl. dazu ausführlich Paul Sauer: Württemberg in der Zeit des Nationalsozialismus, Ulm 1975; und Thomas Schnabel: Württemberg zwischen Weimar und Bonn 1928−1945/46, Stuttgart 1986.

„Schwulenmagazine" konnten zu diesem Zeitpunkt längst nicht mehr käuflich erworben werden.[11]

Titelblatt eines der auch in Württemberg in den 1920er-Jahren erhältlichen „Schwulenmagazine".

Außergewöhnlich ist, dass Osswald trotz dieser Umstände das Urteil gegen ihn vehement anprangerte und sogar in Berufung ging. Auch wenn die Anklage nach § 175 StGB letzten Endes nicht fallen gelassen wurde, kam die

---

11 Wie zum Beispiel das auch in Württemberg erhältliche Jahrbuch *Der Eigene. Ein Blatt für männliche Kultur* oder die Monatsschrift *Das Kleine Blatt. Monatsschrift für Freundschaft.*

Strafkammer des Landgerichts Stuttgart dem Angeklagten insofern entgegen, als Osswald bereits nach knapp drei Wochen Haft und einer Geldstrafe von 300 Reichsmark das Gefängnis wieder verlassen konnte. Diese verhältnismäßig milde Strafe wurde mit folgenden Worten begründet:

> „Osswald [hat] sich darauf beschränkt, widernatürliche Unzucht nur mit einem Mann zu treiben, der bereits auf diesem Gebiet zu Hause war. […] Wenn auch alle Kräfte und aller Willen heute darauf gerichtet seien, das geschlechtliche Empfinden des Volkes in gesunde Bahnen zu leiten und einen gesunden Nachwuchs zu schaffen und deshalb der Betätigung des widernatürlichen Geschlechtstriebs mit empfindlichen und abschreckenden Strafen entgegengetreten und dem widernatürlichen Geschlechtstrieb wirkungsvolle Hemmungen entgegengestellt werden müssen, so erscheine doch noch möglich, bei dem Angeklagten Osswald den Strafzweck durch eine Geldstrafe zu erreichen."[12]

Die relativ milde Strafe lässt sich vor allem durch ein ärztliches Gutachten erklären, das auf Ersuchen des Rechtsanwalts von Osswald, Richard Widmann, in Auftrag gegeben wurde. Medizinische Gutachten spielten bei allen Sexualdelikten eine ausschlaggebende Rolle.[13] Die acht Seiten des renommierten Psychologen Albrecht Wetzel vom Stuttgarter Bürgerhospital vom 16. Juni 1934 trugen in diesem Fall dazu bei, dass Osswald mit einem „blauen Auge" davonkommen konnte. Wetzel sprach nicht nur homosexuelle Männer generell von jeglicher persönlichen Schuld frei; er attestierte Osswald auch eine äußerst „gute Persönlichkeit", die für die Findung des Strafmaßes seit jeher von großer Bedeutung war. Albrecht Wetzel vertrat die unter Medizinern häufig anzutreffende Meinung, Homosexualität sei an sich nicht strafbar, der sexuelle Akt zwischen Männern müsste allerdings sanktioniert werden. In dem ärztlichen Gutachten zu Wilhelm Osswald hieß es:

> „Dass jemand homosexuell ist, darüber muss er sich mit dem Schicksal, das ihm diese unglückselige Veranlagung auf den Weg gegeben hat, auseinandersetzen; er selbst ist von jeder persönlichen Schuld frei. Die Verantwortlichkeit setzt also nicht bei dem So-beschaffen-sein, sondern bei der Umsetzung dieser homosexuellen Neigung in die Betätigung ein. […] O. hat offenbar nicht bloss die Intelligenz, sondern auch die Charakter- und Willensqualitäten, um einmal einzusehen, was er getan hat, wie er sich vergangen hat, und was er nicht mehr tun darf, um auf der anderen Seite auch diese in die Tat umzusetzen."

---

12 StA LB E 180 VI Bü 396: Wiedergabe der Begründung im Urteil der Dienststrafkammer für Körperschaftsbeamte vom 1. Juni 1934.

13 Vgl. Günter Grau: „Unschuldige Täter". Mediziner als Vollstrecker der nationalsozialistischen Homosexuellenpolitik, in: Burkhard Jellonnek/Rüdiger Lautmann (Hrsg.): Nationalsozialistischer Terror gegen Homosexuelle. Verdrängt und ungesühnt, Paderborn 2002, S. 209–235.

Der Psychologe hob zudem positiv hervor, dass Osswald „die Fühlung mit der bürgerlichen Gemeinschaft aufrecht zu halten suchte" und darüber hinaus stets „ruhig, bestimmt und sachlich" wirke. Wetzel empfahl Osswald dennoch einen Nervenarzt aufzusuchen: „Er kann Spannungen, die sich anbahnen, ausgleichen und er kann unter Umständen auch etwa Phasen einer besonderen gefährlichen sexuellen Erregung medikamentös abdämpfen."[14] Auch wenn das Gutachten aus heutiger Sicht Unverständnis hervorruft, muss man bedenken, in welchem Kontext es ausgestellt wurde.

Während der NS-Herrschaft wurde Homosexualität als eine „entartete" gesellschaftliche Lebensform angesehen, die es zu bekämpfen galt. Rund 100 000 schwule Männer wurden im „Dritten Reich" verurteilt und über 10 000 davon in ein Konzentrationslager gebracht, wo sie zum Teil unter grausamen Lebens- und Arbeitsbedingungen zu Tode kamen. Es ging den Nationalsozialisten zwar nicht um die Vernichtung jedes einzelnen homosexuellen Mannes, aber sie wollten Homosexualität an sich durch „Umerziehung" und Arbeitsmaßnahmen „ausrotten".[15]

Nach der Ermordung des homosexuellen SA-Führers Ernst Röhm („Röhm-Putsch") am 1. Juli 1934 durch Nationalsozialisten kam es zu einer Strafrechtsverschärfung und zu einer weiteren Zuspitzung der Homosexuellenverfolgung.[16] Nicht nur bei Vergewaltigungen griff nun der gefürchtete § 175 a StGB. Auch der Missbrauch einer durch ein Dienstverhältnis begründeten Abhängigkeit fiel unter den erweiterten Paragraphen. Darüber hinaus mussten vor allem volljährige Männer, die mit einer männlichen Person unter 21 Jahren einvernehmlichen Sex hatten, mit drakonischen Strafen rechnen. In manchen Fällen wurden nun Freiheitsstrafen von bis zu zehn Jahren verhängt. Seit dem „Geheimerlaß zur Bekämpfung der Homosexualität und Abtreibung"[17] von Heinrich Himmler im Jahre 1936 wurden

---

14 StadtA LB E 10: ärztliches Gutachten vom 16. Juni 1934.

15 Vgl. Burkhard Jellonnek: Staatspolizeiliche Fahndungs- und Ermittlungsmethoden, in: Jellonnek/Lautmann, Nationalsozialistischer Terror (wie Anm. 13), S. 149−161, hier S. 154, S. 157 und S. 160.

16 Die neue Fassung gem. Gesetz zur Änderung des StGB vom 28. Juni 1935, in: Grau/Schoppmann, Homosexualität in der NS-Zeit (wie Anm. 3), S. 95−96; vgl. auch Rüdiger Lautmann: Willkür im Rechtsgewand. Strafverfolgung im NS-Staat, in: Michael Schwartz (Hrsg.): Homosexuelle im Nationalsozialismus. Neue Forschungsperspektiven zu Lebenssituationen von lesbischen, schwulen, bi-, trans- und intersexuellen Menschen 1933−1945, München 2014, S. 35−42.

17 Himmlers Geheimerlass zur Bekämpfung der Homosexualität und Abtreibung vom 10. Oktober 1936, in: Grau/Schoppmann, Homosexualität in der NS-Zeit (wie Anm. 3), S. 122−125.

homosexuelle Männer zudem reichsweit erfasst, sofern die Angeklagten einer der nationalsozialistischen Organisationen angehörten oder in einem Beamtenverhältnis standen. Für einen Teil dieser homosexuellen Männer endete die Haft in einer Heilanstalt oder einem der zahlreichen Arbeitslager.[18] Die Verschärfung und Intensivierung der Verfolgungspraxis setzte jedoch erst nach Osswalds Verurteilung ein. Man kann daher mit großer Wahrscheinlichkeit davon ausgehen, dass das Verfahren gegen Osswald nach der Röhm-Affäre von 1934 anders ausgegangen wäre.

Das Leben eines homosexuellen Mannes war schon vor der NS-Zeit alles andere als einfach gewesen, auch wenn Osswald in einer eindrucksvollen und durchaus berührenden gerichtlichen Stellungnahme vielleicht versucht hatte, das Schicksal homosexueller Männer zu überzeichnen:

> „Wie ungeheuer schwer es ist, in einem Alter, wo für normalempfindende gesunde Menschen das Ehe- und Geschlechtsleben eine Quelle der Lebensfreude und des Glücks ist, auf dies alles zu verzichten, lässt sich mit Worten nicht entfernt schildern. Unter der Tragik meines Schicksals habe ich auch so schwer gelitten, dass ich mir in den letzten 20 Jahren oft den Tod gewünscht habe."[19]

Selbst der Psychologe Albrecht Wetzel hatte in dem ärztlichen Gutachten zu Osswald hervorgehoben, man habe als homosexueller Mann mit einem Berg von Schwierigkeiten zu kämpfen:

> „Der Homosexuelle hat denselben Trieb zur Entladung und trotzdem stösst er mit dieser ihm vom Schicksal gesetzten Veranlagung sofort auf äussere und innere Schwierigkeiten und Konflikte, die ja genügend bekannt sind und hier nicht im Einzelnen dargelegt werden müssen. Wenn es auch das Gesetz und die vom Gesetze gehütete soziale Ordnung nicht erlauben, dieser besonders schwierigen Situation formal sehr weitgehend Rechnung zu tragen, so wird sich doch einmal immer wieder Gelegenheit geben, die Erkenntnisse dieser besonderen äusseren und inneren Schwierigkeiten, in denen der Homosexuelle steckt, in irgend einer Form zu berücksichtigen."[20]

Beruflicher Abstieg

Nach der strafrechtlichen und moralischen Verurteilung durch das Landgericht Stuttgart war in einem nächsten Schritt die Beamtenlaufbahn Oss-

---

18 Vgl. Thomas Rahe: Vergessen und unterschlagen? Die Darstellung des Schicksals homosexueller Häftlinge in den deutschen KZ-Gedenkstätten, in: Jellonnek/Lautmann, Nationalsozialistischer Terror (wie Anm. 13), S. 359–370.

19 StA LB E 180 VI Bü 396: Äußerung des Wilhelm O. (wie Anm. 7), S. 3.

20 StadtA LB L 11: Personalakte Osswald, ärztliches Gutachten vom 16. Juni 1934, S. 3.

walds gefährdet. Der Beamte wurde nun vor die württembergische Dienststrafkammer für Körperschaftsbeamte geladen. Noch während des Verfahrens äußerte sich Wilhelm Osswald über die diskriminierende Behandlung, die er bei der Festnahme am eigenen Leibe erfahren hatte:

> „Der behandelnde Kriminalkommissar hat sich alle Mühe gegeben, einen möglichst grossen Skandal zu inszenieren. [...] Während dieser [...] Untersuchungshaft wurden — [...] auch von Polizeibeamten — die unsinnigsten und verlogensten Gerüchte über mich verbreitet, die bei meinem Wiedererscheinen sofort verstummten."[21]

Das Urteil der Dienststrafkammer für Körperschaftsbeamte lautete „Amtsenthebung". Von der schweren Form der „Dienstentlassung" sah man jedoch ab, da „das Verhalten des Beschuldigten im Dienst nicht zu beanstanden war". Osswald wurde daraufhin wegen Dienstvergehens aus seinem Amt enthoben. Das Ruhegehalt wurde auf drei Viertel herabgesetzt.[22] Es ist anzunehmen, dass Osswalds geschickte Formulierungen während des Dienststrafverfahrens dazu beitrugen, dass von einer Dienstentlassung abgesehen wurde. Osswald gab zu Protokoll:

> „Es wäre ein leichtes gewesen, mir insbesondere in Stuttgart meiner Veranlagung entsprechende Erlebnisse zu verschaffen, ich habe aber darauf verzichtet, weil ich mir stets bewusst war, was ich meiner Stellung als Beamter schuldig bin. In der Selbstbeherrschung glaube ich das äusserste geleistet zu haben, was einem Menschen zugemutet werden kann."[23]

Obwohl Osswald nur mit einer kurzen Haft und einer verhältnismäßig geringen Geldstrafe belangt wurde, stand er beruflich und privat vor einem Scherbenhaufen. Er wurde mit diesem Urteil in die gesellschaftliche Isolation getrieben, denn er war nun ein kriminell gebrandmarkter und vorbestrafter Mann, der zu allem Übel auch noch arbeitslos war. Osswalds bürgerliche Existenz schien mit dem Urteil der württembergischen Dienststrafkammer für Körperschaftsbeamte bedroht, obwohl er freilich noch glimpflich davongekommen war.

Weil Wilhelm Osswald ohnehin nicht mehr viel zu verlieren hatte, ging er erneut in Berufung. Der württembergische Dienststrafhof, der sich mit Osswalds Berufung nun befassen musste, wurde an diesem Tag von Reinhard Köstlin geleitet. Als Beisitzer fungierte unter anderem Karl Mailänder.

---

21 StA LB E 180 VI Bü 396: Äußerung des Wilhelm O. (wie Anm. 7), S. 6.

22 StA LB E 180 VI Bü 396: Urteil der Dienststrafkammer für Körperschaftsbeamte vom 18. Juni 1934.

23 StA LB E 180 VI Bü 396: Äußerung des Wilhelm O. (wie Anm. 7), S. 3.

Beide gehörten der württembergischen Verwaltungselite an. Der 1883 in Hall geborene Mailänder war während der Weimarer Republik ein Beamter der freien Wohlfahrtspflege und gab die *Blätter der Wohlfahrtspflege* heraus. 1933 wurde Mailänder zum Gausachbearbeiter für die Nationalsozialistische Volkswohlfahrt (NSV) von Württemberg im Gau Württemberg-Hohenzollern ernannt. Als Anstaltsleiter wusste Mailänder unter anderem über das Tötungsprogramm für kranke sowie körperlich oder geistig behinderte Menschen Bescheid. An der Genese des „Heimerlasses" war er nach jüngsten Forschungen jedoch „nur" unwesentlich beteiligt.[24] Auch Köstlin war bereits vor 1933 eine feste Größe in der württembergischen Ministerialbürokratie gewesen. Nach einer Tätigkeit im Staatsministerium wurde er 1935 von Wilhelm Murr zum Präsidenten im Staatsministerium befördert, obwohl der ehemals deutschnationale Beamte erst nach der Machtübergabe der NSDAP beigetreten war.[25]

Am 8. Januar 1935 wurde schließlich folgendes Urteil verkündet:

„Der Dienststrafhof [gelangte] in Übereinstimmung mit der Dienststrafkammer zu dem Ergebnis, dass ein Verbleiben des Beschuldigten im Beamtenkörper unmöglich sei, dass aber die Amtsenthebung eine ausreichende Sühne für die Verfehlungen des Beschuldigten bedeute. Im Hinblick auf die geschwächte Gesundheit des Beschuldigten (Lungentuberkulose), deren Pflege schon beträchtliche Aufwendungen erfordert hat, erschien es billig, dem Schuldigen das volle Ruhegehalt für die ihm auf Grund seiner Anstellung noch zustehende Amtsdauer, das ist bis zum 15. Dezember 1941, zu belassen und insoweit das Urteil der Dienststrafkammer abzuändern."[26]

---

24 Über Karl Mailänder vgl. den Beitrag von Harald Stingele: Karl Mailänder. Fürsorgebeamter, Schreibtischtäter und Bundesverdienstkreuzträger, in: Hermann Abmayr (Hrsg.): Stuttgarter NS-Täter. Vom Mitläufer bis zum Massenmörder, Stuttgart 2009, S. 90 – 99; vgl. auch den differenzierten und lesenswerten Beitrag von Shammua Maria Mohr: Die Zentralleitung für Wohltätigkeit unter der NS-Herrschaft und die Genese des „Heimerlasses" vom 7. November 1938, in: Sabine Holtz (Hrsg.): Hilfe zur Selbsthilfe. 200 Jahre Wohlfahrtswerk für Baden-Württemberg, Baden-Baden 2016, S. 144 – 171, hier S. 169; vgl. Beate Dettinger: Die T-4 Aktion in Württemberg. Die Zentralleitung als „Vermittlerin zwischen dem guten Alten und dem fortschrittlichen Neuen"? in: Holtz, Hilfe zur Selbsthilfe, S. 173 – 178.

25 Der Autor bezieht sich zum Teil auf erste Ergebnisse des Projekts „Die Geschichte der Landesministerien in Baden und Württemberg in der Zeit des Nationalsozialismus" (www.landesministerien.bw.de).

26 StA LB E 180 VI Bü 396: Urteil des württ. Dienststrafhof für Körperschaftsbeamte vom 8. Januar 1935.

Obwohl man Osswald nicht weiter als Beamter beschäftigen wollte, kamen ihm Köstlin und Mailänder zumindest finanziell entgegen. Die Kosten des Dienststrafverfahrens musste Osswald allerdings zu zwei Dritteln selbst tragen.[27]

Glück im Unglück

Als Beamter der Stadt Stuttgart hatte Osswald noch ein steuerpflichtiges Jahreseinkommen von 4000 Reichsmark gehabt. Als Aushilfe hatte er nun nur noch 2500 Reichsmark im Jahr zur Verfügung.[28] Zudem mussten alle zukünftigen Beschäftigungen von der württembergischen Ministerialabteilung für Bezirks- und Körperschaftsverwaltung genehmigt werden. Nach seiner Verurteilung wegen § 175 StGB arbeitete Osswald aushilfsweise beim Fleckviehzuchtverband in Ludwigsburg, bei der Gebäudebrandversicherungsanstalt, beim Verlag W. Kohlhammer in Stuttgart sowie beim Bürgermeisteramt in Besigheim. Allem Anschein nach hinterließ Osswald bei allen Arbeitgebern einen guten Eindruck. Nicht nur der Bürgermeister der Stadt Besigheim sprach sich in einem Bericht für eine Weiterbeschäftigung des Hilfsarbeiters Osswald aus. Überraschenderweise stellte sogar Ministerialdirektor Gottlob Dill seine „Bedenken zurück", so dass Osswald in „stets widerruflicher Weise" bei der Stadt Besigheim länger als geplant arbeiten konnte.[29] SS-Oberführer Dill war während der NS-Zeit einer der einflussreichsten Männer des württembergischen Innenministeriums. Er war schon vor 1933 ein überzeugter Nationalsozialist gewesen, auch wenn er aus taktischen Gründen auf das Parteibuch verzichtet hatte.[30]

Da Osswald noch immer nur befristet beschäftigt war, musste er sich alle paar Monate einen neuen Arbeitsplatz suchen. Als er sich 1938 um eine Stelle bei der württembergischen Landesfürsorgebehörde bewarb, kam Friedrich (Fritz) Haußmann ins Spiel, der das Leben des ehemaligen Verwaltungsbeamten in den kommenden Jahren nachhaltig zum Guten wenden sollte. Da sich Osswald als „fleissiger und zuverlässiger Verwaltungsmann" einen Namen gemacht hatte, sprach sich der Präsident der württembergischen Landesfürsorgebehörde für eine feste Anstellung Osswalds aus, obwohl er wusste, dass Osswald „wegen Vergehen gegen § 175" verurteilt wor-

---

27 StadtA LB E 11: Personalakte Osswald, Schreiben vom 16. Februar 1935.
28 Vgl. StA LB EL 901/15 Bü 163: Meldebogen.
29 StA LB E 180 II Bü 1018: Schreiben von Dill an die Ministerialabteilung für Bezirks und Körperschaftsbeamte vom 1. März 1937.
30 Zu Dill vgl. Sauer, Württemberg (wie Anm. 10), S. 74 – 75.

den war. So bat Oberregierungsrat Haußmann die Ministerialabteilung in einem Schreiben vom 29. April 1938, „die Verwendung des Obersekretärs a. D. Osswald nicht zu beanstanden".[31]

Friedrich Haußmann wurde am 21. August 1873 in Oberndorf geboren und war von 1908 bis 1921 als Berichterstatter bei der Zentralleitung für Wohltätigkeit tätig. 1921 wurde er als Oberregierungsrat Leiter der Hauptfürsorgestelle für Kriegsbeschädigte und Kriegshinterbliebene. Seit 1930 war er Präsident der Landesfürsorgebehörde. Nach dem Zweiten Weltkrieg wurde ihm erneut die Leitung des Landesfürsorgeverbands übertragen, obwohl er bereits 1938 in den Ruhestand getreten war. Haußmann war niemals NSDAP-Mitglied gewesen; vom 19. April 1945 bis zum 18. Juni 1945 war er Oberbürgermeister von Tübingen. Haußmanns Nachfolger und Vorgänger bei der Landesfürsorgebehörde war der erwähnte Karl Mailänder, der am 3. Juli 1946 von der amerikanischen Militärregierung vorerst seines Amtes enthoben wurde. 1948 wurde Mailänder wieder in das Beamtenverhältnis auf Widerruf aufgenommen. Nach Haußmanns endgültiger Versetzung in den Ruhestand wurde erneut Mailänder Vorstand der Zentralleitung.[32]

Dank Haußmann und der Genehmigung des württembergischen Innenministeriums war Osswald seit dem 1. Juni 1938 bei der württembergischen Landesfürsorgebehörde in einem bürgerlich-rechtlichen Dienstverhältnis als Sachbearbeiter auf verschiedenen Dienstposten tätig. Am 18. November 1940 war Osswald sogar im Gespräch, als es darum ging, die Stelle eines ausgeschiedenen Beamten in der Landesfürsorgebehörde zu besetzen. Dieses Mal schrieb Haußmanns Nachfolger — Oberregierungsrat Mailänder — das Empfehlungsschreiben an die Ministerialabteilung für Bezirks- und Körperschaftsverwaltung: „Da er sich als tüchtiger, fleissiger und zuverlässiger Arbeiter erwiesen [hatte] und seine Führung einwandfrei [war], beabsichtige ich, seinem Gesuch stattzugeben und bitte, hiegegen nichts einzuwenden."[33] Die Ministerialabteilung für Bezirks- und Körperschaftsverwaltung wandte sich daraufhin an das Gauamt für Personalpolitik, das am 17. Januar 1941 Mailänder klipp und klar ausrichten ließ: „Es kann nicht in Betracht kommen, den Obersekretär a. D. Osswald, der wegen gleichgeschlechtlicher Betätigung vor 6 Jahren aus dem Beamtenkörper ausgeschie-

---

31 StA LB E 180 II Bü 1018: Schreiben Haußmanns vom 29. April 1938.

32 Vgl. HStA S, EA 2/150, Bü 645: Personalakte Fritz Haußmann; vgl. Ursula Rombeck-Jaschinski: Aufbruch in neue Zeiten. Von der Zentralleitung für das Stiftungs- und Anstaltswesen zum Landeswohlfahrtswerk, in: Holtz, Hilfe zur Selbsthilfe (wie Anm. 24), S. 181–202, v. a. S. 183–184.

33 StA LB, E 180 II, Bü 1018: Schreiben Mailänders vom 18. November 1940.

den werden musste und sich durch jene Vorkommnisse als für den Beamtenkörper ungeeignet erwiesen hat, trotz seiner homophilen Veranlagung nun wieder in ihn aufzunehmen."[34] Die Wiederanstellung Osswalds als Beamter während der NS-Zeit hatte sich mit diesem Schreiben endgültig erledigt. Osswald blieb während des Zweiten Weltkriegs Angestellter beim württembergischen Landesfürsorgeverband und bezog das Endgehalt aus der Vergütungsgruppe „V b" des öffentlichen Diensts. Somit konnte er während des Kriegs zumindest Essen und Miete aus eigener Tasche bezahlen und wieder am gesellschaftlichen Leben teilhaben. Eine Beamtenlaufbahn war vorerst jedoch aussichtslos.

Das „Happy End" in der Nachkriegszeit

Der strafrechtlich verurteilte Osswald war während des „Dritten Reiches" weder Mitglied der NSDAP noch gehörte er einer anderen NS-Unterorganisation an. Er wurde deshalb bei der Entnazifizierung als „unbelastet" eingestuft. Osswald gab auf dem entsprechenden Meldebogen aufgrund des *Gesetzes zur Befreiung von Nationalsozialismus und Militarismus* an, er sei vom 19. Februar bis zum 13. März 1934 in „Schutzhaft" gewesen; den eigentlichen Grund dafür nannte er jedoch nicht.[35] Die anhaltende Diskriminierung, die ausbleibende Entschädigung sowie vor allem die weiterhin bestehende strafrechtliche Verfolgung nach § 175 StGB in der Nachkriegszeit[36] führten dazu, dass Osswald den eigentlichen Grund seiner Verurteilung verbarg.

Es kann Fritz Haußmann hoch angerechnet werden, dass er sich in der unmittelbaren Nachkriegszeit erneut für Osswald einsetzte. Denn der alte und neue Leiter des württembergischen Landesfürsorgeverbandes ernannte Osswald am 1. Juni 1946 doch noch zum Oberinspekteur. In dem Schreiben hob er hervor, Osswald sei „stets als Nazigegner" aufgetreten,

> „was ihn nicht nur seine beamtenrechtliche Anstellung in Ludwigsburg kostete, sondern ihn auch später in seinem dienstlichen Fortkommen sehr gefährdete. Aus all diesen Gründen dürfte die beamtenrechtliche Wiederanstellung des Osswald vollauf gerechtfertigt sein."[37]

---

34 StA LB, E 180 II, Bü 1018: Schreiben vom Gauamt für Personalpolitik vom 17. Januar 1941.

35 StA LB, EL 901/15, Bü 163: Meldebogen.

36 Wolfgang Benz: Im Schatten des Holocausts. Späte Wahrnehmung nichtjüdischer Opfer und der Platz der Homosexuellen in der Erinnerung, in: Jellonnek/Lautmann, Nationalsozialistischer Terror (wie Anm. 13), S. 27 – 40, hier S. 27.

37 StA LB, EL 76, Bü 4606: Empfehlungsschreiben Haußmanns vom 1. Juni 1946.

Zudem verheimlichte Haußmann in dem Schreiben nicht, dass Osswald im März 1934 der Liebe wegen verurteilt worden war. Haußmann gehörte damit nicht zu denjenigen, die homosexuelle Männer weiterhin verurteilten. 1958 trat Osswald schließlich wegen Dienstunfähigkeit in den Ruhestand und bezog eine Pension als Beamter. Am 16. März 1970 ist er in Ludwigsburg gestorben.

> Politisch ist Osswald stets als Nazigegner aufgetreten, was ihn nicht nur seine beamtenrechtliche Anstellung in Ludwigsburg kostete, sondern ihn auch später in seinem dienstlichen Fortkommen sehr gefährdete.
>
> Aus all diesen Gründen dürfte die beamtenrechtliche Wiederanstellung des Osswald vollauf gerechtfertigt sein.

Ausschnitt aus dem Empfehlungsschreiben von Friedrich Haußmann für Wilhelm Osswald vom 1. Juni 1946.

Fazit

Das Fallbeispiel Wilhelm Osswald aus Württemberg zeigt, dass verurteilte homosexuelle Männer während der NS-Zeit nicht zwangsläufig in ein Arbeitslager oder eine Heilanstalt gebracht wurden. Da Osswald als fleißiger Beamter auffiel, blieb ihm Schlimmeres erspart. Entscheidend für das relativ milde Strafmaß war auch, dass Osswald prominente Unterstützer hatte. Vor allem das ärztliche Gutachten eines Chefarztes konnte verhindern, dass Osswald als „Triebtäter" gebrandmarkt wurde. Darüber hinaus ist es Haußmann zu verdanken, dass Osswald während der Zeit des Nationalsozialismus eine unbefristete Stelle fand, die nach dem Zweiten Weltkrieg sogar in ein Beamtenverhältnis umgewandelt wurde. Es darf jedoch nicht vergessen werden, dass Osswald bis zu seinem Tod ein Mann war, der als strafrechtlich und moralisch verurteilt galt. Zudem konnte er seine Sexualität noch immer nicht frei ausleben, da der § 175a StGB aus der NS-Zeit noch bis 1969 unverändert in Kraft blieb.

Literatur

Benz, Wolfgang: Im Schatten des Holocausts. Späte Wahrnehmung nichtjüdischer Opfer und der Platz der Homosexuellen in der Erinnerung, in: Burkhard Jellonnek/Rüdiger Lautmann (Hrsg.): Nationalsozialistischer Terror gegen Homosexuelle. Verdrängt und ungesühnt, Paderborn 2002, S. 27–40.

Bogen, Ralf: Ausgrenzung und Verfolgung homosexueller Männer in Württemberg, in: Der Bürger im Staat. Homophobie und Sexismus, Heft 1/2015, S. 36–43.

Dose, Ralf: Magnus Hirschfeld. The Origins of the Gay Liberation Movement, New York 2014.

Grau, Günter/Schoppmann, Claudia (Hrsg.): Homosexualität in der NS-Zeit. Dokumente einer Diskriminierung und Verfolgung, Frankfurt/M. 2004.

Grau, Günter: „Unschuldige Täter". Mediziner als Vollstrecker der nationalsozialistischen Homosexuellenpolitik, in: Burkhard Jellonnek/Rüdiger Lautmann (Hrsg.): Nationalsozialistischer Terror gegen Homosexuelle. Verdrängt und ungesühnt, Paderborn 2002, S. 209−235.

Jellonnek, Burkhard: Staatspolizeiliche Fahndungs- und Ermittlungsmethoden, in: Burkhard Jellonnek/Rüdiger Lautmann (Hrsg.): Nationalsozialistischer Terror gegen Homosexuelle. Verdrängt und ungesühnt, Paderborn 2002, S. 149−161.

Lautmann, Rüdiger: Willkür im Rechtsgewand. Strafverfolgung im NS-Staat, in: Michael Schwartz (Hrsg.): Homosexuelle im Nationalsozialismus. Neue Forschungsperspektiven zu Lebenssituationen von lesbischen, schwulen, bi-, trans- und intersexuellen Menschen 1933−1945, München 2014, S. 35−42.

Rahe, Thomas: Vergessen und unterschlagen? Die Darstellung des Schicksals homosexueller Häftlinge in den deutschen KZ-Gedenkstätten, in: Burkhard Jellonnek/ Rüdiger Lautmann (Hrsg.): Nationalsozialistischer Terror gegen Homosexuelle. Verdrängt und ungesühnt, Paderborn 2002, S. 359−370.

Schnabel, Thomas: Württemberg zwischen Weimar und Bonn 1928−1945/46, Stuttgart 1986.

Paul Sauer: Württemberg in der Zeit des Nationalsozialismus, Ulm 1975.

Jean-Luc Schwab

Die Homosexuellenverfolgung im annektierten Elsass (1940–1945)

„Der Angeklagte gibt die Tat in vollem Umfang zu. Zu seiner Entschuldigung gibt er an, nicht gewusst zu haben, dass er sich durch seine Handlung strafbar machen würde. Diese Einlassung ist jedoch nicht glaubwürdig, da die polizeilichen Maßnahmen gegen die widernatürliche Unzucht gleich nach dem Westfeldzug begannen und mit Bestimmtheit in den homosexuellen Kreisen, wo Bisch verkehrte, bekannt waren."[1]

D iese Sätze deutscher Justizbeamter sind in dem 1942 gefällten Urteil gegen den Elsässer René Bisch (1908 – 1944) zu lesen. Sie zeigen, dass die Verfolgung sogenannter „unzüchtiger Handlungen" zwischen Männern im Elsass sehr früh nach der Annexion durch das Deutsche Reich einsetzte und dass sie von den Polizeibehörden durchgeführt wurde. Diesen Sachverhalt bestätigen heute zahlreiche Funde in elsässischen Archivbeständen. Die Verteidigungsstrategie, wonach der Angeklagte nichts über die Strafbarkeit seiner Handlung gewusst habe, war nicht unüblich und weist darüber hinaus darauf hin, dass männliche homosexuelle Handlungen in Deutschland und Frankreich vor dem Beginn des Zweiten Weltkriegs einen unterschiedlichen Strafstatus hatten. Ob René Bisch tatsächlich nichts über die damalige schärfere Vorgehensweise im deutschen Strafrecht wusste oder ob er dies nur vortäuschte, lässt sich nicht mehr klären. Die Unterschiede in der Strafverfolgung zwischen beiden Ländern sind jedenfalls bemerkenswert, genauso wie die besondere geographische und historische Lage Elsass-Lothringens Beachtung verdient. Denn in der Tat hat sich die Verfolgung der Homosexuellen in Frankreich unter deutscher Kriegsherrschaft im Elsass am stärksten ausgewirkt, und dies auf sehr unterschiedliche Weise vor und nach der Einführung des deutschen Strafrechts in der Region.

---

1 Archives départementales du Bas-Rhin (Unterelsässisches Staatsarchiv, Straßburg), 1243 W 245: Urteil vom 2.6.1942 des Landgerichts Straßburg im Strafverfahren 2KLs 8/42 gegen René Bisch (1908 – 1944).

Das Elsass zwischen französischer und deutscher Gesetzgebung

Seit der 1791 erfolgten Verabschiedung der neuen Strafgesetzgebung infolge der Französischen Revolution war das sogenannte „Sodomieverbrechen" in Frankreich nicht mehr strafbar. Im 1810 neu erlassenen Napoleonischen Strafrecht wurde Geschlechtsverkehr unter Männern überhaupt nicht mehr verfolgt. Einvernehmliche gleichgeschlechtliche Handlungen zwischen Männern waren seither nicht mehr gesetzeswidrig, nur die Erregung öffentlichen Ärgernisses konnte homosexuellen Männern vorgehalten werden. Diese Rechtslage galt in Frankreich auch bei Kriegsausbruch 1939, während im Deutschen Reich solche Handlungen seit 1872 mit dem Inkrafttreten des neuen Strafgesetzbuches (StGB) verfolgt wurden. Die 1935 erfolgte Verschärfung des ursprünglichen § 175 StGB durch ein erhöhtes Strafmaß sowie durch die strengeren Bestimmungen des § 175a StGB hatten in der französischen Gesetzgebung keine Entsprechung. Einschränkend ist jedoch zu bemerken, dass man im Elsass sowie im Mosel-Gebiet bereits Erfahrungen mit dem § 175 StGB gemacht hatte, als beide Regionen zwischen 1871 und 1918 das „Reichsland Elsass-Lothringen" gebildet hatten. Soweit bislang erforscht ist, war die Zahl der Verurteilungen nach § 175 StGB jedoch verhältnismäßig gering. So waren es im Elsass für die Jahre von 1882 bis 1915 pro Jahr etwa 14 Fälle, über die gesamten mehr als dreißig Jahre hinweg 461.[2]

Homosexuelle Männer frühzeitig verfolgt

Als in der zweiten Junihälfte 1940 Frankreich von den deutschen Wehrmachtstruppen besiegt wurde und die neu gebildete Regierung um Marschall Pétain am 22. Juni einen Waffenstillstand mit dem Deutschen Reich schloss, wurde das ehemalige Elsass-Lothringen dem Deutschen Reich „angegliedert". Auch wenn im bilateralen Vertrag nichts darüber festgelegt wurde, war dies *de facto* eine Annexion. Lothringen wurde der Saarpfalz unter Gauleiter Josef Bürckel angegliedert, während der badische Gauleiter Robert Wagner bereits zwei Tage vor dem Waffenstillstand zum Chef der Zivilverwaltung im Elsass ernannt wurde. Er begann auch sofort damit, in enger Zusammenarbeit mit Gustav Scheel, dem Befehlshaber der Sicherheitspolizei und des Sicherheitsdienstes (SD) in Straßburg, und mit der Unterstützung von badischen Justiz- und Polizeibeamten Maßnahmen zur „Germanisierung" und „Gleichschaltung" des Elsass einzuleiten. Dazu zählten anfangs auch die Erfassung sowie die anschließende Abschiebung von Berufsverbre-

---

2 Rainer Hoffschildt: Materialsammlung zur Geschichte homosexueller Männer in Elsass-Lothringen, unveröffentlicht (Juni 2013).

chern und sogenannten „Asozialen", aber auch von Homosexuellen in das
Vichy-Frankreich unter Pétain. Für die Kategorie „Asoziale" einschließlich
„Homosexuelle" wurde auch der sogenannte „Besserungsversuch" in Erwä-
gung gezogen, wie aus einem Schreiben eines hohen Polizeibeamten in Mülhausen zu entnehmen ist:

> „In dem angeführten Erlass des Befehlshabers der Sicherheitspolizei u. d. SD. [vom
> 29.7.1940] ist zwar angeordnet, dass die asozialen Elemente normalerweise eva-
> kuiert werden sollen. Nur in wenigen Einzelfällen, in denen tatsächlich durch
> Erziehung eine Besserung erzielt werden kann […], erscheint eine Überführung in
> das Sicherungslager angezeigt."[3]

Zwischen 1940 und 1942 erfolgte in den meisten Fällen die Abschiebung,
wenn beim Betroffenen „keine Besserung zu erwarten ist", so die übliche
Formel in sicherheitspolizeilichen Berichten der zuständigen Einsatzkom-
mandos in Straßburg und Mülhausen. In Einzelfällen betraf dies auch Ehefrauen und Kinder, die zusammen mit dem ermittelten Mann abgeschoben
wurden. Die „Umerziehung" der „Asozialen" wurde im Sicherungslager Vorbruck bei Schirmeck im Elsass vorgenommen, wo die Opfer vor allem in
den örtlichen Firmen, in staatlichen Betrieben oder im Lager selbst Zwangs-
arbeit leisten mussten. Das gilt auch für den oft zitierten Pierre Seel (1923–
2005), das einzige Opfer dieser Verfolgung, das sich in der Öffentlichkeit
dazu bekannte. Er war vom 13. Mai bis 6. November 1941 im Sicherungslager Schirmeck-Vorbruck inhaftiert.[4]

Bis 1942 erfüllte das Sicherungslager Schirmeck-Vorbruck zwei Funktio-
nen: Zum einen diente es als Durchgangslager vor der Abschiebung nach
„Innenfrankreich", zum anderen als „Umerziehungslager" für „Sicherungshäftlinge". Für die Zeit von August 1940 bis Ende des Jahres 1942 konnten
bislang mindestens 89 abgeschobene männliche Opfer der Homosexuellenverfolgung aus elsässischen Archivalien erfasst werden. Fünfzig davon waren zuvor im Sicherungslager Schirmeck-Vorbruck gewesen.[5] Laut einer

---

3   Archives départementales du Bas-Rhin, 98 J 17: Schreiben vom 20.8.1940 des
    Kommandeurs der Sicherheitspolizei und des SD, Einsatzkommando III/2 (Mül-
    hausen i. Els.), an den Kommandanten des Sicherungslagers Vorbruck bei Schir-
    meck.

4   Archives départementales du Bas-Rhin, 98 J 17: Lager Vorbruck, Einlieferungsliste
    vom 13.5.1941 (Sicherungshäftlinge aus dem Gefängnis Mülhausen), sowie
    98 J 20/29: Eintrag 1106 vom 6.11.1941 im Lagertagbuch (betrifft fünf entlassene
    Häftlinge, u. a. Peter Seel).

5   Zu allen Zahlen und Statistiken, sofern nicht anders angegeben, vgl. Jean-Luc
    Schwab: La répression de l'homosexualité en Alsace annexée (1940–1945), Mas-
    terarbeit an der Université de Haute-Alsace, Mulhouse 2015.

internen Statistik der Sicherheitspolizei (Sipo) Mülhausen für die Zeit vom 27. Juni 1940 bis zum 27. April 1942 wurden jedoch allein aus dem Oberelsass 95 Homosexuelle sowie 19 Familienangehörige „in das unbesetzte Frankreich evakuiert",[6] während für das gesamte Elsass etappenweise 2115 Personen abgeschoben wurden.[7] Für die Zeit von Juli 1940 bis Ende 1942 wurden zusätzlich etwa vierzig „Sicherungshäftlinge" aufgrund des Vorwurfs der Homosexualität im Sicherungslager Schirmeck-Vorbruck inhaftiert. Sie mussten dort eine zwischen vier und 23 Monate andauernde „Umerziehung" über sich ergehen lassen.

Die ursprünglichen Maßnahmen zur Bekämpfung der männlichen Homosexualität erfolgten also außerhalb jeden legalen Rahmens. Dessen waren sich Justizbeamte auch noch Ende des Jahres 1940 bewusst, wie aus einer Notiz des Oberstaatsanwalts beim Landgericht Colmar im Fall eines dortigen Einwohners hervorgeht. Dort hieß es: „Unzucht zwischen Männern − Päderastie − ist im Prinzip nach französischem Recht nicht strafbar. [...] Nach Sachlage ist, solange das franz. Recht noch gilt, die Erlassung eines Haftbefehls nicht möglich."[8]

Allerdings wurde auch im Jahr 1941 noch weiterhin nach französischem Strafrecht geurteilt, wonach die Strafverfolgung homosexueller Handlungen nur unter bestimmten Umständen möglich war, etwa wenn sie an einem Knaben unter 13 Jahren, mit Gewalt oder in der Öffentlichkeit verübt wurden, was sich keinen Unterschied zu Handlungen in einem heterosexuellen Kontext darstellt. Nur drei Fälle von Elsässern, die der Homosexualität beschuldigt wurden, konnten bislang erforscht werden. Ihnen wurde die Erregung öffentlichen Ärgernisses zur Last gelegt. Obwohl die Einführung des deutschen Reichsrechts erst später stattfand, zählte man bereits im Oktober und November 1941 fünf Männer, die nach dem deutschen Standard („widernatürliche Unzucht" bzw. „Unzucht mit Männern") und „im Namen des deutschen Volkes" durch das Straßburger Landgericht verurteilt wurden. Die Haftstrafen lagen zwischen drei und 18 Monaten. Am 30. Januar 1942 trat dann im Elsass durch die Strafrechtsverordnung des Chefs der Zivilverwaltung mit Wirkung zum 15. Februar das Strafgesetzbuch des Deutschen Reichs in Kraft. Alle anderen noch geltenden französischen und lokalen Gesetze wurden damit außer Kraft gesetzt. Nun konnten auch die Bestimmun-

---

6 Günter Grau (Hrsg.): Homosexualität in der NS-Zeit − Dokumente einer Diskriminierung und Verfolgung, Frankfurt/M. 2004, S. 273.

7 Grau, Homosexualität in der NS-Zeit (wie Anm. 6), S. 275.

8 Archives départementales du Haut-Rhin, 22 AL 3-4: Akte Karl J. (1914−1955), Notiz vom 4.11.1940 des Oberstaatsanwalts beim Landgericht Colmar.

gen der §§ 175 und 175a StGB offiziell angewendet werden, in bestimmten Fällen sogar rückwirkend für Handlungen, die vor dem Inkrafttreten dieses deutschen Strafrechts lagen. Betroffen waren hiervon fünf Männer, die bereits vor Ende 1941 in Haft waren.

Das Wendejahr 1942

Mit der Einführung des deutschen Strafrechts wurde der juristische Weg der Verfolgung bevorzugt. Die Zahl der Abschiebungen (vermeintlich) homosexueller Männer ging fortan deutlich zurück. Rückläufig war nun auch die Zahl der Männer, die aufgrund des Vorwurfs der Homosexualität und ohne Vorverfahren im Sicherungslager Schirmeck-Vorbruck inhaftiert wurden.

Im Jahr 1942 standen mindestens 42 im Elsass wohnhafte Männer, darunter vier Deutsche, die sich nach Juni 1940 in der Region niedergelassen hatten, vor Gerichten in Straßburg (34), Colmar (4), Mülhausen (2), Gebweiler (1) und Zabern (1). Sie wurden zu Haftstrafen zwischen vier Monaten Gefängnis und fünf Jahren Zuchthaus verurteilt. Für einen in Straßburg bediensteten Polizisten aus Baden wurde sogar die Todesstrafe verhängt. In den Jahren 1943 und 1944 waren es 32 bzw. 21 Personen, wobei die letzten Gerichtshandlungen am 13. Oktober 1944 in Mülhausen, am 19. Oktober 1944 in Straßburg und am 10. November 1944 in Colmar stattfanden. Das Strafmaß reichte von drei Monaten Gefängnis bis zu acht Jahren Zuchthaus in einem besonders gravierenden Missbrauchsfall durch einen deutschen Sportlehrer in der Hitlerjugend. Der Anteil schwerer Missbrauchsfälle (bei fehlendem Einvernehmen der Mitbeteiligten, vor allem bei Minderjährigen zwischen 14 und 21 Jahren) lag zwischen fünf und zehn Prozent der knapp 100 belegten Fälle.

Außer Haftstrafen nach §§ 175 und 175a StGB gaben einige Verurteilungen auch Anlass zur Anwendung von „Maßregeln der Sicherung und Verbesserung" (§ 42 StGB), wie etwa die Unterbringung in einer Heil- und Pflegeanstalt. Für zwei Männer wurde die Maßnahme vom Gericht angeordnet, für drei weitere kam es nicht zu einer Gerichtsverhandlung, weil sie direkt nach der Untersuchungshaft in die Heil- und Pflegeanstalt Stephansfeld bei Brumath überführt wurden. Als weitere „Vorkehrungen" sind zwei Fälle von gerichtlich angeordneten Entmannungen sowie ein Fall von „freiwilliger Entmannung" dokumentiert. Soweit bislang nachgewiesen werden konnte, wurden solche chirurgischen Eingriffe im Gefängnisspital in Freiburg im Breisgau durchgeführt.

Hinzu kommen polizeiliche Maßnahmen zur „vorbeugenden Verbrechensbekämpfung" vor allem für Personen, die eine Haftstrafe hinter sich hatten und eigentlich aus einer Strafanstalt zu entlassen gewesen wären. Wenn seitens der Polizei die Ansicht vertreten wurde, dass solche Individuen weiterhin eine Gefahr für „den Bestand und die Sicherheit des Volkes und Staates" bildeten, so wurden sie nach Verbüßung ihrer Strafe in Vorbeugungshaft genommen. Im Unterschied zur üblichen Praxis in Deutschland wurde jedoch die im Elsass verhängte Vorbeugungshaft nicht als Konzentrationslagerhaft umgesetzt, sondern als „Sicherungshaft" im Lager Schirmeck-Vorbruck. Neben der Durchgangshaft vor der Abschiebung und der „Umerziehung" wurde diese Vorgehensweise ab Juli 1942 zu einer neuen Funktion des Lagers Schirmeck-Vorbruck. Im Prinzip sollten jene „Sicherungshäftlinge" durch Verfügung des Befehlshabers der Polizei und des SD vorläufig zwölf Monate im Lager verbringen, ehe ihr Fall erneut geprüft werden würde. Es konnte dann darüber entschieden werden, ob die Sicherungshaft Früchte getragen habe. Beabsichtigt war „eine Abkehr von dem Laster", die bei „ausgesprochenen Homosexuellen [...] ohne strenge erzieherische Maßnahmen nicht zu erwarten" sei.[9]

Von den etwa zwanzig bisher erforschten „Vorbeugungshäftlingen" starben zwei im Sicherungslager Schirmeck-Vorbruck, zwei weitere wurden in das Konzentrationslager Natzweiler-Struthof überstellt, nur vier wurden entlassen. Für alle anderen fiel der „Hauptprüfungstermin" erst in die Zeit nach dem Herbst 1944. In diesem Zeitraum wurde das Sicherungslager angesichts der von Westen nahenden alliierten Truppen jedoch geräumt und nach Gaggenau-Rotenfels auf die rechtsrheinische Seite verlegt. René Bisch beispielsweise hätte ebenfalls nach Strafverbüßung und Entlassung aus dem Zuchthaus Ensisheim Anfang April in das Sicherungslager Schirmeck-Vorbruck in Vorbeugungshaft überstellt werden sollen. Allerdings war sein gesundheitlicher Zustand so schlecht, dass er am 28. Juni 1944 an den Folgen einer Tuberkulose in der Colmarer Bezirkslungenheilstätte starb.

Das Konzentrationslager Natzweiler-Struthof

Das Jahr 1942 markiert auch eine Wende für das im Vorjahr eröffnete Konzentrationslager Natzweiler in der gleichnamigen Gemeinde am Standort Struthof, gelegen in den elsässischen Vogesen über Schirmeck. Von Mai 1941 bis August 1942 galt Natzweiler als „geschlossenes" Lager, das heißt, es wurden dort nur Personen inhaftiert, die bereits zuvor in einem anderen

---

9   Archives départementales du Bas-Rhin, 98 J 2: Schreiben vom 18.9.1944, gez. Müller, Krim. Kommissar, an den Kommandanten des Sicherungslagers Vorbruck bei Schirmeck, im Fall Josef R. (1892 – 1952).

Konzentrationslager gewesen waren.[10] Während dieser „Startphase" hatte das KZ Natzweiler-Struthof ungefähr 1200 „Zugänge" zu verzeichnen, wobei die meisten Häftlinge aus größeren Lagern wie Sachsenhausen, Buchenwald oder Dachau kamen. Nicht alle Häftlinge blieben dabei vor Ort, sondern wurden oftmals bereits wenige Wochen oder Monate später in ein anderes Lager überstellt. Bis Ende August 1942 sind etwa 200 Häftlinge am Standort Struthof ums Leben gekommen.[11]

Bemerkenswert ist der verhältnismäßig hohe Anteil an Männern, die als Homosexuelle dort inhaftiert waren. Allein unter den ersten 300 Häftlingen waren es nicht weniger als 79 Männer, über ein Viertel also, deren Personalunterlagen eindeutig auf den Inhaftierungsgrund „Homosexualität" hinweisen. Dieser Anteil ging im September 1942, als Natzweiler-Struthof zum Einweisungslager wurde, auf etwa zehn Prozent der gesamten Registrierungen zurück und sank allmählich weiter bis auf 1,7 Prozent im September 1944. Damit lag er aber immer noch höher als der Durchschnittswert in anderen Konzentrationslagern. Nun hatten die Polizeibehörden (Kripo oder Gestapo) im Elsass und darüber hinaus die Möglichkeit, „Schutz"- und „Vorbeugungshäftlinge", die meist bereits eine Strafe verbüßt hatten, sowie Sicherungsverwahrte direkt in das KZ Natzweiler-Struthof einliefern zu lassen.

Am 4. November 1942 wurde der erste Franzose unter dem Vorwurf der Homosexualität dort eingewiesen. Der 63-jährige Lothringer hatte eine achtmonatige einschlägige Haftstrafe in Metz hinter sich (Häftlingsnummer 1535, am 5.12.1942 nach Dachau überstellt, dort am 16.1.1943 gestorben). Sechs Monate später war Emil Strickler aus Straßburg, Jahrgang 1894, der erste Elsässer, der aufgrund von Homosexualität in diesem Konzentrationslager inhaftiert wurde. Allerdings gilt anzumerken, dass er seit August 1940 in Mannheim wohnhaft und beschäftigt war. Vermutlich war er dort auch vor Gericht gestanden. Eher lückenhafte Archivalien deuten trotzdem auf eine Verhaftung Ende 1941 hin, gefolgt von einem Urteil mit Haftstrafe und Aufenthalt in den Gefängnissen Mannheim, Rottenburg und zuletzt Pforzheim. Im Konzentrationslager bekam der verwitwete Schlosser die Nummer 3673 mit dem Haftgrund „§ 175". Im September 1943 wurde Emil Strickler in das KZ Dachau überstellt, dann im Januar 1944 in das KZ Majdanek, wo er am 22. März 1944 gestorben ist.

---

10 Robert Steegmann: Das Konzentrationslager Natzweiler-Struthof und seine Außenkommandos an Rhein und Neckar 1941–1945, Berlin/Straßburg 2010, S. 46.

11 Zu allen Zahlen und Statistiken zum KL Natzweiler, sofern nicht anders angegeben, vgl. Schwab, La répression (wie Anm. 5), sowie seine dazu verwendete Natzweiler-Häftlingsdatenbank.

Drei andere Elsässer wurden in Baden oder in der Saarpfalz wegen des Vorwurfs der Homosexualität gerichtlich verfolgt, ehe man sie als „Schutzhäftlinge" oder polizeiliche Sicherungsverwahrte in das Konzentrationslager verschleppte. Bei weiteren Fällen handelt es sich um Männer, die — mit einer Ausnahme — wegen Homosexualität im Elsass vor Gericht standen. Drei wurden Mitte Mai 1943 vom Lager Schirmeck-Vorbruck mit anderen „arbeitsfähigen Insassen" in das KZ Natzweiler-Struthof verlegt und wider Erwarten als „politische Elsässer" (mit rotem Winkel) registriert. In einem anderen Fall handelt es sich um eine Überstellung aus der Heil- und Pflegeanstalt Hördt ebenfalls „zwecks Arbeitsleistung": Johann Oswald (1923 – 1944) aus Didenheim (Oberelsass) ist der jüngste Franzose, dessen KZ-Haft auf den Vorwurf der Homosexualität zurückzuführen ist, obwohl sein Haftgrund „BV Elsässer" lautet. Am 21. März 1944, dem Tag seiner Inhaftierung, war er genau 21 Jahre alt. Drei Monate später, am 27. Juni, starb er offiziell an Kachexie (allgemeiner Körperschwäche). Er ist der einzige Franzose unter den betroffenen Häftlingen, der im Struthof verstarb.

Erkennungsdienstliche Bilder vom Johann Oswald aus dem Jahr 1942.

Die anderen Elsässer sowie ein in Saint-Louis wohnhafter Mann aus Frankfurt am Main wurden dort eindeutig als „homosexuell" bzw. mit dem Kürzel „§ 175" gekennzeichnet. Fünf starben in einem anderen Konzentrations- oder Außenlager. Acht Häftlinge (drei Lothringer und fünf Elsässer), deren Leidensweg im KZ Natzweiler begann, sind nach heutigen Kenntnissen die einzigen Franzosen, die den rosa Winkel tragen mussten.

Zwischen Mai 1941 und September 1944 weisen am Standort Struthof etwa 300 der insgesamt 17 000 bis 18 000 dort registrierten Häftlinge (ca. 1,7 %) einen Bezug zu Homosexualität auf, das heißt entweder als Haftgrund und/oder als bekannte Vorstrafe beziehungsweise als Haftgrund für eine vorherige KZ-Haft. Die große Mehrheit (über 60 %) der insgesamt rund 52 000 Häftlinge des KZ Natzweiler war ab 1944 in den Außenlagern inhaftiert, vor allem im Neckarraum und im östlichen Schwarzwald. Bislang konnten aber nur weniger als zwanzig homosexuelle Männer erforscht werden, darunter zwei Elsässer, die einem solchen Außenlager zwischen 1944 und 1945 direkt zugeteilt wurden, ohne dass sie zuvor im ursprünglichen Stammlager Struthof inhaftiert gewesen waren.

Mit etwa 230 elsässischen Häftlingen, von denen zehn mit Bezug auf Homosexualität inhaftiert waren, diente dieses Konzentrationslager zahlenmäßig weniger der Verfolgung von Elsässern als vielmehr von „Reichsdeutschen" sowie polnischen und sowjetischen Staatsangehörigen, ab 1943 auch von sogenannten „Nacht-und-Nebel"-Häftlingen aus Westeuropa (vor allem aus Frankreich, Norwegen und den Niederlanden), die unter Widerstandsverdacht gegen die deutsche Besatzungskräfte heimlich nach Natzweiler verschleppt wurden. Unter allen Häftlingen, denen Homosexualität zur Last gelegt wurde, stammten 31 aus Baden, Württemberg und Hohenzollern. Erich K. (1912–1998) aus Stuttgart zählte sogar zu den allerersten, die am 21. Mai 1941 aus Sachsenhausen in das KZ Natzweiler-Struthof kamen. Hier erhielt er die Nummer 61 (Haftgrund „BV/175") und musste zwanzig Monate im Lager bleiben, bis er am 30. Januar 1943 nach Sachsenhausen rücküberstellt wurde. Mehr ist über ihn nicht bekannt, aber es ist anzunehmen, dass er vor seiner ersten Inhaftierung im KZ Sachsenhausen (Häftlingsnummer 36323) nicht mehr in seiner Heimat gelebt hatte, sondern weiter im Norden Deutschlands. Weitere neun Häftlinge aus Deutschland, die außerhalb des heutigen Baden-Württemberg geboren worden waren, sind ebenfalls hinzuzurechnen, da sie vor ihrer Verhaftung dort wohnhaft waren. Für alle außer Erich K. und Gottlob Doderer (Stuttgart, geb. 1890, gest. 1942 im KZ Dachau) war Natzweiler die erste Station auf ihrem Leidensweg durch das Konzentrationslagersystem. Von diesen insgesamt vierzig Personen starben dort zwölf (darunter ein Mann im Außenlager Dautmergen) und neun in anderen Lagern (Dachau, Mauthausen, Neuengamme und Majdanek) bzw. in Außenlagern, die sie später durchlaufen hatten.

Verfolgung auf beiden Seiten des Rheins

Abgesehen vom Spezialfall der Häftlinge des KZ Natzweiler-Struthof, die im Elsass ohne früheren Bezug zur Region inhaftiert waren, blieb die Verfolgung homosexueller „Reichsdeutscher" im annektierten Elsass eher eine Seltenheit. Untersuchungen ergaben dennoch die Zahl von 27 Männern, die sich entweder vorübergehend oder nach der Annexion des Elsass in der Region niedergelassen hatten. Bei der ersten Gruppe handelt es sich um mindestens neun Soldaten, die sich wegen homosexueller Handlungen vor einem Militärgericht zu verantworten hatten, sowie um Reisende, die entweder von der Bahnpolizei oder an ihrem Aufenthaltsort im Elsass festgenommen und in Straßburg verurteilt wurden. Die zweite Gruppe waren Personen, die längerfristig im Elsass ansässig waren und dort erwerbstätig bzw. in der Lehre waren. Darunter waren auch vier jüngere Männer ab 16 Jahren, die polizeilich erfasst wurden. Einer von ihnen verbrachte 1944 vor seiner Freilassung drei Monate in Untersuchungshaft in Colmar. Für die Volljährigen wurden mehrheitlich Zuchthausstrafen verhängt, für den badischen Polizeihauptwachtmeister Josef Martus (1909–1942) sogar die Todesstrafe. Im Frühjahr 1941 hatte er seine neue Dienststelle in Straßburg angetreten. Er war verheiratet, unterhielt aber wohl eine Liebesbeziehung zu einem Elsässer und wurde nach wenigen Monaten von seiner Frau angezeigt. Nach seiner Verhaftung gelang ihm zwar die Flucht, aber bei dem Versuch, mit seinem Liebhaber in den nicht von deutschen Truppen besetzten Teil Frankreichs zu gelangen, wurde er erneut verhaftet und vor ein SS- und Polizeigericht gestellt. Wegen „Verbrechen gegen den Geheimerlass des Führers zur Reinhaltung von SS & Polizei" wurde er zum Tode verurteilt und am 10. August 1942 in Stuttgart hingerichtet.[12]

Auf der anderen Seite des Rheins sind bislang 26 Elsässer bekannt, die im „Altreich" beruflich tätig waren, dort vor Gericht gestellt und zu Haftstrafen aufgrund der §§ 175 oder 175a StGB verurteilt wurden. Sie standen vorwiegend in Baden (Mannheim, Offenburg, Freiburg, Donaueschingen, Waldshut und Konstanz), in Einzelfällen auch in weiter entfernten Orten (Saarbrücken, Koblenz, Frankfurt am Main, München, Hamburg und Berlin) vor Gericht.

Fazit

Die Recherchen des Autors haben für das Elsass rund 370 Opfer aller Arten der Homosexuellenverfolgung ergeben, einschliesslich dort wohnhafter und/oder verhafteter Ausländer sowie in Deutschland wohnhafter Elsässer. Unter den Elsässern sind dabei mindestens 16 Todesfälle dokumentiert: fünf in einem Konzentrationslager und drei in Sonderlagern; drei während oder im Anschluss an die Haft; einer in einer Heil- und Pflegeanstalt sowie vier in Vichy-Frankreich nach der Abschiebung. Diese Zahlen sind beachtlich,

---

12 Archives départementales du Bas-Rhin, 1134 W 20: Akten Martus.

wenn man sie mit dem restlichen Frankreich vergleicht, wo die Verfolgung durch deutsche Besatzungsinstitutionen viel geringer ausfiel und hauptsächlich Männer betraf, die sich mit SS- oder Wehrmachtsangehörigen „eingelassen" hatten (zwischen 35 und vierzig eindeutige Fälle).[13] Dass das Elsass während der Kriegsjahre in diesem Ausmaß betroffen war, sollte angesichts der besonderen Lage als annektiertes Gebiet, in dem deutsche Gesetze zur Geltung kamen, keine Überraschung sein, wenngleich Lothringen, genauer gesagt das Mosel-Gebiet, das ebenfalls ein annektiertes Territorium war, zur selben Zeit nur knapp zwanzig Fälle aufweist, wovon die Hälfte Reichsdeutsche waren.[14]

Obwohl die Verfolgungsmaßnahmen gegen Homosexuelle zwischen 1940 und 1945 fast ausschließlich auf die Praxis der deutschen Besatzer — vorrangig im annektierten Elsass — zurückzuführen sind, so beruht die Repression homosexueller Handlungen in der Zeit nach dem Krieg auf der Gesetzgebung der Vichy-Regierung[15] sowie dem 1960 in Frankreich verabschiedeten Gesetz, das Homosexualität als „soziale Geißel" einstufte. Eine weitere Konsequenz war der Ausschluss der Verfolgten von jeglicher Anerkennung als Opfer bis in die frühen 1980er-Jahre. Im Elsass hätten fast 150 Männer im Sinne der französischen Entschädigungsregelungen der Nachkriegsjahre eine offizielle Anerkennung als „politische Deportierte" beantragen können (Inhaftierungen über drei Monate in Gefängnissen, im Lager Schirmeck-Vorbruck oder ohne Mindestdauereinschränkung in einem Konzentrationslager, sofern der Haftgrund nicht auf Verbrechen hinwies). Nur zwanzig von ihnen — oder bei Verstorbenen deren Angehörige — wagten schließlich diesen Schritt. Der Erfolg fiel dabei recht unterschiedlich aus: Etwa die Hälfte dieser Anträge wurde positiv beschieden, die andere Hälfte wurde abgewiesen, vor allem dann, wenn der Vorwurf der Homosexualität nachweisbar war. Vor der endgültigen Streichung der letzten diskriminierenden Gesetze im Jahr 1982 bewerteten die zuständigen französischen Behörden diesen Deportations- und Verfolgungsgrund als „verbrecherisch", was — wie bei gewöhnli-

---

13 Vgl. z. B. Arnaud Boulligny: La Déportation pour motif d'homosexualité en France, in: Mickaël Bertrand (Hrsg.): La Déportation pour motif d'homosexualité, débat d'histoire et enjeux de mémoire, Lyon 2010, S. 51–72. Vgl. Auch mehrere schriftliche Mitteilungen von Arnaud Boulligny an den Autor seit 2012.

14 Cédric Neveu: La Gestapo en Moselle, Metz 2012, S. 117–121.

15 Das Gesetz vom 6.8.1942 stellte einvernehmliche gleichgeschlechtliche Betätigungen mit Minderjährigen zwischen 13 und 21 Jahren unter Strafe, was in einem heterosexuellen Kontext nicht der Fall war. 1945 blieb diese diskriminierende Verfügung bestehen, allerdings mit Erhöhung des Mindestalters auf 15 Jahre für Heterosexuelle.

chen Kriminellen — ein ausreichender Grund zur prinzipiellen Ablehnung als Opfer war.

Anlässlich des Nationalen Gedenktages der Opfer der Deportation sind erstmals in den Reden von Premierminister Lionel Jospin (2001) und Präsident Jacques Chirac (2005) homosexuelle Opfer des Nationalsozialismus in Frankreich offiziell erwähnt worden. Dieser Wandel öffnete den Weg zur Einweihung zweier Gedenktafeln im Elsass in Mülhausen und am Ort des ehemaligen KZ Natzweiler-Struthof im Jahr 2010. Nachdem im Jahr 2008 in Toulouse eine Straße mit dem Hinweisschild „Aufgrund von Homosexualität deportierter Franzose" nach Pierre Seel benannt worden war, wurden damit die Verbrechen an Homosexuellen in Frankreich noch deutlicher dokumentiert, und zwar in der Region Elsass, wo sich die Homosexuellenverfolgung zwischen 1940 und 1945 am schlimmsten ausgewirkt hat.

Literatur

Benz, Wolfgang/Distel Barbara (Hrsg.), Der Ort des Terrors. Geschichte der nationalsozialistischen Konzentrationslager. Bd. 6: Natzweiler, Groß-Rosen, Stutthof, München 2007.

Boulligny, Arnaud: La Déportation pour motif d'homosexualité en France, in: Mickaël Bertrand (Hrsg.): La Déportation pour motif d'homosexualité, débat d'histoire et enjeux de mémoire, Lyon 2010, S. 51 – 72.

Grau, Günter (Hrsg.): Homosexualität in der NS-Zeit. Dokumente einer Diskriminierung und Verfolgung, Frankfurt/M. 2004.

Kettenacker, Lothar: La politique de nazification en Alsace, 2 Bde., Straßburg 1978.

Neveu, Cédric: La Gestapo en Moselle, Metz 2012.

Pflock, Andreas: Sicherungslager Schirmeck-Vorbruck, in: Wolfgang Benz/Barbara Distel (Hrsg.), Der Ort des Terrors. Geschichte der nationalsozialistischen Konzentrationslager. Bd. 9: Arbeitserziehungslager, Ghettos, Jugendschutzlager, Polizeihaftlager, Sonderlager, Zigeunerlager, Zwangsarbeitslager, München 2009, S. 521 – 533.

Schwab, Jean-Luc: La répression de l'homosexualité en Alsace annexée (1940 – 1945), Masterarbeit an der Université de Haute-Alsace, Mulhouse 2015.

Steegmann, Robert: Das KL Natzweiler-Struthof. Geschichte eines Konzentrationslagers im annektierten Elsass, Straßburg 2005.

Steegmann, Robert: Das Konzentrationslager Natzweiler-Struthof und seine Außenkommandos an Rhein und Neckar 1941 – 1945, Berlin/Straßburg 2010.

Julia Noah Munier und Karl-Heinz Steinle

Die Polizeiordner der Kripo Stuttgart: ein Repressionsapparat der frühen Nachkriegszeit

I m Zuge unseres Forschungsprojektes *LSBTTIQ in Baden und Württemberg. Lebenswelten, Repression und Verfolgung im Nationalsozialismus und in der Bundesrepublik Deutschland* an der Universität Stuttgart, Abteilung Neuere Geschichte, sind uns im Staatsarchiv Ludwigsburg Aktenordner der Stuttgarter Kriminalpolizei zugänglich gemacht worden, die nach Form und Inhalt nicht nur für die Forschung zu Baden-Württemberg eine einzigartige Quelle darstellen.[1]

Bei dem außergewöhnlichen Fund[2] handelt es sich um Aktenordner der Kriminalpolizei Stuttgart, die mit zahlreichen Photographien, Zeichnungen und gedruckten Bildwerken gefüllt sind. Darunter befinden sich erkennungsdienstliche Photographien und pornographisches Material, das, so ist zu vermuten, von der Polizei beschlagnahmt wurde. Insgesamt handelt es sich um hunderte Repräsentationen und Repräsentant_innen sexueller und geschlechtlicher „Spielarten" und Vorlieben, teilweise auch um Repräsentationen sexualisierter Gewalt. Allesamt, so scheint es, waren es kriminalisierte oder doch zumindest für dokumentierenswert gehaltene Abweichungen einer kriminalistisch gefassten Norm. Der Quellenfund kann unter verschiedensten Gesichtspunkten befragt werden und ist für die in diesem Projekt geplanten weiteren Forschungsmodule zu LSBTTIQ-Lebenswelten und staatlicher Repression höchst ergiebig.

Das visuelle Material befindet sich in vier Aktenordnern der Stuttgarter Firma Leitz. Die Beschriftung der Ordnerrücken weist die einzelnen Ordner als „Band I" bis „Band V" aus, wobei „Band II" nicht vorliegt. Unterteilt sind die Bände in 34 Abschnitte, beginnend mit dem Abschnitt „1. Aktbilder". Band V endet mit dem Abschnitt „34. Verschiedenes" und damit mit einer Kategorie, mit der üblicherweise eine Einteilung abgeschlossen wird. In

---

1 Dieser Beitrag wurde ursprünglich am 4.7.2017 auf der Public-History-Website des Forschungsprojektes *www.lsbttiq-bw.de* online gestellt und wird hier in aktualisierter Form veröffentlicht.

2 Staatsarchiv Ludwigsburg (StA LB), F 215, Zug. 2017/066, 641–644.

„Band IV" befinden sich Abschnitte zu „Exhibitionismus", „Homosexualität", „Strichjungen", „Lesbische Liebe", „Spanner", „Frotteure", „Kleiderzer-
schneider", „Fetischismus", „Afterfetischism.", „Kotesser + Urintrinker". Dieser Band gelangte schon vor längerer Zeit ins Ludwigsburger Staatsarchiv
und wurde bereits im Sommer 2015 in der Ausstellung *Homosexualität_en* im
Deutschen Historischen Museum gezeigt. Band I, III und V wurden dagegen
erst vor Kurzem an das Staatsarchiv übergeben.[3] Es wäre interessant zu wissen, welche (Devianz-)Kategorien die im fehlenden zweiten Band enthaltenen Abschnitte 7 bis 10 umfassen. Zu hoffen ist, dass auch „Band II" noch
gefunden und dem Staatsarchiv zur weiteren Forschung übergeben wird.

Jeder Abschnitt innerhalb der vorliegenden Ordner beginnt mit einem
sorgfältig gestalteten Schmuckblatt. Nur ganz wenige Dokumente sind be-
schriftet. Allerdings ist eine Nummerierung vorhanden, deren Logik bisher
nicht eindeutig erkennbar ist. Gab es möglicherweise einen weiteren Ordner
oder eine Art „Schlüssel", wodurch die Dokumente einzelnen Akten und damit Personen zuzuordnen wären?

Der Ludwigsburger Fund: die Aktenordner im dortigen Staatsarchiv.

---

3 Wir danken den Mitarbeiter_innen vom Staatsarchiv Ludwigsburg, insbesondere
Dr. Peter Müller und Dr. Martin Häußermann sowie der Kunsthistorikerin Helena
Gand, für Hinweise bezüglich der Aktenordner.

In den Ordnern und ihren einzelnen Abschnitten befindet sich verschiedenes visuelles Material. Es ist mit großer Sorgfalt auf schwarzen Karton geklebt. Die einzelnen Kartonblätter sind aus den Ordnern herausnehmbar. Das Material selbst diente ursprünglich ganz unterschiedlichen Zwecken. Beispielsweise befinden sich in den Abschnitten „Aktbilder", „Sex Appeal", „Narzissmus" (Band I), „Homosexualität" und „Lesbische Liebe" (Band IV) unter den erotischen und pornographischen Photographien private und professionelle Aufnahmen. Letztere entstanden offensichtlich in Photoateliers bzw. in erkennbar professionell arrangierten Settings und bedienten einen spezifischen — im Fall der lesbisch-pornographischen Photographien zumeist heterosexuellen — Markt. Die Aufnahmen zeigen Amateur_innen und vermutlich auch professionelle Sex-Arbeiter_innen bzw. Darsteller_innen. Daneben gibt es Photographien von pornographischen Zeichnungen und Reproduktionen von Lithographien, die zum Zeitpunkt ihrer Vervielfältigung teilweise schon historisch waren.

Unter den pornographischen und erotischen Photographien finden sich viele private Photographien oder Erinnerungsstücke, wie beispielsweise im Abschnitt „Homosexualität" zwei sich innig küssende und umarmende nackte Männer. Der Großteil der Aufnahmen dürfte jedoch für den Erotikmarkt produziert worden sein und verschiedene Vorlieben und/oder Fetische bedient haben. Dafür spricht, dass einige Aufnahmen als serielle Bildfolgen angelegt sind, auf hochwertigem Papier entwickelt und professionell aufbereitet wurden. So beispielsweise die rosafarbenen, handkolorierten Brustwarzen und Schamlippen, Fingernägel und Lippen einer Frau auf einer Photographie aus dem Abschnitt „Sex-Appeal" oder eine Photoserie mit 15 nummerierten, kleinformatigen Aufnahmen einer sich entkleidenden Frau, alle mit einer schwarzen Schablone in Form eines Schlüssellochs bedeckt, aus dem Abschnitt „Entkleidungsszenen" (Band I). Dieses Material wurde vermutlich professionell vertrieben und verweist auf einen organisierten, aber verdeckt gehaltenen Handel, dessen Akteur_innen zu recherchieren und dessen Strukturen aufzudecken ein lohnenswertes Forschungsvorhaben wäre.

In einzelnen Abschnitten, wie „Homosexualität", „Päderastie", „Dirnen", „Beischlafs-Diebstahl" oder „Zuhälter" (Bände IV und V), befinden sich Albumblätter mit karteiartig angeordneten erkennungsdienstlichen Porträtaufnahmen in der Größe von Passphotos. Sie sind mit Buchstaben in alphabetischer Reihenfolge gekennzeichnet und wurden eventuell zur Wiedererkennung bei Verhören vorgelegt. Möglicherweise handelt es sich um einen Teil einer „Homo"-Kartei, die von der Stuttgarter Polizei angelegt wurde. Daneben gibt es offenbar kriminalpolizeilich sichergestelltes Material, unter anderem Photographien von recht opulenten Bühnenszenen einer öffentlichen Show mit Darsteller_innen, Clowns und einem Mann in Frauenkleidern, aber auch Photographien einer Gruppe von Männern, teilweise in Frauenkleidern, auf einer intimen Feier in einer Privatwohnung.

Im Abschnitt „Damenimitatoren" finden sich eingeklebte Ausschnitte von bereits veröffentlichtem Bildmaterial, bei dem nicht sicher ist, ob es sich um konfisziertes Material der Polizei handelt oder ob es Dokumentationszwecken diente. Denn auf zwei Albumblättern sind Darstellungen des schon in den 1920er-Jahren weltbekannten Damenimitators Barbette zu sehen, die aus Publikationen von Magnus Hirschfeld oder seinem Umfeld, aber auch aus Zeitschriften Anfang der 1950er-Jahre stammen könnten. Barbette, eigentlich Vander Clyde, wurde 1904 in der Nähe von Austin/Texas geboren und machte als Zirkusakrobat in Frauenkleidern Karriere. 1923 ging Barbette nach Paris, wo sie mit ihrer Show aus Akrobatik und Travestie im *Alhambra*, *Moulin Rouge* und *Casino de Paris* auftrat und zum internationalen Medienstar wurde. Nach einem Unfall lebte Barbette als Trainer für Zirkusakrobaten unter dem Namen Vander Barbette wieder in Austin, wo er 1973 starb.

Photographien im Rahmen polizeilicher Ermittlungen

Die Ordner im Staatsarchiv Ludwigsburg enthalten aber auch erkennungsdienstliche Photographien der Kriminalpolizei, die vereinzelt mit Angaben zum Jahr der Aufnahme, der ermittelnden Polizeidienststelle und einer Nummer des erkennungsdienstlichen Aufnahmeverfahrens versehen sind. Aus den wenigen Angaben auf den Photographien geht hervor, dass sie nicht nur in Stuttgart, sondern beispielsweise auch in Balingen oder Göppingen aufgenommen wurden. Alleine in den Abschnitten „Damenimitatoren" und „Transvestitismus" sind Aufnahmen von mehr als 15 Personen enthalten. Oftmals sind es mehrere Aufnahmen pro Person. Neben den „üblichen" erkennungsdienstlichen Portraitaufnahmen befinden sich auch Ganzkörperphotographien. Diese zeigen die abgelichteten Personen in verschiedenen Posen und Outfits, die sie offenbar im Verlauf des erkennungsdienstlichen Verfahrens einnehmen bzw. anziehen mussten. Meist wurden sie sowohl in „Herrenbekleidung" als auch in „Damenbekleidung", mit und ohne Perücke abgelichtet, meistens entspricht ihre Bekleidung dem Bild einer „bürgerlichen" Frau, in manchen Fällen auch dem einer Sexarbeiter_in.

Wer waren die Personen, die von der Kriminalpolizei erkennungsdienstlich behandelt wurden? Kannten sie sich? Lebten sie vereinzelt? Wer unterstützte sie? Welche Selbstbezeichnungen nutzten sie? Wo und wann wur-

den die Aufnahmen gemacht? Wurden die eher ungewöhnlichen Ganzkörperphotographien nur bei Personen angefertigt, deren Geschlechtsidentität
für die Beamt_innen nicht eindeutig feststellbar war? Könnte der Ort der erkennungsdienstlichen Behandlung teilweise etwa die Stelle der Sittenpolizei
bei der Kriminalpolizei Stuttgart im ehemaligen Hotel Silber gewesen sein?
Was geschah mit den Betroffenen vor und nach der demütigenden Proze-
dur? Gerade auch für das im Rahmen unseres Forschungsprojekts geplante
Modul *Lebenswelten von LBTTIQ* erweist sich dieser Quellenfund daher als außerordentlich ergiebig.

Photographien von Transvestiten, aufgenommen im Rahmen kriminalbio-
logischer Sammelstellen und erkennungsdienstlicher Behandlungen sind
auch aus anderen Kontexten bekannt. So finden sich in Publikationen von
Bernhard Rosenkranz, Ulf Bollmann und Gottfried Lorenz sowie von Andreas
Sternweiler ebenfalls Polizeiphotos von Transvestiten, allerdings aus den
1930er-Jahren.[4] Es handelt sich um Aufnahmen von der in Ludwigshafen geborenen, in Mannheim 1929 nach § 175 RStGB verurteilten Liddy Bacroff
(Heinrich Habitz, geb. 1908, gest. 1943 im KZ-Buchenwald), aufgenommen in
der kriminalbiologischen Sammelstelle in Hamburg im Jahr 1931, sowie um
Photos des Transvestiten Fritz Kitzing (1905−?) aus dem Jahr 1936, der_die
in der Berliner Prinz-Albrecht-Straße von Gestapobeamten gezwungen wurde, Damenbekleidung anzuziehen und sich photographieren zu lassen.[5]

Die vier Aufnahmen von Liddy Bacroff zeigen sie in einem Innenraum
vor weißem Hintergrund in verschiedenen Posen. Zu sehen gegeben wird
Bacroff beim Nachziehen ihrer Lippen, während des Heranwinkens eines
Taxis, möglicherweise beim Anzünden einer Zigarette sowie auf einem
Stuhl posierend. Die Sequenz wirkt wie der Versuch, eine photographische
Bestandsaufnahme unterschiedlicher „femininer" Gesten und Körperhaltun-
gen zu erbringen. Die von Fritz Kitzing aus der Prinz-Albrecht-Straße erhaltenen Photographien zeigen diese_n − ganz anders als Bacroff − vor einem
hellen Hintergrund neben einer Messlatte stehend. Nur am Boden erkennbar ist der Fuß eines Gestells, das die aufrechte Position seines_ihres Körpers
und die frontale Ausrichtung zur Kamera bestimmt. Die Aufnahmen wirken
demütigend, was durch den hell ausgeleuchteten Raum und die Vermessung

---

4 Bernhard Rosenkranz/Ulf Bollmann/Gottfried Lorenz: Homosexuellen-Verfolgung
   in Hamburg 1919−1969, Hamburg 2009, S. 64; Andreas Sternweiler: „Er ging
   mit ihm alsbald ein sogenanntes ‚Festes Verhältnis' ein". Ganz normale Homosexuelle, in: Joachim Müller/Andreas Sternweiler (Hrsg.): Homosexuelle Männer im
   KZ Sachsenhausen, Berlin 2000, S. 58−78, hier S. 61.
5 Vgl. Sternweiler, „Er ging mit ihm" (wie Anm. 4), S. 62.

des sich in seiner Genderperformance einer binären Zweigeschlechtlichkeit entziehenden Körpers noch verstärkt wird. Anders als Kitzing scheint es Bacroff zu gelingen, durch das vermutlich ebenso erzwungene Posieren vor der Kamera einen kaum bemerkbaren Spielraum zu eröffnen, indem sie es zumindest teilweise schafft, sich dem durchdringenden Kamerablick der kriminalbiologischen Aufnahme zu entziehen oder diesen an sich abprallen zulassen. Sind solche Momente auch auf den erkennungsdienstlichen Photographien aus dem deutschen Südwesten zu erkennen? Wer waren die Akteur_innen hinter der Kamera? Gibt es Hinweise auf einheitliche Verfahren?

Ermittlungen gegen uns namentlich bekannte Personen

Bei der gemeinsamen Sichtung sind wir im Abschnitt „Transvestitismus" (Band I) auf eine uns bekannte Person aus Stuttgart gestoßen.[6] Es handelt sich um Toni Simon, offen lebender Transvestit, die 1887 als Anton Simon in Lengenfeld/Stein in Thüringen geboren und 1979 in Ludwigsburg gestorben ist.[7] Nach einem turbulenten Lebensweg lebte sie seit Ende der 1940er-Jahre in einem Wohnwagen in Besigheim und dann in Kornwestheim bei Ludwigsburg. Sie war Monteur_in und arbeitete als Prüfer_in von Hochspannungsmasten. Toni Simon war eine der Ersten, die sich nach 1945 in Baden-Württemberg wieder für LSBTTIQ einsetzte. Ab 1950 organisierte sie Zusammenkünfte in den Lokalen *Weißes Rössl* und *Hopfenblüte* in der Stuttgarter Innenstadt und engagierte sich später in der Reutlinger Homophilengruppe *Kameradschaft die runde*.[8] Zu ihrem siebzigsten Geburtstag ließ Toni Simon die Photocollage *Mein Leben im Bild* drucken.[9] Bei den in den Aktenordnern

---

6 Simon war Transvestit. Wie sie sich selbst definierte, wissen wir nicht. Im Hinblick auf ihren Lebensweg fällt allerdings auf, dass sie beständig als Frau auftrat. Ihre Geschlechtsidentität könnte aus einer gegenwärtigen Perspektive daher wohl auch als trans* oder transsexuell beschrieben werden.

7 Vgl. Raimund Wolfert: Zu schön, um wahr zu sein: Toni Simon als „schwule Schmugglerin" im dänisch-deutschen Grenzverkehr, in: Lambda-Nachrichten, Heft 1, 2010, S. 36 – 39.

8 Vgl. Karl-Heinz Steinle: Die Geschichte der *Kameradschaft die runde* 1950 bis 1969, Berlin 1998.

9 Vgl. Julia Noah Munier: „Ha waisch, die saget halt oifach Toni". Zur Formierung des Selbst in der Photocollage des „Stuttgarter Originals" Toni Simon. Blogbeitrag auf der Webseite des Forschungsprojektes *Lebenswelten, Repression und Verfolgung von LSBTTIQ in Baden und Württemberg im Nationalsozialismus und der Bundesrepublik Deutschland* (www.lsbttiq-bw.de/2016/09/30/ha-waisch-die-saget-halt-oifach-toni¬-zur-formierung-des-selbst-in-der-fotocollage-des-stuttgarter-originals-toni-simon/ (Zugriff: 3.11.2017).

enthaltenen Aufnahmen von Toni Simon handelt es sich um zwei erkennungsdienstliche Photographien, die 1950 im Stuttgarter Polizeipräsidium gemacht wurden. Eine Aufnahme ist eine normierte, dreiteilige Polizeiphotographie, die Toni Simon frontal und im Halbprofil zeigt. Die zweite Photographie ist eine Ganzkörperaufnahme von Toni Simon, die zum Zeitpunkt der Aufnahme einen dunklen Frauenmantel und solide Frauenschuhe mit Absatz trägt. Toni Simon blickt selbstbewusst in die Kamera, schließlich hatte sie schon 1932 einen sogenannten Transvestitenschein ausgestellt bekommen.[10] Ob dieser Schein sich allerdings noch in ihrem Besitz befand und ob er 1950 von den Stuttgarter Behörden anerkannt wurde, ist unklar. Der erkennungsdienstlichen Behandlung muss eine Festnahme vorausgegangen sein, deren Anlass jedoch nicht bekannt ist.

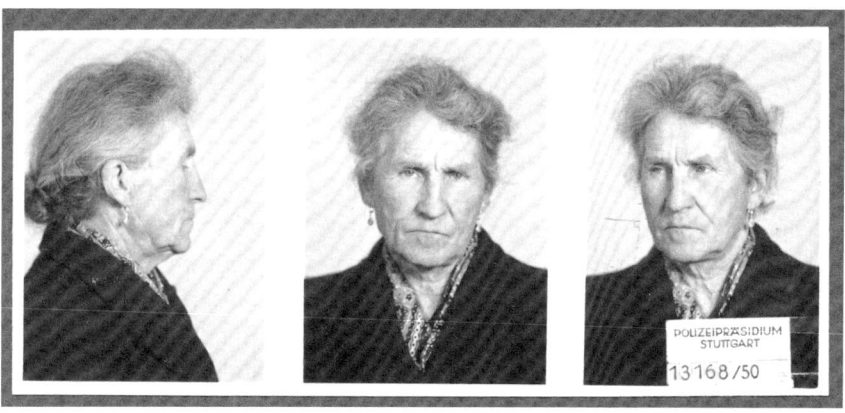

Polizeiphotographie: erkennungsdienstliche Behandlung von Toni Simon, Stuttgart 1950.

Eine weitere Kartonseite zeigt Schwarz-Weiß-Photographien einer von der Polizei als „Damenimitator" klassifizierten Person, die als Michael M. 1889 in Schwaben geboren wurde. Auf den zwei Kartonseiten, die im Rahmen der Sammlung zu dieser Person angelegt wurden, sind sowohl erkennungsdienstliche Aufnahmen aus den 1940er- oder 1950er-Jahren erhalten als auch deutlich ältere „Programmphotos" von Auftritten bzw. Autogramm-

---

10 Wolfert: Zu schön, um wahr zu sein (wie Anm. 7), S. 38. Zum Transvestitenschein siehe auch Rainer Herrn: Transvestismus in der NS-Zeit, in: Zeitschrift für Sexualforschung 26 (2013), S. 330–371, hier vor allem S. 330–332. Der Transvestitenschein war nicht — wie oft angenommen — eine polizeiliche Erlaubnis, sondern eine amtlich beglaubigte Bestätigung, „dass jene Person der Polizei als Männer- respektive Frauenkleider tragend bekannt sei". Vgl. ebd., S. 332.

karten, die auf die Bekanntheit der Person und ihr professionelles Engagement, vielleicht in Varietés, möglicherweise auch im Rahmen des Frontheaters während des Ersten Weltkrieges, hinweisen.[11] Zeigen erstere eine die Hände in die Hüfte stemmende bürgerlich gekleidete Dame von etwa sechzig Jahren, wahlweise im schwarzen Kostüm, mit Mantel, schwarzen Schuhen und Nylons oder mit hellem Rock, Bluse, Perlenkette und elegantem Damenhut, die offenbar weiß, wie sie sich vor einer Kamera in Szene setzt, so zeigen letztere professionell wirkende Photographien die Damenimitator_in etwa während einer Show offenbar in den 1910er- oder 1920er-Jahren. In einer dieser Aufnahmen posiert sie im Flamencokleid mit einem über dem Kopf gehaltenen Fächer und erinnert in einer anderen Aufnahme mit ihrem orientalisierenden Gestus an Figureninszenierungen aus frühen Stummfilm-Epen, zum Beispiel an die femmefatalehafte Figur der Sophonisba (Lidia Quaranta) aus Giovanni Pastrones *Cabiria* (1913/14) oder, mehr noch, an die bekannte Tänzerin Mata Hari (1876–1917).

Wer war diese Person? Wo lebte sie und wo trat sie mit welchem Repertoire auf? Wer waren ihre Verehrer_innen, Freund_innen und Gefährt_innen? Wer besuchte ihre Shows? Wann und wie geriet sie in den Fokus der Kriminalpolizei? Wie überlebte sie die Zeit des NS-Terrors und wie lebte sie im deutschen Südwesten der frühen Bundesrepublik? Aufgrund weiterer Aktenfunde zu Michael M. nach 1945 im Staatsarchiv Ludwigsburg konnten wir den Namen seiner Bühnenfigur „Hilmar Damita" in Erfahrung bringen. Auch wurde der weitere Lebensweg der Person hinter der Bühnenfigur nachvollziehbar. Michael M. wurde das Auftreten als Damenimitator vermutlich 1933 verboten. Er wurde unter anderem vom Amtsgericht Hamburg aufgrund von § 175 RStGB zum Teil in Tateinheit mit öffentlicher Erregung eines Ärgernisses und Beleidigung zu einem Jahr und sechs Monaten Gefängnis verurteilt. Unter der Androhung von Konzentrationslagerhaft stimmte Michael M. einer „freiwilligen Entmannung" zu. Der schwerwiegende Eingriff wurde an ihm in dem inzwischen für derartige Eingriffe bekannten Zentrallazarett der Untersuchungshaftanstalt Hamburg-Stadt vorge-

---

11 Vgl. zu Damenimitator_innen im Rahmen des Fronttheaters auch Julia B. Köhne/ Britta Lange/Anke Vetter (Hrsg.): Mein Kamerad – Die Diva. Theater an der Front und in Gefangenenlagern des Ersten Weltkriegs. Katalog zur Ausstellung im Auftrag des Schwulen Museums, 5.9.2014 bis 30.11.2014, Berlin/München 2014. Vgl. zum Lebensweg von Michael M. den Blogbeitrag zur Entschädigung von Transvestiten und Damenimitatoren nach 1945 im deutschen Südwesten von Julia Noah Munier und Karl-Heinz Steinle auf der Webseite www.lsbttiq-bw.de./blog. Wir danken Jens Dobler für ergänzende Hinweise zu dem Damenimitator „Hilmar Damita".

Polizeiphotographie: erkennungsdienstliche Behandlung von Michael M., frühe 1950er-Jahre.

nommen. Nach 1945 lebte er für einige Zeit in Stuttgart, wo er einen Antrag auf Wiedergutmachung stellte.[12]

Unter den visuellen Darstellungen der mehr als 15 Personen in den Abschnitten „Damenimitatoren" und „Transvestitismus" wurde ein Polizeipho-

12 StA LB, EL 350 I Bü 39244.

to von einem jungen Mann mit Schal und Mantel eingeklebt, das unser besonderes Interesse weckte. Es handelt sich um eine der frühen erkennungsdienstlichen Aufnahmen des Polizeipräsidiums Stuttgart aus dem Jahr 1949. Da wir uns erhofften, auf der Rückseite des Photos eventuell Hinweise auf die abgebildete Person zu finden, hat die Restauratorin des Staatsarchivs Ludwigsburg nach Rücksprache mit der Leitung des Hauses die Photographie für uns vom Trägermaterial gelöst. Wir wurden nicht enttäuscht: Auf der Rückseite der Photographie befindet sich ein Formstempel „Stadt Stuttgart. Polizeipräsidium. Kriminalabteilung. Erkennungsdienst" mit handschriftlichen Eintragungen zu Namen, Geburtsdatum und -ort, Körpergröße, Gesichtsform, Augen- und Haarfarbe und besonderen Kennzeichen der abgebildeten Person. Daraus geht hervor, dass es sich um den am 24. April 1911 in Oberschwandorf geborenen Arbeiter Fritz W. handelt. Diese Hinweise klären zwar immer noch nicht, warum Fritz W. in Stuttgart erkennungsdienstlich behandelt wurde und ob dies zur Aufnahme weiterer Ermittlungen und vielleicht sogar zu seiner Verurteilung führte. Sie liefern uns aber entscheidende weitere Recherchemöglichkeiten zur Biographie von Fritz W. Zieht man vor diesem Hintergrund nun auch weitere in den Leitz-Ordnern eingeklebte (Polizei-)Photos in Betracht, eröffnet dieser Aktenfund die Chance, auch die Lebenswege dieser Personen weiter zu erforschen. Es ist denkbar, dass vermittels dieser Methode neue Einsichten in die Praktiken der staatlichen Repression, aber auch in die Lebenswelten von LSBTTIQ nach 1945 im deutschen Südwesten gewonnen werden können. Die von der Kriminalpolizei durch die Photographien visuell zu Straftäter_innen gemachten, klassifizierten und kriminologisch veranderten[13] bzw. als deviant markierten und damit ein Stück weit ihrer Würde beraubten Gesichter und Körper würden zudem durch weitere biographisch-historiographische Forschungen wieder als Subjekte mit individuellen Lebensgeschichten erkennbar.

Zur Einrichtung der Aktenordner

Die Polizeiordner des Staatsarchivs Ludwigsburg wurden vermutlich in den 1950er-Jahren angelegt. Dafür spricht, dass die benutzen Ordnermodelle von der Firma Leitz im Zeitraum 1945 bis 1959 hergestellt wurden.[14] Ob die

---

13 Julia Reuter hat den Begriff des „Othering" (Gayatri C. Spivak) mit dem Begriff der „Veranderung" ins Deutsche überführt. Vgl. Julia Reuter: Ordnungen des Anderen. Zum Problem des Eigenen in der Soziologie des Fremden, Bielefeld 2002.

14 E-Mail von Frank van Wetten (Director Marketing Services, Esselte Leitz GmbH & Co. KG) an Karl-Heinz Steinle vom 24.7.2017.

Ordner sich heute noch in dem Zustand befinden, wie sie ursprünglich angelegt wurden, ist nicht bekannt. Vermutlich gehören sie zu einer größeren Sammlung von rund vierzig Aktenordnern, die ein im Jahr 1895 geborener Polizeibeamter und Angestellter der Kriminaltechnischen Anstalt Stuttgart in den späten 1950er- und frühen 1960er-Jahren im Auftrag der Polizeidirektion Stuttgart anfertigte. Dieser Mann verfügte über das technische und ästhetische Knowhow und durch seine langjährige Berufserfahrung auch über das nötige Wissen, um diese Ordner zu erstellen. Vor seinem Eintritt in den Stuttgarter Polizeidienst als Polizeiphotograph und Zeichner besuchte er 1920 die dortige Gewerbeschule und hatte zudem eine Lehre als Chemigraph- und Reproduktionsphotograph in einer graphischen Kunstanstalt absolviert. Bis zu seinem Ruhestand im Jahr 1958 und darüber hinaus war er viele Jahre in der Kriminaltechnischen Anstalt der Kriminalpolizei Stuttgart tätig. Der Mann wurde aufgrund seiner Fördermitgliedschaft in der SS ab 1933 und seiner Position als SS-Sturmscharführer als „Mitläufer" eingestuft. Er konnte seine Arbeit im Polizeidienst in den späten 1940er-Jahren wieder aufnehmen und wurde im Jahr 1950 ein zweites Mal auf Lebenszeit verbeamtet.[15]

Doch weshalb beauftragte die Polizeidirektion Stuttgart den präzise arbeitenden Mann in den späten 1950er-Jahren mit der Erstellung eines „Historischen Archivs des Polizeipräsidiums"? Ging es tatsächlich um die Erstellung einer historischen Sammlung zur Geschichte der Stuttgarter Polizei, deren Unterlagen durch die Fliegerangriffe der Alliierten 1944/45 überwiegend zerstört wurden?[16] Um die Sammlung des historischen Materials zu erstellen, befragte der Kriminalobermeister a. D. ältere Polizeibeamte, durchkämmte Telefon- und Adressbücher, besuchte Trödelläden, um ältere Uniformstücke abzuphotographieren und forschte unter anderem beim Stadtarchiv Stuttgart nach „historischem Material aus der Geschichte der Polizei".[17] Aus der Quelle geht hervor, dass der Beamte zudem mit dem Neuaufbau der kriminalpolizeilichen Lehrmittelsammlung für Unterrichts- und Ausbildungszwecke beauftragt war. In einem Schreiben des Polizeipräsidiums an das Perso-

---

15 Vgl. hierzu StA LB, EL 51/1 I 1955. Wir danken Dr. Martin Häußermann vom Staatsarchiv Ludwigsburg für diesen Hinweis.

16 Oder beabsichtigte die Polizeidirektion hier einen ehemaligen SS-Angehörigen aus dem praktischen Polizeivollzug herauszunehmen und mit einer solchen Aufgabe gewissermaßen auf ein dienstliches Abstellgleis zu stellen? Dagegen spricht, dass dieser Beamte auch über seinen Ruhestand im Jahr 1958 hinaus bis ins Jahr 1962 mit einem Werkvertrag ausgestattet wurde, der es ihm erlaubte, seiner Tätigkeit weiter nachzugehen.

17 Vgl. StA LB EL 51/1 I 1955.

nalamt der Stadt Stuttgart aus dem Jahr 1958 heißt es: „Es ist bekannt, dass gerade historisches Material besonders geeignet ist, die Ausbildungs- und Unterrichtsarbeit sowohl bei den jungen als auch den älteren Bediensteten des Polizeipräsidiums zu fördern."[18]

Eine in den Aktenordnern enthaltene kolorierte Bleistiftzeichnung mit dem Titel *Kostümvorschläge f. v. „Ball"* aus dem Abschnitt „Transvestitismus" (Band I) zeigt drei Entwürfe von Kostümen, die die sie tragenden Körper mehr oder weniger verdeckten. Es könnte sich aber auch um Skizzen von Posen zur Planung einer Show gehandelt haben. Sie sind mit *Unschuldsblüte*, *Tabu* und *Ach ins Netz* benannt. Diese Zeichnung verrät, zu welchem Zweck die Ordner angelegt wurden, denn sie trägt den Stempel: „Stadt Stuttgart Polizeipräsidium. Kriminalpolizei. Kriminaltechnische Anstalt. Lehrmittelsammlung Nr. [mit Bleistift] 435/d/4".

Offensichtlich konnte zur Erstellung dieser Sammlung aus einem großen erhaltenen Bilderfundus der Stuttgarter Kriminalpolizei geschöpft werden, der Aufnahmen seit der Jahrhundertwende beinhaltete. Einige Photographien, vor allem im Abschnitt „Damenimitatoren" (Band I), könnten aus dieser Zeit und aus den 1910er-Jahren stammen. Gestus und Kleidung der Personen sowie Wohnungs- und Atteliereinrichtungen auf anderen Photographien verweisen auf Aufnahmezeitpunkte aus den 1920er- bis in die 1950er-Jahre. Die wenigen Datumsangaben auf den erkennungsdienstlichen Photographien nennen die Jahre 1949, 1950 und 1953. Der Stil der Beschriftung der Ordnerrücken und die auch sprachgeschichtlich hochinteressanten Bezeichnungen der einzelnen Abschnitte deuten auf einen Entstehungszeitpunkt zwischen 1930 und 1950 hin. Demnach könnten die Ordner angelegt und anschließend nach und nach weiter ergänzt worden sein. Dass dieser Vorgang nicht zum Abschluss gebracht wurde, wird an verschiedenen Stellen deutlich. So hat der Abschnitt „Kotesser + Urintrinker" (Band IV) nur ein Schmuckblatt, aber keine einzige visuelle Darstellung. Der Abschnitt „Strichjungen" (Band IV) ist ebenso karteiartig angelegt wie die Albumseiten mit den im Verhör zur Wiedererkennung vorlegbaren Passphotos von Delinquent_innen, jedoch ist hier kein einziges Photo eingeklebt.

Visueller Repressionsapparat?

Betrachtet und analysiert man die Ordner, so fällt im Blick auf die einzelnen Abschnitte auf, dass es sich um einen doch bemerkenswert umfassen-

---

18 StA LB, EL 51/1 I 1955, Brief des Polizeipräsidiums/Verwaltung Stuttgart an das Personalamt der Stadt Stuttgart vom 23.6.1958.

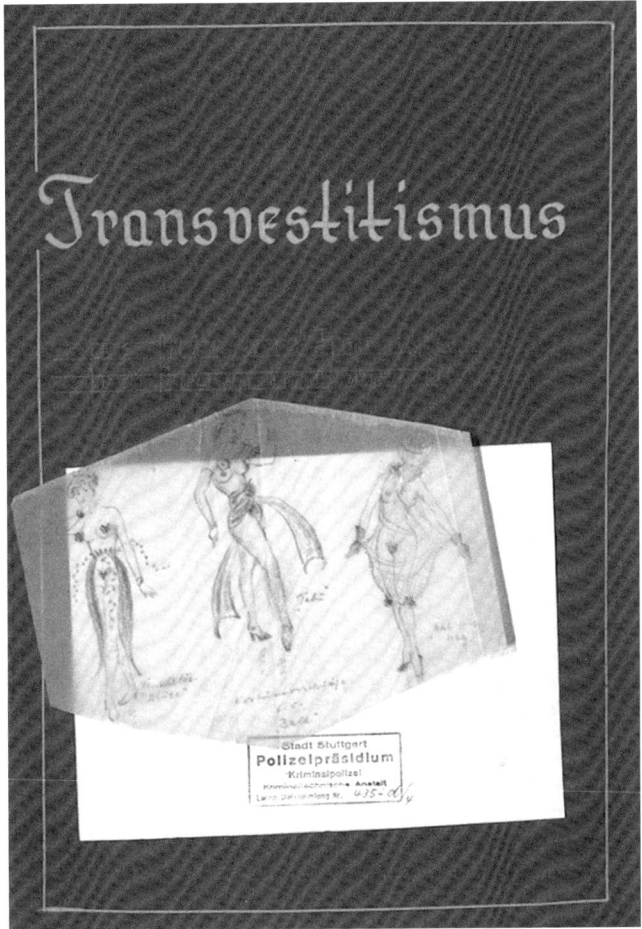

Schmuckblatt „Transvestitismus" (Band I). Die Zeichnung war offenbar Teil der kriminalpolizeilichen Lehrmittelsammlung.

den visuellen Klassifizierungs- und Normierungsapparat handelt, der all das dokumentiert, was nicht zu der Imagination hegemonialer Heteronormativität im deutschen Südwesten nach dem Zweiten Weltkrieg gehören sollte. Zugleich situiert und produziert er diese sexuellen und geschlechtlichen „Devianzen" und die in den Ordnern repräsentierten Menschen als außerhalb der Norm. Die Apparatur produziert damit, durchaus durchzogen von Faszination,[19] gewissermaßen das, was als „Perversion" in jeglichem Sinne

---

19 Die Art der Gestaltung erscheint für eine kriminalpolizeiliche Sammlung der 1950er-Jahre unpassend. Hierdurch wird die sachliche Apparatur formal unter-

galt und was damit ins Visier kriminalpolizeilicher Ermittlungsarbeit zu rücken war. Hierzu gehörten Damenimitatoren, Transvestiten, Trans*Personen
und Transsexuelle ebenso wie männliche Homosexuelle und lesbisch begeh-
rende Frauen.[20] Darüber hinaus wurden mit dieser „Lehrmittelsammlung"
möglicherweise Polizeibeamt_innen im deutschen Südwesten der jungen
Bundesrepublik geschult. Das heißt, dass möglicherweise eine ganze Generation von jungen Kriminalbeamt_innen der Sittenpolizei in Stuttgart, vielleicht sogar bereits im ganzen heutigen Baden-Württemberg so eine spezifische Vorstellung sexueller und geschlechtlicher Devianz internalisierte und
im Dienst über Jahre implizit auch anwendete.

Nun ließe sich sagen: Seht her, das also haben die Beamt_innen nach
Dienstschluss gemacht: Vor dem Deckmantel vermeintlicher Sittlichkeit
feinsäuberlich pornographische „Alben" kompiliert. Erinnert sei an die sorgfältig gestalteten Deck- oder Schmuckblätter und hingewiesen sei auf die
transluzente Verhüllung des visuellen Materials durch das an Photoalben
erinnernde, die Dokumente schützende Transparentpapier. Doch das, was
unter dem Verdacht des „Schmutzigen" oder „Perversen" steht, das Obszöne,
muss immer erst in Szene gesetzt oder ans Licht gezerrt werden, um es ahnden zu können.[21] Der Ausschließung und Abgrenzung geht eine kriminolo-
gische Sichtbarmachung voraus. In diesem Prozess der kriminologischen
Sichtbarmachung und Klassifizierung sind pornographisierende Rhetoriken
(Silke Wenk) ebenso erkennbar wie eine Rhetorik des „Othering", der Veranderung.[22] Die Gestaltung der Ordner produziert Faszination und Schau-
lust ebenso wie Abgrenzung von und Angst vor den sexuellen und
geschlechtlichen Delinquent_innen. Nicht zuletzt zeugt deren Existenz da-

---

wandert. In die Konstruktion von Devianz mischt sich ein über die ästhetische
Gestaltung deutlich werdendes „heimliches Begehren" nach diesen Repräsentationen. Dass die Aktenordner und ihr Inhalt durchaus begehrlich waren, zeigt,
dass an einigen Stellen Photographien nachträglich entfernt wurden.

20 Die hier als Damenimitatoren, Transvestiten, Trans* oder Transsexuell bezeichneten Personen wurden polizeilich als „Damenimitatoren" und „Transvestiten"
kategorisiert. Wie sie sich im Einzelfall selbst bezeichneten und identifizierten,
wissen wir nicht.

21 Vgl. zur Sichtbarmachung des Obszönen in der visuellen Kultur auch Silke
Wenk: Expositionen des Obszönen: zum Umgang mit dem Nationalsozialismus
in der visuellen Kultur, in: Elke Frietsch/Christina Herkommer (Hrsg.): National-
sozialismus und Geschlecht. Zur Politisierung und Ästhetisierung von Körper,
„Rasse" und Sexualität im „Dritten Reich" und nach 1945, Bielefeld 2009,
S. 70–85.

22 Vgl. Reuter, Ordnungen des Anderen (wie Anm. 13).

von, dass die Grenzen dessen, was als außerhalb der Norm gilt, kontinuierlich vergegenwärtigt werden müssen, um sich genau dieser Grenzen selbst zu versichern.[23]

Literatur

Butler, Judith: Körper von Gewicht. Die diskursiven Grenzen des Geschlechts, Frankfurt/M. 1997 [zuerst 1993].

Herrn, Rainer: Transvestismus in der NS-Zeit, in: Zeitschrift für Sexualforschung 26 (2013), S. 330–371.

Köhne, Julia B./Lange, Britta/Vetter, Anke (Hrsg.): Mein Kamerad — Die Diva. Theater an der Front und in Gefangenenlagern des Ersten Weltkriegs. Katalog zur Ausstellung im Auftrag des Schwulen Museums, 5.9.2014 bis 30.11.2014, Berlin/München 2014.

Munier, Julia Noah: „Ha waisch, die saget halt oifach Toni". Zur Formierung des Selbst in der Photocollage des „Stuttgarter Originals" Toni Simon (Blogbeitrag unter www.lsbttiq-bw.de/2016/09/30/ha-waisch-die-saget-halt-oifach-toni-zur-formierung-¬des-selbst-in-der-fotocollage-des-stuttgarter-originals-toni-simon; Zugriff: 3.11.2017.

Reuter, Julia: Ordnungen des Anderen. Zum Problem des Eigenen in der Soziologie des Fremden, Bielefeld 2002.

Rosenkranz, Bernhard/Bollmann, Ulf/Lorenz, Gottfried: Homosexuellen-Verfolgung in Hamburg 1919–1969, Hamburg 2009.

Steinle, Karl-Heinz: Die Geschichte der *Kameradschaft die runde* 1950 bis 1969, Berlin 1998.

Sternweiler, Andreas: „Er ging mit ihm alsbald ein sogenanntes ‚Festes Verhältnis' ein". Ganz normale Homosexuelle, in: Joachim Müller/Andreas Sternweiler (Hrsg.): Homosexuelle Männer im KZ Sachsenhausen, Berlin 2000, S. 58–78.

Wolfert, Raimund: Zu schön, um wahr zu sein: Toni Simon als „schwule Schmugglerin" im dänisch-deutschen Grenzverkehr, in: Lambda-Nachrichten, Heft 1, 2010, S. 36–39.

Wenk, Silke: Expositionen des Obszönen: zum Umgang mit dem Nationalsozialismus in der visuellen Kultur, in: Elke Frietsch/Christina Herkommer (Hrsg.): Nationalsozialismus und Geschlecht. Zur Politisierung und Ästhetisierung von Körper, „Rasse" und Sexualität im „Dritten Reich" und nach 1945, Bielefeld 2009, S. 70–85.

---

23 Vgl. hierzu auch Judith Butler: Körper von Gewicht. Die diskursiven Grenzen des Geschlechts, Frankfurt/M. 1997 [zuerst 1993], S. 30.

Forschung und Vermittlung

Ralf Bogen

Der Liebe wegen ausgegrenzt und verfolgt: das Internetprojekt www.der-liebe-wegen.org

Anlässlich des Gedenktags für die Opfer des Nationalsozialismus am 27. Januar 2017 veröffentlichten die beiden Vereine Rosa Hilfe Freiburg und Weissenburg in Stuttgart das Internetprojekt *Der Liebe wegen – von Menschen im deutschen Südwesten, die wegen ihrer Liebe und Sexualität ausgegrenzt und verfolgt wurden.* Zusammen mit einem Exkurs über Minderheiten mit geschlechtlicher Thematik wird erstmals für Baden-Württemberg die Ausgrenzungs- und Verfolgungsgeschichte von gleichgeschlechtlich begehrenden Menschen detailliert sichtbar gemacht. Im Fokus stehen die in einer digitalen Gedenkkarte dargestellten 254 Einzelschicksale von Opfern der nationalsozialistischen Diktatur. Grundlage dafür sind die Ergebnisse jahrelanger Arbeit von außeruniversitär Forschenden, die im Rahmen des Projekts zusammengetragen, systematisiert und aktualisiert werden konnten.[1]

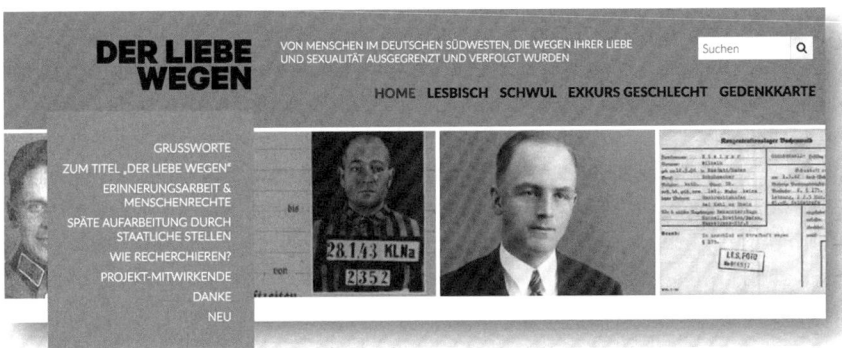

Ausschnitt der Startseite der Website www.der-liebe-wegen.org, die vom Kommunikationsdesigner Arndt Bareth (Stuttgart) und dem Webentwickler Michael Zettl (München) gestaltet und programmiert wurde.

---

1 Der Verfasser bedankt sich für die Unterstützung bei der Erstellung dieses Beitrags bei Mathias Falk, Rainer Jäger, Jens Kolata, bei seinem Partner Werner Biggel sowie bei allen, die zum Gelingen des Internetprojekts www.der-liebe-wegen.org beigetragen haben.

Idee und Konzeption

Spezifische Formen menschlicher Vielfalt bezüglich sexueller Orientierung und Geschlechtsvarianten als „abnormal" und „widernatürlich" zu diffamieren, war keine Erfindung der Nationalsozialisten. Diese konnten sich vielmehr auf jahrhundertealte patriarchale und religiöse Vorurteile stützen. Auch heute noch gibt es zahlreiche Vertreter_innen gesellschaftlicher oder religiöser Einrichtungen, die eine vollständige Gleichberechtigung von Frauen ablehnen und gelebte Homosexualität diskreditieren. Auf diesem unterschwellig weiterwirkenden Nährboden bauen rechtspopulistische Kräfte in vielen Ländern Europas und in den USA wieder auf. In demagogischer Weise agitieren sie gegen Homo- und Transsexualität. Sie versuchen, rückwärtsgewandte Geschlechterrollen und Familienbilder erneut „salonfähig" zu machen.

In Baden-Württemberg haben sich staatliche Einrichtungen und Universitäten jahrzehntelang so gut wie gar nicht um die Aufarbeitung des NS- und Nachkriegsunrechts an Menschen gekümmert, die nicht der heterosexuellen Norm und dem traditionellen „Mann/Frau"-Leitmuster entsprechen wollten oder konnten. So blieb es im Wesentlichen der außeruniversitären Forschung überlassen, dieses Defizit abzubauen.

Unterstützt durch zahlreiche engagierte Menschen konnten die regionalen LSBTTIQ-Selbstorganisationen[2] erst im Jahr 2015 erreichen, dass der Aktionsplan *Für Akzeptanz und gleiche Rechte Baden-Württemberg* verabschiedet wurde. Das Historische Institut der Universität Stuttgart, die Bundesstiftung Magnus Hirschfeld und das Institut für Zeitgeschichte erhielten für ein separates Forschungsprojekt staatliche Fördergelder, allerdings ohne die Vorgabe, schon bei der Entwicklung der Konzeption und der Zielsetzung des Projekts mit den regionalen LSBTTIQ-Selbstorganisationen und den außeruniversitär Forschenden zu kooperieren. Vor diesem Hintergrund beschlossen die Initiatoren des außeruniversitären Internetprojekts, einen eigenen Förderzuschuss im Rahmen des Aktionsplans zu beantragen, um ihre Forschungsergebnisse in aktualisierter Form einer größeren Öffentlichkeit bekannt zu machen. Damit war die Idee der Internetseite *Der Liebe wegen* geboren.

Mit diesem Titel wendet sich das Internetprojekt gegen noch immer weit verbreitete Vorurteile, die mann-männliche Beziehungen auf (promisken) Sex reduzieren, Männern die Liebes- und Bindungsfähigkeit absprechen, Be-

---

2   LSBTTIQ-Menschen steht für lesbische, schwule, bisexuelle, transsexuelle, transgender, intersexuelle und queere Menschen.

ziehungen von frauenliebenden Frauen nicht ernstnehmen und ihnen autonome (sexuelle) Bedürfnisse nicht zugestehen.

> „Niemals ging (und geht) es bei Fragen sexueller Orientierung allein um Sexualität. Es geht immer auch um Achtung und Würde — und am Ende auch, wie menschliche Liebe unter Bedingungen von Missachtung, Diskriminierung und Schlimmerem realisiert werden kann."

So bringt es der deutsch-niederländische Schriftsteller Lutz van Djik in seinem Grußwort für das Internetprojekt auf den Punkt.

Auf der Website werden die Begriffe „lesbisch" und „schwul" verwendet, wohl wissend, dass es sich hierbei um „Schubladen" handelt, da jeder Mensch seine eigene Form von Liebe und Sexualität hat, die so individuell ist wie sein Fingerabdruck. Es gibt unendlich viele Varianten, die begrifflich gar nicht alle erfasst werden können. Über die konkrete sexuelle Orientierung — und im Übrigen auch über das konkrete Geschlecht — der auf der Internetseite vorgestellten Menschen kann letztlich nur spekuliert werden. Quellen der NS-Verfolger können dabei irreführend sein, da der Vorwurf der Homosexualität auch als Vorwand benutzt wurde, um missliebige Personen zu diskreditieren und zu kriminalisieren.

Aufbau und Inhalt der Internetseite

Im Mittelpunkt des Internetprojekts steht eine Gedenkkarte. Auf ihr werden Biographien, Skizzen und Dokumente von drei Frauen und 251 Männern bei denjenigen Orten von Baden-Württemberg gezeigt, in denen diese geboren wurden, ihren letzten Wohnsitz hatten, verhaftet, verurteilt und/oder in ein Strafgefangenen- oder Konzentrationslager eingewiesen wurden. Die aufgrund der NS-Geschlechterideologie quantitativen und qualitativen Unterschiede zwischen der Verfolgung homosexueller Frauen und Männer wurden bei den Kriterien für eine Aufnahme in die Gedenkkarte berücksichtigt. Bei Männern ist das grundsätzliche Merkmal die Einweisung in Justizstrafgefangenen- und Konzentrationslager oder die Todesstrafe. Da weibliche Homosexualität mit Ausnahme des Gebiets von Österreich und des Protektorats Böhmen und Mähren strafrechtlich nicht verboten war, der NS-Staat jedoch gegen lesbische Vereine, Treffpunkte und Publikationen vorging und damit öffentliches lesbisches Leben verhinderte, wird der Verfolgungsbegriff hier entsprechend weiter gefasst. Biographien von Menschen, die heute als transgender, trans- und/oder intersexuelle Menschen bezeichnet werden bzw. sich selbst so bezeichnen, fehlen. Die außeruniversitäre Forschung steht hier, ebenso wie die Forschung staatlicher Einrichtungen, erst am Anfang.

185

Mit der erstmaligen Veröffentlichung zahlreicher Scans von Originaldokumenten werden die Verbrechen der NS-Diktatur sichtbar gemacht. Sie zeigen die Einweisung in Strafgefangenenlager der Justiz und in Konzentrationslager durch regionale Polizeidienststellen, Personalkarteikarten von Häftlingen sowie Todesmeldungen aus den Konzentrationslagern. Von den 251 dargestellten Männern mit Bezug zu Baden und Württemberg haben 75 ihre KZ-Haft nicht überlebt. Bei einzelnen NS-Opfern wird auf der Internetseite aufgezeigt, wie ihre Ermordung in den Sterbeurkunden von den Tätern verschleiert wurde.

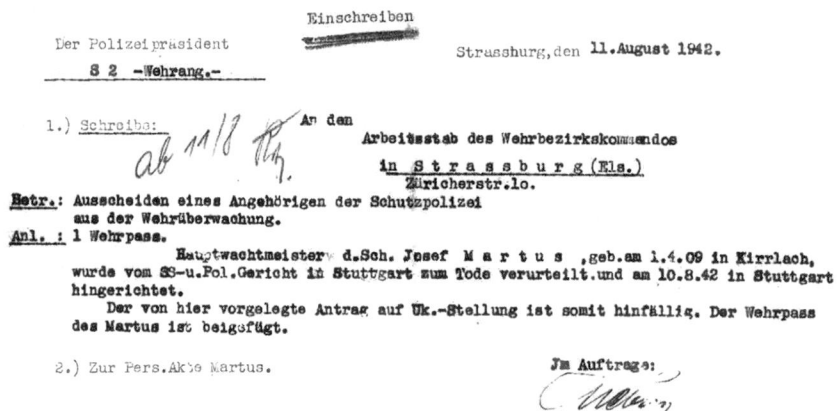

Dokument über Josef Martus, der im Alter von 33 Jahren wegen homosexueller Handlungen in Stuttgart zum Tod verurteilt und am 10. August 1942 dort auch hingerichtet wurde.

Die wichtigste Grundlage der Gedenkkarte ist Rainer Hoffschildts Projekt *Namen und Gesichter*. Seit 1987 trägt er Informationen über das Schicksal der vom NS-Staat verfolgten homosexuellen Männer zusammen. Mit dem Schwerpunkt Südbaden beteiligt sich seit 2001 William Schaefer und mit dem Fokus auf Württemberg und Hohenzollern beteiligen sich seit 2009 Werner Biggel und der Verfasser dieses Beitrags an den Recherchen. Die drei Frauenbiographien hat Claudia Weinschenk recherchiert und verfasst.

Weitere Module des Internetprojekts

In dem Modul *Lesbisch* benennt Claudia Weinschenk die Ursachen, warum frauenliebende Frauen in der Geschichte nur schwer aufzufinden sind und warum ihre Situation nur im Zusammenhang mit der Situation aller Frauen zu verstehen ist. Unter dem Kapitel *Aufbruchsstimmung: Weimarer Republik* beschreibt sie Beispiele lesbischer Treffpunkte und Freundinnenkreise aus Heidelberg, Mannheim und insbesondere Stuttgart.

„Hallo Stuttgart!"
Freundinnen tretet unserem Klub bei!
Jeden Sonnabend und Sonntag
gemütliches, geselliges Beisammensein
im neuen Klublokal
Restaurant „Sonnenhof",
Stuttgart, Rotebühlstraße 89,
beim Feuersee.   Telefon 62492
Beginn abends 8 Uhr   Tanz!   Stimmung!
Freundinnen werdet Mitglieder!
Jeden Mittwoch Mitglieder-Versammlung
Ortsgruppe Stuttgart   Claere Angel
Vorsitzende der Damenabteilung
Auskunft erteilt gerne die Vorsitzende
Bei allen Anfragen Rückporto beifügen

Ankündigung eines Treffens der Stuttgarter Damenabteilung des Bundes für Menschenrecht in der Gaststätte Sonnenhof, Rotebühlstraße 89, heute Theater der Altstadt. Aus der Zeitschrift „Die Freundin" vom 27. Mai 1931.

Die Zerstörung der lesbischen Infrastruktur nach dem 30. Januar 1933 und die gravierenden Folgen der NS-Diktatur für alle Frauen zeigt Claudia Weinschenk im Schwerpunktkapitel *Das nationalsozialistische Frauenbild*. Anhand der Biographien von Käthe Löwenthal (* 27.3.1878 Berlin, † 26.4.1942 Transitghetto Izbica), Marie Baum (* 23.3.1874 Danzig, † 8.8.1964 Heidelberg) und der offen lesbisch lebenden Claire Waldoff (* 21.10.1884 Gelsenkirchen, † 22.1.1957 Bad Reichenhall) stellt sie die Auswirkungen der NS-Geschlechter- und Rassenpolitik exemplarisch dar. Warum es für frauenliebende Frauen nach 1945 so schwierig war, sich von den Prägungen der NS-Frauen- und Familien(leit-)bilder zu lösen, sich zu vernetzen und erneut eine lesbische Infrastruktur zu entwickeln, thematisiert sie im letzten Kapitel des Moduls mit dem Titel *Wahrnehmung von lesbischen Leben – Nachkriegszeit bis heute.* Dabei richtet sie den Blick auch auf neue Entwicklungen.

Im Modul *Schwul* wird zunächst auf den Wandel der Begriffe für mannmännliche Liebes- und Sexualbeziehungen (Päderasten, Sodomiten, Homosexuelle, Schwule) eingegangen. Anhand einer kurzen Chronologie vom 14. bis zum 19. Jahrhundert werden die Wurzeln der Ausgrenzung und die (Vor-)Geschichte des § 175 StGB thematisiert. Das Kapitel *Die 1920er-Jahre: Aufbruch* zeigt dann erste Erfolge der homosexuellen Emanzipationsbewegung im deutschen Südwesten auf, aber auch, wie diese die „braune" Gefahr unterschätzte. Das Schwerpunktkapitel *NS-Verfolgung* stellt fünf Etappen dar, wie bei der Bekämpfung von Homosexualität die Justiz- und Polizeidienststellen in Baden und Württemberg zunehmend Härte und Intensität praktizierten: 1933 das Verbot homosexueller Lokale, Vereine und Publikationen; 1934 die „Mordaktion Röhm" als Auftakt der Bekämpfung als „Staatsfeinde"; 1935 die Verschärfung des § 175 StGB, ab 1936 die systematische Erfassung und Verfolgung, ab 1940 systematische KZ-Einweisungen sowie Tötungen außerhalb des KZ-Systems. Das Kapitel *Nachkriegszeit* zeigt, wie die Verfolgung homosexueller Männer nach 1945 fast nahtlos und in Baden-Württemberg besonders intensiv weiterging. Neben der konkreten Verfolgungspraxis der Stuttgarter Kriminalpolizei und einem Exkurs zu Kastrationsoperationen an homosexuellen Strafgefangenen im Vollzugsgefängnis Hohenasperg geht es auch um erste Emanzipationsaktivitäten der Kameradschaft „die runde". Statistiken der Verfolgung homosexueller Männer aus der Region des heutigen Baden-Württemberg ab 1829 bis zur Streichung des § 175 StGB im Jahr 1994 finden sich im Kapitel *Verfolgung in Zahlen.* Es folgen weitgefächerte Analysen von 680 namentlich recherchierten § 175-NS-Opfern mit Bezug zu Baden-Württemberg aus Rainer Hoffschildts Projekt *Namen und Gesichter.*[3]

Minderheiten mit geschlechtlicher Thematik und in diesem Kontext die generelle Fragestellung „Wer definiert wie Geschlecht?" stehen im Mittelpunkt des Moduls *Exkurs Geschlecht.* Im ersten vom *Projekt 100% Mensch*[4] ver-

---

3 Der Exkurs zu Kastrationsoperationen wurde von Jens Kolata verfasst, das Kapitel *Verfolgung in Zahlen* von Rainer Hoffschildt. Alle anderen Kapitel des Moduls wurden vom Verfasser beigesteuert, der sich auf zahlreiche Informationen und Dokumente von Rainer Hoffschildt stützen konnte.

4 Das gemeinnützige Projekt *100% MENSCH* fördert und fordert die komplette rechtliche und gesellschaftliche Gleichstellung und Akzeptanz der sexuellen Orientierungen und Geschlechter. Es verwirklicht dieses Ziel durch Aufnahme und Aufführung von Charity-Songs, die Ausrichtung von kulturellen Veranstaltungen, die

fassten Kapitel werden weitverbreitete (Fehl-)Annahmen über das Geschlecht thematisiert, beispielsweise dass es möglich wäre, das Geschlecht jedes Menschen auf der Basis körperlicher Untersuchungen zu bestimmen, dass nur zwei Geschlechter („Frau" und „Mann") existierten und dass es angeblich im Interesse aller sei, einem dieser beiden Geschlechter anzugehören. Auch die drei Begriffe transgender, transsexuell und intersexuell werden detailliert analysiert. Noch immer entsteht durch die Verwendung des Begriffs „Sexualität", zum Beispiel beim Begriff „Transsexualität", der falsche Eindruck, es gehe hierbei um die sexuelle Orientierung eines Menschen. Dabei gibt es sowohl bei gleichgeschlechtlich als auch bei heterosexuellen Menschen geschlechtliche Minderheiten. Erklärt wird der Unterschied zwischen den beiden Phänomenen „Transsexus" (bzw. „Transsexualität") und „Transgender". Es gilt respektieren zu lernen, dass ausschließlich der jeweilige Mensch selbst darüber entscheidet, ob er sich eher über die körperliche Ebene („Mensch mit Transsexus") oder die gesellschaftliche Ebene („Transgender") erklärt. Im zweiten Kapitel *Herausforderung: Transsexualität, Transgender und Intersexualität* zeigen Kim Schicklang und Christina Schieferdecker auf, wie die nationalsozialistische „Deutsche Psychologie" und ihre auf Genitalien fixierte, ausgrenzende Geschlechterdefinition auf die historische Forschung nachwirken. Sie thematisieren auch die Frage, warum es wichtig ist, die (geschlechtlichen) Selbstaussagen von Menschen in den Mittelpunkt zu stellen.

Sieben zentrale Erkenntnisse der Projektarbeit

Die erste wichtige Erkenntnis war, dass die Ausgrenzung von Schwulen und Lesben nicht als isoliertes Phänomen, sondern als Bestandteil von jahrhundertalten patriarchalen Sexualitäts-, Geschlechter- und Familienbildern zu sehen ist. Eine besondere Rolle kommt dabei den rund 600 Jahren vor unserer Zeitrechnung entstandenen fünf Büchern Mose zu. Deren Verdammung von Homosexualität findet sich religionsübergreifend in Tora, Bibel und Koran. So werden in Leviticus 20,13 (3. Buch Mose) männerbegehrende Männer sogar mit der Todesstrafe bedroht. Entsprechend wurden im Mittelalter und in der Frühen Neuzeit „Sodomiten" im Namen der Bibel und des Christentums getötet, wie die Website an einem konkreten Beispiel aus dem Jahr 1660 aus dem heutigen Bad Cannstatt zeigt.

Ausgabe von Publikationen sowie aktiver Aufklärungs- und Öffentlichkeitsarbeit. Vgl. www.100mensch.de/geschlecht.html.

Auch die Lehrinhalte der Studienfächer Psychiatrie, Medizin, Psychologie, Pädagogik und Religionswissenschaft an den Universitäten spielten − so die zweite Erkenntnis − eine zentrale Rolle bei der Stigmatisierung von Schwulen und Lesben sowie Minderheiten mit einer geschlechtlichen Thematik als „krank", „entwicklungsgestört" und „heilungsbedürftig". Die (Psycho-)Pathologisierung von transsexuellen, transgender und intersexuellen Menschen hält noch bis heute an. Sie zeigt sich insbesondere in medizinischen Genitaloperationen im Säuglingsalter, die entsprechend der jeweils etablierten stereotypen Vorstellung von Mann oder Frau durchgeführt werden, sowie in der zwangsweisen psychiatrischen Begutachtung als Voraussetzung für eine Korrektur des Geschlechtseintrags in Personenstandsdokumenten (vgl. das Modul *Exkurs Geschlecht*). In diesem Kontext bleibt die Frage ein wichtiges Forschungsanliegen, warum die universitäre Geschichtsforschung so lange sexuelle und geschlechtliche Minderheiten nicht als Opfer des NS- und Nachkriegsunrechts angemessen anerkannt und konkret erforscht hat (in Baden-Württemberg bis 2015). Dies gilt insbesondere vor dem Hintergrund, dass die NS- und Nachkriegstäter der Ausgrenzung und Diskriminierung von LSBTTIQ-Menschen nicht nur in Polizei und Justiz aufzudecken sind, sondern auch an den Universitäten selbst, wo jahrzehntelang die ideologischen Grundlagen der Abwertung, Pathologisierung und Kriminalisierung durch Forschung und Lehre weiterentwickelt und gesellschaftlich verankert wurden.

Als dritte zentrale Erkenntnis zeigt sich, dass die NS-Diktatur im Unterschied zu anderen Diktaturen (z. B. die Regime Mussolinis in Italien oder Francos in Spanien) homosexuelle Männer zu Staatsfeinden erklärte und dass sich die Politische Polizei neben der Kriminalpolizei an der systematischen Verfolgung auch sogenannter „gewöhnlicher" homosexueller Männer beteiligte. Vieles spricht dafür, dass dies einem Zufall geschuldet war, nämlich dem Umstand, dass der SA-Führer Ernst Röhm homosexuell war. Dies ermöglichte es Hitler, die Ermordung nahezu der gesamten SA-Führung um Röhm sowie weiterer missliebiger Personen auch mit der Begründung einer rigorosen „Säuberung" der NS-Organisationen von „homosexueller Verseuchung" zu rechtfertigen. Durch eine gezielte homophobe Propaganda konnte erreicht werden, dass nicht die Entrüstung über die Morde, sondern über die Homosexualität Röhms im Mittelpunkt der Wahrnehmung breiter Teile der deutschen Bevölkerung stand. So konnten die wahren Gründe für die Morde verschleiert werden. Hitler wollte zugunsten einer kriegstauglichen (Hochrüstungs-)Allianz mit den konservativen Eliten von Großbanken, Industriekonzernen und der Reichswehr den sogenannten „braunen Bolschewismus" der SA beseitigen (vgl. das Modul *Schwul*).

Die vierte Erkenntnis war, mit welch hoher Priorität Vergehen nach § 175 StGB selbst im ländlichen Raum bekämpft wurden. So hieß es zum Beispiel im Rundschreiben Nr. 94 des Sicherheitsdienst-Unterabschnitts Württemberg und Hohenzollern vom 8. Juli 1937 mit dem Titel *Die aktive Bekämpfung der Homosexualität ist Aufgabe der Kriminalpolizei und der Gestapo*, dass der Beobachtung der Vergehen gegen § 175 StGB eine „besondere Aufmerksamkeit zu widmen" sei. „Sämtliche" im Bereich der Außenstellen vorkommende Fälle seien „umgehend" zu melden. Außenstellen der Stuttgarter Zentrale waren Ulm, Heilbronn, Göppingen, Ludwigsburg, Schwäbisch Hall, Haigerloch, Horb und Riedlingen.[5] Auch die Gedenkkarte des Internetprojekts macht sichtbar, dass es keine von der Verfolgung unberührte Region des heutigen Baden-Württembergs gab.

Die digitale Gedenkkarte auf www.der-liebe-wegen.org macht die Verbrechen der NS-Diktatur sichtbar. §§ 175- und 175a-Verfolgte mit Bezug zum heutigen Baden-Württemberg, die das KZ-System nicht überlebt haben (Stand März 2018):

Willi Karl App (* 27.9.1919 Stuttgart, † 14.3.1943 KZ Sachsenhausen), Karl Aretz (* 25.5.1891 Karlsruhe, † 18.10.42 KZ Flossenbürg), Karl Autenrieth (* 22.3.1900 Vaihingen an der Enz, † 4.7.1943 KZ Natzweiler), Kurt Baumgart (* 30.6.1913 Mannheim, † 24.9.1942 KZ Ravensbrück), Wilhelm Bay (* 11.2.1909 Backnang, † 18.9.1942 KZ Stutthof), Karl Belthle (* 22.7.1922 Ulm, † 13.2.1945 KZ Sachsenhausen), Adolf Billmann (* 6.2.1879 Karlsruhe, † 28.1.1940 KZ Mauthausen), Heinrich Böckle (* 8.3.1894 Rinklingen, † 19.12.1944 SS-Arbeitslager Dautmergen, Außenlager des KZ Natzweiler), Johannes Böhme (* 11.4.1881 Mosel, † 10.4.1944 KZ Natzweiler), Richard Broosch (* 10.11.1912 Heidelberg, † 22.1.1943 KZ Mauthausen), Peter Michael Brühl (* 23.6.1893 Weißenthurm, † 2.1.1944 KZ Neuengamme), Otto Didier (* 10.9.1916 Schnierlach (Elsass), † 16.11.1944 KZ Neuengamme), Georg Dirauf (* 3.3.1887 Stuttgart-Birkach, † 30.3.1945 KZ Flossenbürg), Gottlob Doderer (* 16.4.1890 Stuttgart, † 22.8.1942 KZ Dachau), Friedrich Enchelmayer (* 13.8.1908 Stuttgart, † 9.11.1940 KZ Neuengamme), Adolf Ferrari (* 12.11.1914 Cham (Schweiz), † 18.2.1944 KZ Mittelbau-Dora), Adolf Fischer (* 21.2.1916 Mannheim, † 20.11.1942 Tötungsanstalt Schloss Hartheim, offiziell KZ Dachau), Alfred Israel Fishel (* 10.5.1910 Karlsruhe, † 29.4.1940

---

5 Staatsarchiv Ludwigsburg (StA LB), SD-Dienststellen in Württemberg und Hohenzollern 1935–1945, K 110, Bü 35.

KZ Sachsenhausen), Georg Flösser (* 21.1.1901 Weinheim, † 19.3.1944 KZ Buchenwald), Richard Friedhofer (* 7.2.1908 Stuttgart-Zuffenhausen, † 3.10.1944 KZ Groß-Rosen), Gerhard Fries (* 16.7.1918 Karlsruhe, † 19.10.1942 KZ Ravensbrück), Friedrich Fügel (* 2.1.1886 Plattenhard, † 12.3.1944 KZ Natzweiler), Maximilian Glass (* 11.2.1902 Stuttgart, † 26.5.1942 KZ Buchenwald), Karl Griesinger (* 18.4.1905 Lauffen am Neckar, † 29.10.1941 KZ Sachsenhausen), Karl-Hermann Günner (* 10.6.1881 Alpirsbach, † 9.2.1945 KZ Dachau), Friedrich Habermaier (* 2.3.1887 Heidelberg, † 20.3.1945 KZ Mauthausen), Gustav Hartmann (* 16.1.1892 Dielheim, † 4.10.1941 KZ Sachsenhausen), Friedrich Haug (* 15.9.1914 Ulm, † 14.8.1943 KZ Sachsenhausen), Fritz Hauser (* 4.4.1892 Freiburg, † 14.4. 1944 KZ Lubin-Majdanek), Jakob Hess (* 20.2.1895 Heidelberg, † 7.8.1943 KZ Natzweiler), Gustav Holl (* 10.11.1892 Mannheim-Ladenburg, † 10.6. 1940 KZ Sachsenhausen), Wilhelm Huther (* 18.1.1908 Neuhausen auf den Fildern, † 25.3.1944 KZ Majdanek), Fritz Junkermann (* 19.10.1883 Stuttgart, † Oktober 1942 Tötungsanstalt Bernburg — offiziell gestorben beim Transport vom KZ Sachsenhausen in das KZ Dachau), Albert Karl (* 14.1.1917 Augsburg, † 6.7.1943 KZ Sachsenhausen), Lothar Keiner (* 18.8.1908 Mannheim, † 27.11.1942 KZ Neuengamme), Franz Klauser (* 11.3.1907 Seebach, † 6.11.1944 KZ Neuengamme), Georg Klimas (* 24.6.1903 Königshütte, † 13.1.1945 KZ Sachsenhausen), Herbert Klingmann (* 2.3.1904 Mannheim, † 11.8.1940 KZ Dachau), Alexander von Kloch-Komitz † 18.10.1943 KZ Buchenwald), Otto Knauer (* 3.6.1897 Karlsruhe, † 7.7.1943 KZ Natzweiler), Johannes Kolb (* 6.2.1911 Aalen-Neuler, † 17.2.1944 KZ Natzweiler), Karl Lehmann (* 21.2.1896 Gnotau, † 24.11.1942 KZ Dachau), Heinz Leible (* 10.7.1913 Lörrach, † 6.9.1943 KZ Mauthausen), Karl Lohmele (* 5.4.1905 Strassburg (Österreich), † 26.7. 1942 KZ Stutthof), Erich Mäder (* 19.11.1904 Freiburg, † 17.5.1941 KZ Ravensbrück), Julius Maier (* 8.10.1909 Mauchen-Müllheim, † 2.1.1945 KZ Dachau), Jakob Maser (* 16.11.1893 Rottweil-Fluorn, † 4.12.1942 Tötungsanstalt Schloss Hartheim — offiziell KZ Dachau), Eduard Müller (* 9.5. 1886 Schiltigheim (Elsass), † 28.2.1944 KZ Flossenbürg), Albert Nicklas (* 26.5.1901 Bad Mergentheim-Bronn, † 30.9.1941 KZ Flossenbürg), Rudolf Nicolai (* 14.9.1896 Koblenz, † 2.1.1942 KZ Neuengamme), Rudolf Pfaff (* 10.3.1907 Neckargemünd, † 25.4.1942 KZ Flossenbürg), Oskar Ragg (* 2.4.1908 Schwenningen, † 18.5.1943 KZ Stutthof), Johann Riesterer (* 21.2.1889 Zürich-Uster (Schweiz), † 17.1.1945 KZ Mauthausen), Hugo Roth (* 15.3.1895 Lodz, † 9.10.1942 KZ Flossenbürg), Philipp Josef Rothacker (* 1.10.1905 Schwetzingen, † 17.7.1942 KZ Sachsenhausen), Wilhelm Schaich (* 20.02.1896 Kohlberg, † 31.07.1942 KZ Buchenwald), Josef Schnetz (* 28.3.1901 Ravensburg-Bavendorf, † 11.4.1942 KZ Buchenwald), Hellmut Schmid (* 07.07.1905 Worms, † 21.08.1941 KZ Flossenbürg), Otto Schorer (* 19.10.1906 Tettnang, Todesdatum unbekannt KZ Ravensbrück), Arthur Schrag (* 13.2.1907 Eislingen/Fils, † 8.5.1942 KZ Flossenbürg), Wilhelm Schweizer (* 23.10.1883 Oberreggenau, † 4.11.1944 KZ Neuengamme), Anton Seeger (* 29.3.1900 Sigmaringen-Hausen am Andelsbach, † 7.1.1944 KZ Buchenwald), Engelbert Sollinger (* 19.7.1900 Rosenheim, † 27.2.1942 KZ Sachsenhausen), Emil Speck (* 4.6.1892 Karlsruhe, † 29.1.1945 KZ Dachau), Otto Steegmüller (* 18.3.1896 Böblingen-Magstadt, † 6.3.1943 KZ Natzweiler), Wilhelm Ernst Steiger (* 12.5.1906 Rastatt, † 29.10.1942 KZ Groß-Rosen), Hilarius Stengele (* 21.10.1902 Tuttlingen-Kolbingen, † 4.6.1944 KZ Natzweiler), Wilhelm Thiele (* 27.1.1902 Mannheim, † 6.2.1943 KZ Natzweiler), Alois Thieme (* 30.1.1911 Mannheim, † 15.11.1941 KZ Buchenwald), Karl Walter (* 16.11.1896 Mühlacker, † 16.5.1943 KZ Natzweiler), Friedrich von Wangenheim-Brunner (* 8.1.1885 Wolfenbüttel, † 17.8.1942 KZ Dachau), Adolf Wilhelmi (* 15.4. 1874 Freiburg, † 26.8.1942 KZ Dachau), Hans Winterhalter (* 16.7.1907 Hinterzarten, † 2.12.1942 KZ Sachsenhausen)

Die fünfte Erkenntnis bezieht sich auf den großen Zuständigkeitsbereich, den die Kriminalpolizeileitstelle Stuttgart hatte und auf das Ausmaß, wie zentral sie in die immer noch ungesühnten Verbrechen der NS-Diktatur an homosexuellen Männern verwickelt war. Seit Juni 1936 war sie eine der insgesamt 14 Leitstellen im Deutschen Reich, übergeordnet den Kriminalpolizeistellen Stuttgart (einschließlich Sigmaringen), Karlsruhe, Kaiserslautern und Saarbrücken.[6] Ihre konkrete Rolle bei KZ-Einweisungen nach verbüßter Haft wegen Verurteilungen gemäß den §§ 175 und 175a StGB zeigen die Korrespondenzen zwischen ihr und den Gefängnisleitungen, die auf der Internetseite beispielhaft für Friedrich Enchelmayer, Albert Fendel, Otto

---

6 Im Unterschied zu der Kriminalpolizeileitstelle Stuttgart war die Geheime Staatspolizei in der Region des heutigen Baden-Württemberg auf Leitstellen in Karlsruhe (Baden) und Stuttgart (Württemberg) aufgeteilt. Vgl. hierzu Ralf Bogen: Vorkämpfer im Kampfe um die Ausrottung der Homosexualität, in: Ingrid Bauz/ Sigrid Brüggemann/Roland Maier (Hrsg.): Die Geheime Staatspolizei in Württemberg und Hohenzollern, Stuttgart 2013, S. 305 – 320.

Schorer (vgl. Abbildung) und Gallus Stark veröffentlicht sind. Von 18 Männern finden sich hier Dokumente, die konkret für den Zeitraum vom 1. Juni 1940 bis zum 23. Juli 1943 belegen, an welchem Tag und in welches Konzentrationslager deren Einweisungen erfolgten.

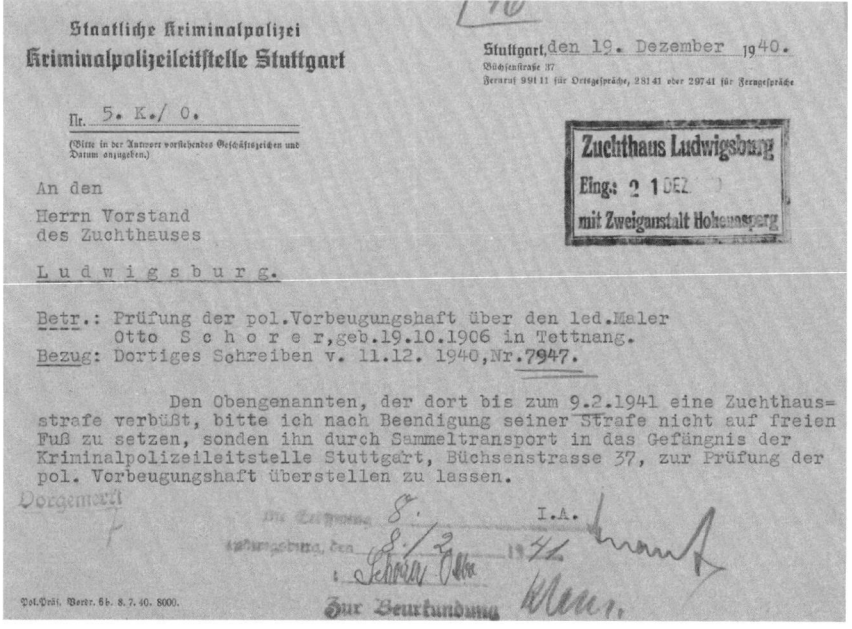

Schreiben der Kriminalpolizeileitstelle Stuttgart zur Vorbereitung der Einweisung von Otto Schorer in das KZ Flossenbürg. Otto Schorer überlebte die NS-Diktatur nicht.

Bezogen auf die Nachkriegszeit zeigt sich als weitere, sechste Erkenntnis, dass männerliebende Männer, aber auch frauenliebende Frauen nach 1945 ein wesentlich unfreieres Leben führen mussten als in der Weimarer Republik. In dieser waren nach der damaligen Fassung des § 175 StGB „nur" sogenannte beischlafähnliche Handlungen, insbesondere der Analverkehr, verboten, nicht aber wechselseitige Onanie. In mehreren Städten des heutigen Baden-Württemberg, beispielsweise in Mannheim oder Stuttgart, konnten homosexuelle Vereine und einschlägige Gaststätten entstehen sowie homosexuelle Publikationen über öffentliche Verkaufsstellen verbreitet werden. Dagegen wurde in der Bundesrepublik bis 1969 an der NS-Fassung des § 175 StGB festgehalten, nach der alle sexuellen Handlungen zwischen Männern strafbar waren. Daraus wurde abgeleitet, dass auch das Dulden und Fördern des Zusammentreffens homosexueller Kreise — zum Beispiel in einer Gaststätte — als polizeiwidrig zu behandeln waren. Anträge auf Erlaubnis für Männertanzveranstaltungen, von denen es vor 1933 in Städten des deutschen Südwestens mehrere gab, wurden entsprechend abgelehnt (vgl. das Modul *Schwul*).

Von der Kriminalpolizei für Baden-Württemberg erfasste Fälle
nach §§ 175 und 175a StGB 1953–1969

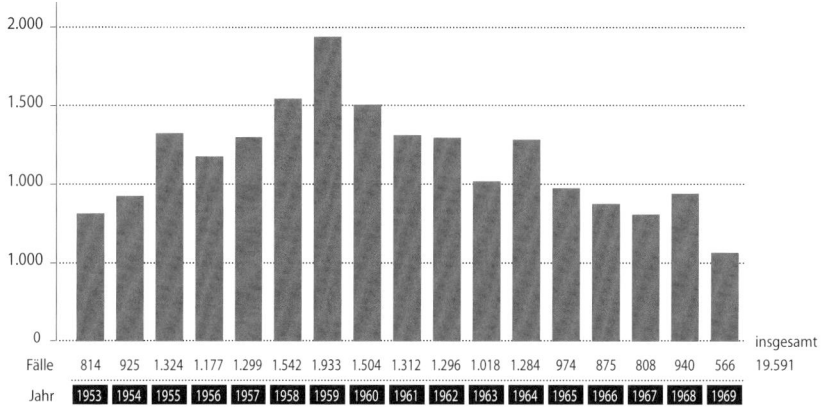

Fälle	814	925	1.324	1.177	1.299	1.542	1.933	1.504	1.312	1.296	1.018	1.284	974	875	808	940	566	insgesamt 19.591
Jahr	1953	1954	1955	1956	1957	1958	1959	1960	1961	1962	1963	1964	1965	1966	1967	1968	1969	

Quelle: Stadtarchiv Stuttgart 15/1, 150 und 150-2, Polizeiliche Kriminalstatistik   © 8421medien.de

Die siebte zentrale Erkenntnis ist, dass Baden-Württemberg im Bundesvergleich „Spitzenreiter" bei der Verfolgung homosexueller Männer war. Insbesondere hier wurde weiterhin für ein Klima von Angst, Denunziation, Demütigungen und für gebrochene Biographien gesorgt. Hier erfasste die Kriminalpolizei zwischen 1953 und 1969 annähernd 20 000 Vergehen nach § 175 StGB.[7] Im Jahr 1959 waren es im Verhältnis zur Bevölkerungszahl mit 902 Verurteilten doppelt so viele wie im Bundesdurchschnitt. Noch bis zu der am 22. Juni 2017 im Deutschen Bundestag beschlossenen Rehabilitierung waren in Baden-Württemberg mehr als 5400 Männer wegen ihrer Homosexualität vorbestraft.[8]

---

7 Exakt waren es 19 591 Vergehen nach §§ 175 und 175a StGB; vgl. Ralf Bogen: Ausgrenzung und Verfolgung homosexueller Männer in Württemberg, in: Der Bürger im Staat, 65. Jg., Heft 1 — 2015, S. 36 — 43 (www.buergerimstaat.de/1_15/h¬ omophobie_sexismus.pdf).

8 Am 22. Juni 2017, mehr als zwanzig Jahre nach der endgültigen Abschaffung des Strafrechtsparagraphen 175 im Jahr 1994, beschloss der Deutsche Bundestag einstimmig die Rehabilitierung der wegen §§ 175 und 175a StGB verurteilten homo-

Verurteilte nach §§ 175 und 175a StGB in Baden-Württemberg 1957–1969

Verurteilte nach §§ 175 und 175a StGB in Baden-Württemberg 1957-1969	davon Verurteilte nach § 175 StGB (einfache Unzucht zwischen Männern)	davon Verurteilte nach § 175a StGB (schwere Unzucht zwischen Männern)
1957 654	434	220
1958 785	573	212
1959 902	696	206
1960 675	529	146
1961 665	489	176
1962 624	446	178
1963 573	425	148
1964 559	413	146
1965 538	408	130
1966 445	323	122
1967 366	286	80
1968 327	251	76
1969 192	122	70
Summe: 7.305	5.395	1.910

Quelle: Statistisches Landesamt Baden-Württemberg und Statistisches Bundesamt   © 8421medien.de

Belegt sind hier auch der Einsatz von V-Leuten, der Aufbau einer Spezial-
kartei mit Lichtbildersammlungen, die Überwachung sogenannter „Dauer-
duscher" in städtischen Badeanstalten und sogenannter „Dauerpisser" in
öffentlichen Bedürfnisanstalten, monatelange Isolationshaft sowie Kastra-
tionen an homosexuellen Strafgefangenen im Vollzugskrankenhaus Hohenasperg. Zur baden-württembergischen „Spitzenposition" trug maßgeblich
die Stuttgarter Kriminalpolizei bei, die in den Räumen des „Hotel Silber",
dem ehemaligen Gebäude der Geheimen Staatspolizei von Württemberg

sexuellen Männer. Der Lesben- und Schwulenverband (LSVD) würdigte dies als einen historischen Schritt, der nach langen Jahren der Ignoranz einem Teil der
Opfer staatlicher Verfolgung ihre Würde zurückgibt. Die vorgesehene Entschädigung wird jedoch als „viel zu gering" eingeschätzt. Auch die Nichtberücksichti-
gung der nach § 175 StGB strafrechtlich Ermittelten, die oft gesellschaftlicher
Ächtung ausgesetzt waren und teilweise deswegen ihren Arbeitsplatz verloren
hatten, stößt auf Kritik. Zudem würde das Gesetz rückwirkend erneut unterschiedliche Schutzaltersgrenzen zwischen Homo- und Heterosexualität einführen,
obwohl der Europäische Gerichtshof für Menschenrecht dies längst als Verstoß
gegen die Europäische Menschenrechtskonvention eingestuft habe: „Es bleiben
Bereiche von der Rehabilitierung ausgeschlossen, die bei Heterosexualität nie
strafbar waren."

und Hohenzollern, die Verfolgung homosexueller Männer nach 1945 nahezu nahtlos weiterführte. Ihr Leiter, Kriminaloberkommissar Bauer, brüstete sich damit, dass Anzeigen gegen homosexuelle Männer „meist aus eigener Initiative" erfolgt seien und dass „zwei junge tüchtige Beamte […] zum Schrecken der Homosexuellen Stuttgarts" geworden seien (vgl. das Modul *Schwul*).[9]

Kundgebung „Hotel Silber und die Verfolgung der Homosexuellen auch nach 1945" der Initiative Lern- und Gedenkort Hotel Silber e. V. am 10. März 2010 vor jenem Gebäude in der Stuttgarter Dorotheen- straße 10, von dem Verfolgungen homosexueller Männer in der NS- und Nachkriegszeit ausgingen.

Ohne Erinnerung gibt es keine Zukunft

Die Website zeigt unter der Rubrik *Erinnerungsarbeit & Menschenrechte* auf, dass noch immer Menschen wegen ihrer Liebe, ihrer Sexualität und wegen ihres Geschlechts ausgegrenzt und verfolgt werden. So sind hier beispielsweise Videos der Istanbuler Gay Pride Paraden 2015, 2016 und 2017[10] zu se-

---

9 Vgl. hierzu und zu den vorherigen Zitaten Stadtarchiv Stuttgart 15/1, 100. Bereit-schaftspolizei Württemberg-Baden, 1950 – 1963, „Homosexuelle Umtriebe".

10 Der Polizeigewalt ab 2015 gegen die LSBTTIQ-Aktivist_innen war der „Marsch des Stolzes", der Gay Pride Istanbul in 2014, vorausgegangen, der sich mit annä-hernd 100 000 Teilnehmer_innen zum weltweit größten Christopher Street Day in einem überwiegend islamischen Land entwickelt hatte, wozu ebenso Videos

hen, die mit massiver Polizeigewalt zerschlagen wurden und mit einer Vielzahl von Verhaftungen endeten. Es wird über Hinrichtungen von homosexuellen Männern durch den „Islamischen Staat" in Syrien und im Irak informiert, die dazu führen, dass unter den Tausenden von Flüchtlingen aus diesen Ländern auch viele LSBTTIQ-Menschen sind. Als Beispiele der Aktivitäten der beiden Vereine Rosa Hilfe Freiburg und Weissenburg in Stuttgart seien die während des CSD 2015 in Stuttgart durchgeführte Solidaritätsaktion *Öffnet die Grenzen – Kobanê muss leben*[11] sowie die Beteiligung am *Gedenken zu Beginn: Ausgegrenzt und totgeschwiegen – Verfolgung von gleichgeschlechtlich Liebenden* beim Evangelischen Kirchentag 2015 in Stuttgart erwähnt (das Video hierzu kann auf der Website unter der Rubrik *Erinnerungsarbeit & Menschenrechte* angeschaut werden).

Die Internetseite *Der Liebe wegen* versteht sich als Beitrag zur Stärkung der Akzeptanz menschlicher Liebes- und Lebensvielfalt. Mit dem Projekt wollen die Initiator_innen erreichen, dass ausgrenzende Sexualitäts-, Geschlechts- und Familienbilder nicht noch einmal von rechtspopulistischen und neonazistischen Kräften für demokratiefeindliche Ziele instrumentalisiert werden können und dass die heterosexuelle Mehrheit leichter erkennen kann, wie wichtig die Akzeptanz sexueller und geschlechtlicher Vielfalt für ihre eigene Freiheit und Selbstbestimmung sowie für demokratische und geschlechtergerechte Zustände einer Gesellschaft ist.

Passend zu diesen Anliegen sei hier abschließend aus dem 1995 von acht homosexuellen KZ-Überlebenden verfassten Memorandum zitiert:

---

auf der Internetseite gezeigt werden. Gay-Pride-Wochen und Paraden in Izmir, Ankara, Antalya, Malatya oder in Iskenderun an der syrischen Grenze hatten eine erstaunliche Aufbruchsstimmung emanzipatorischer Bestrebungen in der Türkei gezeigt, die internationaler Unterstützung bedarf.

11 Kobanê ist eine Stadt in Nordsyrien an der Grenze zur Türkei, deren Bevölkerung es gelungen ist, den sogenannten „Islamischen Staat" zu vertreiben. Sie ist so zum internationalen Symbol des Widerstands gegen den „Islamischen Staat" und des auch für LSBTTIQ-Menschen im Mittleren und Nahen Osten (über-)lebenswichtigen Kampfes für Demokratie, Geschlechtergerechtigkeit und (Religions-)Freiheit geworden. Im Aufruf zur Solidaritätsaktion „Öffnet die Grenzen – Kobanê muss leben" während des CSD in Stuttgart im Jahr 2015 heißt es: „Für den Wiederaufbau und die Rückkehr der Masse der Flüchtlinge, die unter erbärmlichen Lagerbedingungen hinter der türkischen Stacheldrahtgrenze hausen, ist ein humanitärer Korridor unbedingt notwendig […]. Die türkische Regierung unter Erdoğan verweigert diesen Korridor […]. Wenn wir es ernst meinen, dass nicht weitere Tausende von Menschen aus Not zu Flüchtlingen werden, dann können wir hier ein Zeichen setzen."

„Lassen Sie uns aus der Geschichte lernen und die jüngere Generation von homosexuellen Frauen und Männern, Mädchen und Jungen dabei unterstützen, ihr Leben im Gegensatz zu uns in Würde und Respekt zusammen mit ihren Partnern, Freunden und Familien führen zu können. Ohne Erinnerung gibt es keine Zukunft.“[12]

Literatur

Bogen, Ralf: Vorkämpfer im Kampfe um die Ausrottung der Homosexualität, in: Ingrid Bauz/Sigrid Brüggemann/Roland Maier (Hrsg.): Die Geheime Staatspolizei in Württemberg und Hohenzollern, Stuttgart 2013, S. 305 – 320.

Bogen, Ralf: Ausgrenzung und Verfolgung homosexueller Männer in Württemberg, in: Der Bürger im Staat, 65. Jg., Heft 1 – 2015, S. 36 – 43.

Müller, Klaus: Totgeschlagen, totgeschwiegen? Das autobiographische Zeugnis homosexueller Überlebender, in: Burkhard Jellonek/Rüdiger Lautmann (Hrsg.): Nationalsozialistischer Terror gegen Homosexuelle. Verdrängt und ungesühnt, Paderborn 2002, S. 397 – 418.

---

12 Zitiert nach Klaus Müller: Totgeschlagen, totgeschwiegen? Das autobiographische Zeugnis homosexueller Überlebender, in: Burkhard Jellonek/Rüdiger Lautmann (Hrsg.): Nationalsozialistischer Terror gegen Homosexuelle. Verdrängt und ungesühnt, Paderborn 2002, S. 416 (vgl. auch die Website bei den Modulen Schwul und Zukunft).

Nina Reusch

Geschichte werden, Geschichte machen: LSBTTIQ-Geschichte als Public History

Als Herta Leistner, Aktivistin der kirchlichen Frauenbewegung und Mitarbeiterin der Evangelischen Akademie Bad Boll, in den frühen 1980er-Jahren die „Werkstatt Feministische Theologie" gründete, war die evangelische Kirche nicht unbedingt eine Institution, die für ihre antipatriarchalen Strukturen bekannt war. Wohl aber war die Kirche ein Ort, an dem viele Frauen das Bedürfnis hatten, eigene Netzwerke zu bilden und über feministische Themen zu diskutieren. Die Diskussion feministischer Themen war in Kirchenkreisen ungewöhnlich, neu und auch durchaus provokativ, umso mehr jedoch galt dies für die Diskussion weiblicher Homosexualität. Lesbische Frauen in der evangelischen Kirche — darüber wurde bis in die späten 1980er-Jahre kaum gesprochen. Wohl gab es schon seit Ende der 1970er-Jahre aktive feministische Theologinnen, die auch Homosexualität thematisierten, doch diese Ansätze wurden kaum über feministische Kreise hinaus rezipiert — und niemand war offen lesbisch in den bundesdeutschen Kirchen.

Mit Herta Leistners Engagement sollte sich das ändern. Trotz allen Gegenwinds vonseiten konservativer und reaktionärer Kräfte platzierte sie feministische und lesbische Themen für die Öffentlichkeit sichtbar in der evangelischen Kirche. Die Motivation dafür kam auch von der Basis, nicht zuletzt von den vielen Frauen, die an Seminaren in der Evangelischen Akademie Bad Boll teilnahmen. In diesen Frauenzusammenhängen begannen sie, die eigentlich wichtigen Lebensfragen zu diskutieren: Familie, Ehe und andere Möglichkeiten des Zusammenlebens, die eigenen Lebensentwürfe. Diese Themen wollte Herta Leistner mit der „Werkstatt feministische Theologie" aufgreifen. Aus dieser Arbeit heraus wuchs auch das Bedürfnis, einen Raum zu schaffen, um über weibliche Homosexualität zu sprechen.

Den Anfang dafür machte 1985 eine Tagung für lesbische Frauen in der Kirche. Man bedenke: In einer Institution, in der bis dato lesbische Frauen offiziell schlicht nicht vorhanden waren, boten sich nun neue Möglichkeiten der Vernetzung. Die Frauen zeigten, dass es sie sehr wohl gab. Zwei Jahre später, im Jahr 1987, folgte das Buch *Hättest du gedacht, dass wir so viele sind? Lesbische Frauen in der Kirche*,[1] das Herta Leistner gemeinsam mit Ute Wild und Monika Barz im Kreuz-Verlag herausgab – ein Buch, das in der evangelischen Kirche zum wahren Skandal wurde. Der Titel des Buches kann programmatisch nicht nur für die Kirche gelesen werden, sondern genauso für andere Institutionen, ja für die gesamte bundesdeutsche Gesellschaft der 1980er-Jahre: Hättest du gedacht, dass wir so viele sind? Lesbische Frauen wurden sichtbarer, vernetzten sich, machten Politik.

Die Zeitzeugin Herta Leistner beim Interview im September 2016 (Videostandbild).

Herta Leistner hat mit ihrem politischen Engagement lange Zeit dazu beigetragen, lesbische Frauen zu vernetzen und zu empowern, also sie in ihrer Selbstbestimmtheit und ihren Lebensentscheidungen zu ermutigen und zu bestärken. So hat sie als Teil einer Bewegung zum gesellschaftlichen Wandel beigetragen. 2016 wurde sie als Zeitzeugin für das „Archiv der anderen Erinnerungen" der Bundesstiftung Magnus Hirschfeld und für das Public-History-Projekt *LSBTTIQ in Baden und Württemberg* interviewt.[2] Sie machte dabei ihre Lebensgeschichte für die Öffentlichkeit zugänglich und trägt zur Erforschung und Erinnerung von LSBTTIQ-Geschichte bei. Eine Frau, die

---

1 Monika Barz/Herta Leistner/Ute Wild: *Hättest du gedacht, dass wir so viele sind? Lesbische Frauen in der Kirche*, Stuttgart 1987.

2 Interview mit Herta Leistner (0030/BMH/0030). Bundesstiftung Magnus Hirschfeld, 27.9.2016 (Mülverstedt). Durchführung: Babette Reicherdt, Karl-Heinz Steinle und Benjamin Bayer. Transkription: Janina Rieck (www.lsbttiq-bw.de/zeitzeuginnen-interviews/interview-mit-herta-leistner).

jahrzehntelang Politik gemacht hat, macht jetzt als Zeitzeugin auch Geschichte, indem sie ihren eigenen Erinnerungen historische Bedeutung verleiht.

In diesem Beitrag geht es um die Frage, wie LSBTTIQ und ihre Erinnerungen, Lebensentwürfe und Geschichten zu Geschichte werden und wie wir sie zu Geschichte machen. LSBTTIQ steht für lesbische Frauen, schwule Männer, bisexuelle, transsexuelle, transgender, intersexuelle und queere Menschen. Deren Lebensweisen und Geschichten waren lange Zeit nur am Rande oder gar nicht Teil der kanonisierten Geschichte, wie sie etwa in der Schule gelehrt wird. Dies ändert sich derzeit und die Begriffe des „Geschichte machens" und „Geschichte werdens" stehen stellvertretend für diesen Prozess, in dem die Geschichte verändert wird, in dem historische Relevanz neu verhandelt und bisher kaum beachtete Lebensweisen jenseits der Norm zu historisch wichtigen Themen werden.

Was wir erinnerungswürdig befinden, worüber wir forschen und worüber wir sprechen, verändert sich stets. Geschichte selbst verändert sich. Denn Geschichte, das gilt es zu zeigen, ist nicht einfach die vergangene Zeit, die wir Stück für Stück enthüllen, sondern Geschichte ist unsere Deutung von Vergangenheit. Vergangenheit, die erforscht, erzählt und überliefert wird; Vergangenheit, über die wir sprechen, die wir interpretieren und verstehen. Geschichte *ist* nicht — sie wird *gemacht*. Dies gilt auch und im besonderen Maße für LSBTTIQ-Geschichte.

Wie das Beispiel der Aktivistin und Zeitzeugin Herta Leistner zeigt, kann Geschichte an verschiedensten Orten und auf unterschiedliche Weise „gemacht" werden. Herta Leistner hat als feministische und lesbische Aktivistin dazu beigetragen, lesbische Frauen in der Kirche und in der Gesellschaft sichtbar zu machen und sie zu ermutigen. Ihr Beispiel zeigt: Auch wenn homosexuelle Frauen diskriminiert wurden und oft unsichtbar schienen, so waren sie doch niemals passive Opfer, sondern nutzten ihre Handlungsspielräume, um eigene Lebensentwürfe zu leben. Als Zeitzeugin macht Herta Leistner nun ihren eigenen Lebensweg zu einem Teil der LSBTTIQ-Geschichte. Ihr Beispiel zeigt auch: LSBTTIQ-Geschichte ist nicht allein die Geschichte der feministischen und homosexuellen Bewegung, nicht allein die Geschichte politischer Organisierung und Kämpfe. Sie umfasst auch Alltagsleben, persönliche Lebensumstände und -entscheidungen im Kontext gesellschaftlicher Verhältnisse. Sie umfasst die Art, wie Menschen ihren Alltag organisiert und Beziehungen geführt haben, wie sie gedacht und gefühlt haben. In ihrem Interview berichtet die 1942 geborene Herta Leistner demnach nicht nur von ihrem politischen Engagement, sondern auch von ihrem Aufwachsen in den konservativen 1950er- und 1960er-Jahren, in denen für eine junge Frau wenige Wege jenseits der heterosexuellen Kleinfamilie offen standen:

> „In den Fünfzigern und auch noch Sechzigerjahren war eh die offizielle Alternative nur, entweder du gehst in den Beruf, oder du heiratest, hast Familie und Kind und bleibst daheim."[3]

Herta Leistner, die von ihrer Großmutter gelernt hatte, auf eigenen Füßen zu stehen, entschied sich für den Beruf. Ihr erstes Ziel, Sportlehrerin zu werden, musste sie nach dem Tod ihrer Großmutter und Mutter aufgeben, um — selbst gerade 16-jährig — Vater und Bruder zu versorgen. Stattdessen entschied sie sich, im kirchlichen Bereich zu arbeiten. Die evangelische Kirche war durch verschiedenste Frauenzusammenhänge geprägt, in denen Herta Leistner sich bewegte, so etwa bei den Diakonissen oder in ihrer Ausbildung zur Gemeindehelferin. Doch erst in der Frauenbewegung und an der Universität fand sie überhaupt Worte für ihr eigenes Lesbisch-Sein, wie sie im Interview berichtet.

Gegengeschichten der LSBTTIQ-Subkultur

Über lesbische Lebensentwürfe und Lebenswelten in den 1950er- und 1960er-Jahren ist bis heute wenig bekannt. Geschichte wurde lange Zeit — und wird in vielen Kontexten bis heute — fast ausschließlich heterosexuell gedacht. Menschen und Lebensweisen außerhalb dieser Norm kamen und kommen in der wissenschaftlichen Forschung, dem Schulunterricht und in der öffentlichen Erinnerung kaum vor. Doch dies muss nicht so sein und ändert sich gerade, wie die vielfältigen Zugänge zur LSBTTIQ-Geschichte zeigen, die momentan entstehen oder in den letzten Jahren und Jahrzehnten entstanden sind.

In der homosexuellen Subkultur wird schon seit vierzig Jahren die „eigene" Geschichte erforscht. Für die zweite homosexuelle Emanzipationsbewegung, die in den späten 1960er-Jahren ihren Ausgang nahm, wurde Geschichte schnell zu einem wichtigen Element von Identität und Politik. Die Geschichte der ersten Homosexuellenbewegung des 19. und frühen 20. Jahrhunderts wurde als Vorläufer der eigenen Bewegung verstanden, als eine wichtige Tradition, in die man sich selbst stellen konnte. Gleiches gilt für homosexuelle Lebensweisen in früheren Epochen. Die Erforschung der Repression homosexueller Frauen und Männer in der Vergangenheit diente der

---

3 Interview mit Herta Leistner (wie Anm. 2), Min. 9:14.

politischen und historischen Einordnung der jeweils gegenwärtigen Diskriminierungen.

Mit der Suche nach eigenen historischen Traditionen war die homosexuelle Emanzipationsbewegung nicht allein. Für jede soziale Gruppe ist Geschichte ein wichtiger Teil von Identitätsbildung und Wir-Gefühl. Das gilt in besonderem Maße für soziale Minderheiten, die nicht in der „Meistererzählung" von Großgruppen aufgehen. Unterdrückte Gruppen, deren Erfahrungen nicht in den großen nationalen Erzählungen vorkommen, schaffen ihre eigenen Geschichten, die sie den dominanten Narrativen entgegensetzen können – sogenannte „Gegengeschichten". Diese ermöglichen nicht nur einen Blick auf unterrepräsentierte Gruppen, sondern sie bieten vor allem alternative, oftmals auch widersprechende Deutungsmöglichkeiten von Geschichte an. Sie wurden seit dem 19. Jahrhundert vonseiten der Frauenbewegung und der politischen Linken stark gemacht, sie existieren bei ethnischen Minderheiten, und – wie in unserem Fall – bei Menschen, die nicht in die normativen Vorgaben von Geschlecht, Körper und sexueller Orientierung passen wollen oder können.

Die homosexuelle Gegengeschichte ist allerdings auch nicht frei von blinden Flecken. Dies zeigt sich besonders darin, dass Homosexualitäten- oder LSBTTIQ-Geschichte auch noch gegenwärtig meist mit der Geschichte männlicher Homosexualität gleichgesetzt wird. Diese männliche Dominanz äußert sich auch darin, dass Forschung und Erinnerung sich häufig auf die strafrechtliche Verfolgung homosexueller Männer konzentrieren, während Frauen, Trans- und Inter-Personen nur eine marginalisierte Position in der LSBTTIQ-Gegengeschichte inne haben.

Aktuelle Veränderungen der Erinnerungslandschaft

LSBTTIQ-Geschichte wird also bereits seit den 1970er-Jahren erforscht, erinnert und „gemacht". Doch derzeit ist ein Wandel in der Erinnerungslandschaft festzustellen. Was bisher größtenteils im Kontext der lesbischen, schwulen und queeren Subkulturen stattfand und auch vorwiegend dort rezipiert wurde, wird aktuell in andere Bereiche getragen und bekommt damit eine größere Reichweite. Neue Akteur_innen in der LSBTTIQ-Erinnerungslandschaft sind einerseits die universitäre Wissenschaft, andererseits die Politik auf Bundes- und Länderebene. Auch in anderen Einrichtungen, die mit Geschichte arbeiten – in Museen, Gedenkstätten oder Archiven sowie in den Medien – werden LSBTTIQ und ihre Geschichten mehr und mehr präsent. Am Beispiel Baden-Württembergs soll hier gezeigt werden, wie sich diese Veränderung der Erinnerungslandschaft konkret gestaltet.

Mit dem *Aktionsplan für Akzeptanz und gleiche Rechte*[4] stellt die baden-württembergische Landesregierung seit 2016 Strukturen und Fördermittel bereit, um LSBTTIQ-Geschichte zu erforschen und öffentlich zu kommunizieren. Mit der Verteilung von Projektmitteln für Forschung und politische Bildung setzt die Landesregierung nicht allein ein Zeichen dafür, dass sie LSBTTIQ-Geschichte als wichtig erachtet, sondern schafft vor allem Strukturen, in denen gute Forschung und Bildungsarbeit betrieben werden können — Arbeit, die bis dato in den meisten Fällen ehrenamtlich betrieben wurde. Die öffentliche Finanzierung trägt also dazu bei, diese Arbeit überhaupt dauerhaft auf hohem Niveau leisten zu können. An dieser Stelle sei allerdings auch darauf verwiesen, dass ein großer Teil der Forschung und Bildungsarbeit zu LSBTTIQ-Geschichte auch weiterhin noch von vielen äußerst engagierten und professionell arbeitenden Ehrenamtlichen betrieben wird — das Thema der öffentlichen Förderung von Bildungsarbeit und Forschung ist in diesem Bereich also noch lange nicht abgeschlossen.

Doch nicht allein die Finanzierung von Projekten, sondern auch die derzeitige Rehabilitationspolitik der Bundesregierung ist ein wichtiger Faktor im „Geschichte machen" und „Geschichte werden" von LSBTTIQ. Männer, die in der frühen Bundesrepublik nach § 175 StGB[5] verurteilt worden waren, galten bisher vor dem Gesetz als verurteilte Straftäter. Dass die meisten über ihre eigenen Geschichten schwiegen, ist vor diesem Hintergrund kein Wunder. Der aktuelle Vorstoß rehabilitiert diese Männer nicht nur vor dem Gesetz, sondern macht sie zu Opfern der Justiz. Dies ist für den Bereich der Erinnerungskultur äußerst wichtig, denn damit werden sie auch zu Zeitzeugen, deren Geschichte nicht mehr ein individuelles und verschwiegenes Schicksal ist, sondern ein Beispiel für repressive Politik.[6] Individuelle Lebenswege werden auf diese Weise für historisch relevant erklärt, werden zu Geschichte.

Die Gefahr liegt hier allerdings darin, dass durch die aktuelle Rehabilitationspolitik LSBTTIQ-Geschichte wiederum auf die Geschichte homosexueller Männer verkürzt wird. Zugleich wird durch den Fokus auf die strafrechtliche Verfolgung auch die Geschichte homosexueller Männer allein auf deren Repressionserfahrung verkürzt. Daher ist der Blick auf Lebensumstän-

---

4 https://sozialministerium.baden-wuerttemberg.de/de/soziales/offenheit-und-akzep¬
   tanz/aktionsplan-fuer-akzeptanz-gleiche-rechte.

5 Der § 175 StGB war bis 1969 (in entschärfter Form bis 1994) die gesetzliche
   Grundlage, auf der Männer für gleichgeschlechtliche sexuelle Praktiken angeklagt
   und verurteilt wurden.

6 Für diesen Hinweis danke ich Andreas Pretzel.

de, Alltag und Erfahrungen jenseits der Verfolgung so wichtig, um LSBTTIQ nicht retrospektiv zu passiven Opfern zu machen. Ein alltagsgeschichtlicher Blick ermöglicht es, Lebensweisen jenseits der geschlechtlichen und sexuellen Normen von verschiedenen Seiten zu beleuchten und LSBTTIQ eine aktive und selbstbestimmte Position auch in der Geschichte zukommen zu lassen.

Das neue Interesse staatlicher Einrichtungen, die in der Geschichte vor allem als Instanz der Repression von LSBTTIQ zutage getreten sind, ist ein wichtiger Schritt hin auf dem Weg zur Entdiskriminierung. Die aktuelle Rehabilitationspolitik ist aber noch lange nicht das Ende der Geschichte. Schließlich gilt es auch gegenwärtig noch, Diskriminierung von LSBTTIQ in zahlreichen gesellschaftlichen Bereichen zu bekämpfen. Dabei ist es unerlässlich, sich auch mit anderen diskriminierten Gruppen zu solidarisieren und die Repression von LSBTTIQ im Kontext anderer repressiver Politiken und Ausschlussmechanismen zu untersuchen.

Public History als Netzwerk und Infrastruktur für LSBTTIQ-Geschichte

Die aktuelle Veränderung in der Erinnerungslandschaft betrifft nicht nur Universität und Politik, denn Geschichte wird an verschiedensten Orten gemacht: in Film und Fernsehen, in der Presse, im Theater, in historischen Romanen und Biographien, in Computerspielen, im Schulunterricht oder im Gespräch mit den eigenen Großeltern und anderen Zeitzeug_innen. Um diese vielfältigen Formen des „Geschichte machens" zu erfassen, bietet sich der Begriff der Public History an. Diese steht für ein Verständnis von Geschichte, die nicht allein in den Universitäten und der Politik „gemacht" wird, sondern die alle Menschen angeht und von allen Menschen geformt wird. Bildlich könnte man sich dieses gesellschaftliche „Machen" von Geschichte wie ein Netzwerk vorstellen, in dem die einzelnen Menschen, Gruppen, Institutionen und Medien, die über Geschichte kommunizieren, miteinander auf verschiedenste Weise verbunden sind, teils durch direkten Austausch, teils durch die Reichweite und Vermittlung von Medien.

Geschichte wird im kommunikativen Prozess gemacht. Dazu gehört, sich zu informieren, sich ein Urteil zu bilden, mit anderen zu sprechen und zu diskutieren. Das Sprechen über und das Deuten von Geschichte sollte nicht allein den professionellen Forscher_innen überlassen werden. Geschichte geht alle an – und alle können und sollten sich in den Prozess des „Geschichte machens" einmischen. Public History ist somit vor allem eine Möglichkeit der Verflechtung und Vernetzung, eine Infrastruktur für eine interaktive, partizipatorische und vernetzende Geschichtsforschung. Im Falle der

Aufarbeitung von LSBTTIQ-Geschichte umfasst das Netzwerk derer, die for-schen, diskutieren und Geschichte „machen", bereits viele Beteiligte: Zeit-zeug_innen und Forscher_innen innerhalb und außerhalb der Universitä-ten, die LSBTTIQ-Community, den Staat und die Länder, Museen und Stiftungen, und nicht zuletzt die Leser_innen dieses Sammelbands.

Auf regionaler Ebene entfaltet die Public History ein besonderes Potenzial. In der eigenen Stadt und Region wird Geschichte greifbar und erfahrbar, und oftmals weiß die lokale Bevölkerung sehr gut über die Zeitgeschichte ihrer eigenen Stadt und Region Bescheid. Und wie jede Gemeinschaft hat auch die LSBTTIQ-Community ein regionales und lokales Kollektivgedächtnis, das sich aus weitergegebenen Erinnerungen und eigenen Forschungen speist und oftmals äußerst detailreich ist. So besteht in Baden-Württemberg eine rege Auseinandersetzung vor allem mit der Geschichte schwuler Männer aus der Region, aus der heraus Anfang 2017 die Webseite *Der Liebe wegen*[7] entstanden ist, die biographische Forschungen zu verfolgten homosexuellen Männern und grundlegende Gedanken zu lesbischer und Trans-Geschichte beinhaltet. In mehreren Städten Baden-Württembergs werden Stadtführun-gen zu Frauen-, Lesben- und queerer Lokalgeschichte angeboten.[8] Im Rah-men einer bürgerschaftlich getragenen Initiative, die sich für einen Lern- und Gedenkort in der ehemaligen Gestapo-Zentrale im Stuttgarter „Hotel Silber" einsetzt, wird auf die Verfolgung homosexueller Männer durch das nationalsozialistische Regime aufmerksam gemacht.[9] Auch Museen widmen sich neuerdings dem Thema.[10] Archive wie das „Bildungszentrum und Ar-chiv zur Frauengeschichte Baden-Württembergs" (BAF) in Tübingen und das „Archiv für soziale Bewegungen in Freiburg" sammeln Dokumente zur Ho-mosexuellenbewegung. Nicht zuletzt feierte die kirchliche Frauenbewegung 2015 in Bad Boll das dreißigjährige Bestehen der Lesbentagungen der Evan-gelischen Akademie und blickte zum Jubiläumsanlass auf die Anfangstage zurück.[11]

Aktivist_innen, die Landesregierung, freie Historiker_innen, Museen, Ar-chive, lesbische Kirchenaktivist_innen, universitäre Forscher_innen, und

---

7 Vgl. dazu www.der-liebe-wegen.org. Vgl. hierzu auch den Beitrag von Ralf Bogen in diesem Band.

8 So etwa beim Netzwerk „Miss Marples Schwestern" (http://miss-marples.net/cms/¬website.php?id=home.htm).

9 Vgl. dazu http://hotel-silber.de

10 So ruft das Stadtmuseum Stuttgart dazu auf, Erinnerungsstücke der lokalen LSBTTIQ-Subkultur in die Sammlung zu geben. Vgl. www.stadtmuseum-stutt¬gart.de/lsbttiq.html.

11 Vgl. dazu www.ev-akademie-boll.de/fileadmin/res/otg/751005-Uetteroda.pdf.

nicht zuletzt die Zeitzeug_innen, die mehr und mehr bereit sind, ihre Geschichte zu erzählen – all diese Akteur_innen, die zur regionalen LSBTTIQ-Geschichte in vielfältiger Weise arbeiten, formen ein Netzwerk der Erinnerung und „machen" gemeinsam Geschichte, gestützt von lokalen, regionalen und überregionalen Medien, die über LSBTTIQ-Geschichte berichten.

Das Public-History-Projekt „LSBTTIQ in Baden und Württemberg"

Zur Unterstützung dieser vielfältigen Arten, LSBTTIQ-Geschichte zu „machen", wurde das Public-History-Projekt *LSBTTIQ in Baden und Württemberg*[12] ins Leben gerufen und durch das Ministerium für Soziales und Integration des Landes gefördert. Angedockt an ein gleichnamiges Forschungsprojekt der Universität Stuttgart und in Kooperation mit dem „Archiv der anderen Erinnerungen" der Bundesstiftung Magnus Hirschfeld soll das Public-History-Projekt eine Plattform sein, auf der neueste Forschungsergebnisse zur regionalen LSBTTIQ-Geschichte in die Öffentlichkeit kommuniziert werden. Das Projekt soll aber vor allem ein Forum sein, in dem Wissenschaft, LSBTTIQ-Community, Zeitzeug_innen sowie interessierte Bürger_innen ins Gespräch kommen und Wissen, Erinnerungen und Erfahrungen austauschen können.

Die Kommunikation läuft dabei zentral über die Webseite *lsbttiq-bw.de.* Hier können Interviews mit Zeitzeug_innen als Videos angeschaut werden und es stehen Informationen über neue Forschungsergebnisse und historische Kontexte zur Verfügung. Der zugehörige Blog und die Kommentarfunktion ermöglichen die breite und öffentliche Diskussion von LSBTTIQ-Geschichte. Das Online-Angebot wird ergänzt durch Veranstaltungen, wie etwa die Reihe *Queere Lesben, lesbische Queers?*, die 2016 in Kooperation mit dem „Bildungszentrum und Archiv zur Frauengeschichte Baden-Württembergs" (BAF) in Tübingen stattfand.[13]

Herzstück der Idee des Public-History-Projekts ist es allerdings, zum Mitmachen und Mitforschen einzuladen. Denn gerade LSBTTIQ-Geschichte lebt vom Input aus Oral History und privaten Quellenbeständen. Die vorhandenen amtlichen Dokumente – in der Regel Polizei- und Gerichtsakten von Verfahren gegen Männer, die nach § 175 StGB angeklagt wurden – zeigen durchweg eine staatliche Täterperspektive und geben wenig Einblick in Alltag und Lebenswelten von LSBTTIQ. Zudem geht es in diesen Akten nur um

---

12 Vgl. dazu www.lsbttiq-bw.de.

13 Vgl. dazu www.lsbttiq-bw.de/aktuelles-und-veranstaltungen/rueckblick-auf-eine-¬
   veranstaltungsreihe-zur-lesbisch-queeren-geschichte.

homosexuelle Männer, so dass lesbische und bisexuelle Frauen, Trans- und Interpersonen — wie so oft — kaum vorkommen, da es gegen sie kein strafrechtliches Vorgehen gab. Aus diesen Gründen ist der Kontakt zu Zeitzeug_innen sowie deren Nachfahren ebenso unerlässlich wie Einblicke in private Nachlässe und Sammlungen, die Auskunft über Alltagsleben und Netzwerke, Freundschaften und Liebschaften, Gefühle und Lebenswege geben können.

Das Ziel des Projekts ist kein geringeres, als lesbischen Frauen und schwulen Männern, Bisexuellen, Transsexuellen und Transgender, intersexuellen und queeren Menschen einen prominenteren Platz in der Geschichte zu verschaffen, ihre Geschichten und Erfahrungen zu Geschichte zu „machen“. Dieses Ziel einer über sexuelle und geschlechtliche Normierungen hinausgehenden Geschichts- und Erinnerungskultur ist nur über eine aktive Public History möglich. Denn nur wenn ein großes Netzwerk aus geschichtskulturellen Institutionen, Medien, Aktivist_innen und historisch interessierten Menschen gemeinsam arbeitet, sich austauscht, diskutiert und Wissensbestände teilt, ist eine breite Erforschung von LSBTTIQ-Geschichte möglich. Nur wenn Geschichtsforschung öffentlich sichtbar ist, wenn sie den Kontakt zur Öffentlichkeit sucht und aushält, kann sie wahrhaft gesellschaftlich relevant sein.

Eine solche Public History, die die Diskussion sucht, sich austauscht und sich einmischt, kann zugleich in aktuelle gesellschaftspolitische Auseinandersetzungen eingreifen wie etwa in die derzeitige Debatte um die Rehabilitation verurteilter homosexueller Männer oder die Diskussion um den Bildungsplan für Baden-Württemberg. Im Jahr 2014 wurde hier eine hitzige Debatte über die Akzeptanz sexueller Vielfalt als fächerübergreifendes Querschnittsthema geführt, die noch immer nachklingt. Die Debatte zeigte deutlich, wie sehr homophobe Ressentiments noch immer verbreitet sind und wie viel Aufklärungs- und Bildungsarbeit weiterhin zu leisten ist, um dieser Homophobie zu begegnen. Die Aufarbeitung und Popularisierung von LSBTTIQ-Geschichte ist ein Teil dieser Arbeit.

Geschichte ist nichts, was schon besteht und einfach erforscht und erinnert wird. Geschichte wird „gemacht“ — und das gilt auch und in besonderem Maße für LSBTTIQ-Geschichte. Die historischen Erfahrungen von Menschen jenseits der geschlechtlichen und sexuellen Normen waren lange Zeit kaum jenseits der Subkultur bekannt und treten momentan mehr und mehr ins öffentliche Bewusstsein. Dieser Prozess des „Geschichte machens“ und „Geschichte werdens“ ist bei Weitem noch nicht an seinem Ende angelangt, vielmehr ist die Erinnerungs- und Geschichtslandschaft mitten im Wandel. LSBTTIQ werden zu Geschichte und „machen“ Geschichte — die beste Zeit also, sich selbst zu beteiligen und die Geschichte nicht allein den professionellen Historiker_innen zu überlassen!

Literatur

Barz, Monika/Leistner, Herta/Wild, Ute: *Hättest du gedacht, dass wir so viele sind? Lesbische Frauen in der Kirche*, Stuttgart 1987.

Dennert, Gabriele/Leidinger, Christiane/Rauchut, Franziska/Soine, Stefanie (Hrsg.): In Bewegung bleiben. 100 Jahre Politik, Kultur und Geschichte von Lesben, Berlin 2007.

Plötz, Kirsten: Wo blieb die Bewegung lesbischer Trümmerfrauen?, in: Bundesstiftung Magnus Hirschfeld (Hrsg.): Forschung im Queerformat. Aktuelle Beiträge der LSBTI*-, Queer- und Geschlechterforschung, Bielefeld 2014, S. 71–86.

Zündorf, Irmgard: Zeitgeschichte und Public History, Version: 2.0, in: Docupedia-Zeitgeschichte (http://docupedia.de/zg/Zuendorf_public_history_v2_de_2016).

Daniel Baranowski und Karl-Heinz Steinle

Das „Archiv der anderen Erinnerungen": Zeugnisse von LSBTTIQ-Lebenswelten

ine der wesentlichen Aufgaben der Bundesstiftung Magnus Hirschfeld ist es, „die gesellschaftliche Lebenswelt homosexueller Männer und Frauen, die in Deutschland gelebt haben und leben, wissenschaftlich zu erforschen und darzustellen" und dies durch „die Sammlung, Dokumentation und wissenschaftliche Auswertung von Materialien und Zeitzeugenberichten" zu verwirklichen.[1] Aus diesem Grund entschloss sich die Bundesstiftung Magnus Hirschfeld 2012 dazu, ein Interviewprojekt auf den Weg zu bringen, um lebensgeschichtliche Videointerviews mit Lesben, Schwulen, Bisexuellen, Transsexuellen, Transgender, Intersexuellen und queeren Menschen (LSBTTIQ) durchzuführen: das „Archiv der anderen Erinnerungen". Statt den Schwerpunkt auf Ausgrenzung, Diskriminierung und Gewalt zu legen und die Interviewten damit von vornherein als passive Opfer anzusehen, sollten die gesamten Lebensgeschichten und -leistungen, die gesamte Bandbreite von LSBTTIQ-Lebenserzählungen und die darüber vermittelten Lebenswelten in den Mittelpunkt gerückt werden[2].

Im Fokus der Interviews steht die Frage, wie die persönliche Lebensgeschichte — ob sie von Diskriminierungen und Ausgrenzungen geprägt ist oder nicht — mit der Frage nach der sexuellen Orientierung und/oder geschlechtlichen Identität verknüpft ist. Es geht in ihnen weniger um eine historische Dokumentation der LSBTTIQ-Geschichte als solcher, sondern vielmehr um die konkreten Erfahrungen und die vielen, durchaus heterogenen Stimmen von Einzelnen. Deren persönliche Sichtweise auf vergangene

---

1 Vgl. Satzung der Bundesstiftung Magnus Hirschfeld: http://mh-stiftung.de/wp-content/uploads/20160829-Satzung-BMH-Internetversion.pdf (Zugriff: 16.5.2017).

2 Teile dieses Textes beziehen sich auf die projektinterne *Handreiche für die Durchführung, Vor- und Nachbereitung von lebensgeschichtlichen Videointerviews im Projekt „Archiv der anderen Erinnerungen"*, die in Zusammenarbeit mit Andreas Pretzel, Benjamin Bayer, Kirsten Bilz, Stephanie Kuhnen, Babette Reicherdt, Janina Rieck, Katharina Rivilis, Karl-Heinz Steinle und Katrin Wolf erstellt worden ist. Ihnen allen sei an dieser Stelle herzlich gedankt.

Ereignisse und ihr Leben können das Spektrum der LSBTTIQ-Geschichte erhellen und erweitern.

Durch die Beteiligung der Bundesstiftung Magnus Hirschfeld am Forschungsverbundprojekt *Lebenswelten, Repression und Verfolgung von LSBTTIQ in Baden und Württemberg im Nationalsozialismus und in der Bundesrepublik Deutschland* konnten im Jahr 2016 sechs Interviews mit Menschen aus Baden-Württemberg durchgeführt werden, die im zweiten Teil dieses Beitrags ausführlicher vorgestellt werden. Bis Ende Mai 2017 waren im „Archiv der anderen Erinnerungen" insgesamt 37 Interviews erhoben, 18 davon mit Männern, 17 mit Frauen und zwei Trans-Interviews.[3]

Sprechen über Lebenswelten

Die Interviews geben anhand der persönlichen und individuellen Erfahrungen Einzelner Aufschluss über LSBTTIQ-Lebenswelten, den jahrzehntelangen Prozess mühsam erstrittener gesellschaftlicher Integration und schrittweise verwirklichter (oder ausgebliebener) Gleichberechtigung, Erfahrungen von Freundschaft, Liebe, Unterstützung, Enttäuschung, Verlust und Trauer, erlebter Diskriminierung und Gewalt. Sie enthalten aus der Perspektive von heute Darstellungen historischer Ereignisse ebenso wie persönliche Anekdoten, Erinnerungen an das Elternhaus, die Kinder- und Jugendzeit, das Erwachsenwerden, an Schule, Ausbildung, Studium oder Beruf, an Freizeitaktivitäten, Hobbies, Reisen, Begegnungen mit anderen Menschen, prägende Ereignisse oder das Leben im Alter. Sie sind durchsetzt von privaten wie politischen Einschätzungen, Argumentationen und Bewertungen, wie sie sich den Interviewten zum Zeitpunkt der Aufnahme darstellten. Die Erinnerungen der Interviewten vermitteln, inwieweit Diskriminierungen bis hin zur staatlichen Verfolgung den Lebensalltag beeinflussen konnten und welche Erfahrungen Menschen mit Unterdrückung und Repression gemacht haben. Aber sie zeigen auch, wie Menschen unter diesen Bedingungen ihre Würde zu behaupten suchten, Freundschaften und Unterstützung fanden und Formen gemeinschaftlichen Lebens gestalteten.

Das Archiv ist in erster Linie ein Erinnerungsprojekt, das einen Beitrag zur Würdigung und Sichtbarmachung der Lebenswelten von LSBTTIQ leisten will. Erst in zweiter Linie geht es dem Projekt darum, eine Grundlage für die Dokumentation und Erforschung der Lebenssituationen und Erfahrungswelten von LSBTTIQ zu schaffen. Im Rahmen der singulären Erfahrun-

---

3 Die hier aus Platzgründen vorgenommene Kategorisierung in Männer, Frauen und Trans trifft nicht immer die Selbstbeschreibungen der Interviewten.

gen werden unweigerlich bislang unbekannte Ereignisse genannt. Diese gezielt zu erheben ist jedoch nicht das Hauptanliegen.

Durch die Interviews entstehen vielschichtige Dokumente, die individuelle Erfahrungen und Erinnerungen zum Ausdruck bringen sowie Einblick in zeitgeschichtliche Umstände und Befindlichkeiten, Selbstentwürfe und Veränderungsprozesse ermöglichen. Dabei geben die Interviews nicht nur Auskunft darüber, was berichtet wird, sondern auch, wie die Interviewten sich erinnern und wie sie über ihre Erfahrungen sprechen. Das Archiv kann somit auch einen Beitrag zur Frage nach den Möglichkeiten des Sprechens über Homo-, Bi-, Trans- und Intersexualität leisten.

Gerade aufgrund der oftmals erlebten Diskriminierung, des gesellschaftlichen Desinteresses und des mitunter jahrzehntelangen Verschweigens bedarf es der Empathie und Sensibilität im Umgang mit den Interviewten. Die erwünschte Offenheit und Mitteilsamkeit, Verschwiegenes, Verdrängtes und Intimes zu äußern, verlangt von den Interviewer_innen, Respekt für die Privatsphäre und allerhöchste Sensibilität im Umgang miteinander zu gewährleisten. Diese Sensibilität beginnt mit der ersten Kontaktaufnahme zu den Interviewten, erstreckt sich über den gesamten Interviewprozess und bestimmt den Umgang mit den überlassenen Zeugnissen für die Dauer der Archivierung.

Das Projekt gibt keine strenge zeitliche Schwerpunktsetzung vor. Aufgrund der gesellschaftlichen Veränderungen in den vergangenen zwei Jahrzehnten und der im Prozess befindlichen, schrittweisen rechtlichen Gleichstellung möchte es jedoch vor allem Lebensgeschichten sammeln, die sich mit dem groben zeitlichen Rahmen von 1945 bis Mitte der 1990er-Jahre befassen. Für die Auswahl der Interviewten bedeutet dies, dass es Personen sein müssen, die zu diesem Zeitraum etwas erzählen können. Es bedeutet jedoch nicht, dass ihre wichtigsten Lebenserfahrungen notwendig in diese Zeit fallen müssen.

Durch das „Archiv der anderen Erinnerungen" wird langfristig angestrebt, LSBTTIQ-Lebenswelten in der breiten Bevölkerung sichtbar zu machen. Bei den Interviewten muss also die grundsätzliche Bereitschaft vorhanden sein, ihre Lebensgeschichte öffentlich zu machen. Das heißt jedoch nicht, dass jedes Interview uneingeschränkt zu jedem Zeitpunkt und für jede Öffentlichkeit eingesehen werden kann. Eine Rechteerklärung regelt das Verfahren für jedes Interview. Die Mindestvoraussetzung für die Aufnahme eines Interviews ist jedoch, dass das Material in einem geschützten Bereich Dritten zur Ansicht zur Verfügung gestellt werden darf. Kurz- bis mittelfristig ist dies ein Archivarbeitsplatz in der Geschäftsstelle der Bundesstiftung Magnus Hirschfeld, langfristig ist die Präsentation über ein passwortgeschütztes Webportal anvisiert. Es soll ein halboffenes Archiv entstehen, das sowohl für Forschung und Bildung als auch für eine interessierte Öffentlichkeit Aufschluss über LSBTTIQ-Lebenswelten in Deutschland gibt.

Zeugnis geben

Den Interviewten wird ein Rahmen geboten, der ihnen die Möglichkeit eröffnet, Zeugnis über ihr Leben zu geben. Der Schwerpunkt liegt dabei auf solchen Ereignissen, die mit ihrer sexuellen Orientierung oder geschlechtlichen Identität zu tun haben. Einbezogen werden dabei auch andere Vorkommnisse, die sie in diesem Zusammenhang für erzählenswert halten. Die Entscheidungen der Interviewten, was sie jeweils erzählen wollen, werden respektiert. Von eigenen Vorannahmen über das, was erzählenswürdig wäre, wird abgesehen. Grundlegend für dieses Vorgehen ist das, was Geoffrey Hartman, einer der Gründer des *Fortunoff Video Archive for Holocaust Testimonies*, als „Bündnis für die Zeugenschaft" bezeichnet: „Ein gutes Interview gewährt den Zeugen die Freiheit, mit ihrer eigenen Stimme zu sprechen, anstatt sich durch eine unpersönliche Erzählstimme vertreten zu lassen; in dieser Selbstrepräsentation wenden sich die Zeugen direkt an den Interviewer als eine Art Geburtshelfer und nicht nur an eine imaginäre Zuhörerschaft. [...] Dieses Bündnis zielt nicht auf das so abstrakte wie wohlfeile Versprechen, ‚Wahres' mitzuteilen. Stattdessen verpflichtet es den Interviewer als Begleiter auf einer heiklen Reise [...]."[4] Die eigentliche Gesprächsführung durch zwei Interviewer_innen und eine Kameraperson lässt sich als Mischform aus dem biographisch-narrativen Interview nach Gabriele Rosenthal — Einbettung in den lebensgeschichtlichen Kontext — und dem psychotherapeutischen Ansatz nach Dori Laub — intuitive Fragen, empathisches Zuhören — beschreiben.[5] Die Interviewer_innen sind dement-

---

4 Geoffrey Hartman: Videointerviews zum Holocaust. Gedanken zu zentralen Dokumenten des 20. Jahrhunderts, in: Daniel Baranowski (Hrsg.): „Ich bin die Stimme der sechs Millionen". Das Videoarchiv im Ort der Information, Berlin 2009, S. 15–26, hier S. 19 f.

5 Vgl. Gabriele Rosenthal: Erlebte und erzählte Lebensgeschichte: Gestalt und Struktur biographischer Selbstbeschreibungen, Frankfurt/M. 1995. Vgl. z. B. Dori Laub: Bearing Witness, or the Vicissitudes of Listening, in: Shoshana Felman und Dori Laub (Hrsg.): Testimony. Crises of Witnessing in Literature, Psychoanalysis, and History, New York 1992, S. 57–74. Diese methodische Mischform ist erstmals in dem Interviewprojekt *Archiv der Erinnerung* von Cathy Gelbin und Eva Lezzi Mitte der 1990er-Jahre systematisch verwendet worden. Ausführlicher zu dieser Methode vgl. Cathy Gelbin/Eva Lezzi: Projektvorstellung und Einleitung, in:

sprechend angehalten, sich während des Gesprächs möglichst keine Notizen zu machen, sondern den Fortgang der Erzählungen durch aufmerksames Zuhören und Nachfragen zu ermöglichen.

Die unzähligen Debatten über die Rolle von Zeug_innen sollen hier nicht aufgefächert, sondern auf eine Weise zugespitzt werden, die immer noch provokant erscheint — zumal im Kontext eines Projekts, das sich um eben jene Menschen dreht. Nach Jacques Derrida liegt jedem Zeugnis eine aporetische, durch einen nicht auflösbaren Widerspruch gekennzeichnete Situation zugrunde, weil es sich vom Beweis, von der lückenlosen Dokumentation eines Ereignisses unterscheidet: Ein Zeugnis leidet immer an der Möglichkeit der Fiktion, die es doch eigentlich aus seinem Innersten ausschließen möchte.[6] Dem Zeugnis — und damit den Zeug_innen — deswegen aber jeglichen heuristischen Stellenwert abzusprechen, wäre ein fataler Fehlschluss. Gerade die Uneindeutigkeit, Multiperspektivität und Komplexität machen die Zeugnisse zu einer fruchtbaren Quelle, die dann freilich der wissenschaftlichen Auswertung bedarf. Ohne an Derrida anzuknüpfen hat die Historikerin Dorothee Wierling diesen Grundgedanken aufgenommen:

> „Aus der Perspektive einer kritischen Geschichtswissenschaft geht es aber nicht in erster Linie darum, die Interviews in diesem Sinn auf ihren ‚Wahrheitsgehalt' hin zu überprüfen, um sie nach der Kontrolle als brauchbar zu akzeptieren oder als unbrauchbar zu verwerfen."

Statt die Zeug_innen mit jener (überkommenen) Aura von Authentizität zu versehen, die sie zu bloßen Beglaubigern (schlimmer) Ereignisse macht, wäre es der Sache (und den Interviewten gegenüber) sinnvoller, das Interview zur „Quelle für die subjektive Deutungsgeschichte eines bestimmten Individuums" zu nehmen und in der Erschließung dieses subjektive Relevanzsystem der Interviewten herauszuarbeiten.[7] Aus diesem Grund wird projektintern der Begriff „Zeitzeuge" vermieden, da er oftmals konnotiert, bei den

---

Cathy Gelbin u. a. (Hrsg.): Archiv der Erinnerung — Interviews mit Überlebenden der Shoah, Bd. 1: Videographierte Lebenserinnerungen und ihre Interpretationen, Potsdam 1998, S. 19 – 38.

6 Vgl. Jacques Derrida: Bleibe. Maurice Blanchot, Wien 2003, v. a. S. 15 – 49. Dass das Zeugnis die Möglichkeit der Fiktion enthält, führt bei Derrida konsequenterweise dazu, es weniger als Untersuchungsgegenstand der Geschichtswissenschaft zu betrachten, sondern jener Disziplin zuzuweisen, die sich mit der Struktur und dem Aufbau fiktionaler Texte befasst: der Literaturwissenschaft.

7 Vgl. Dorothee Wierling: Zeitgeschichte ohne Zeitzeugen. Vom kommunikativen zum kulturellen Gedächtnis — drei Geschichten und zwölf Thesen, in: BIOS — Zeitschrift für Biographieforschung, Oral History und Lebensverlaufsanalysen, Bd. 21, 2008, H. 1, S. 28 – 36, hier S. 34 f.

Interviewten handele es sich um „Wahrheitsträger", die authentisch über die Vergangenheit berichten. Genau das tun sie jedoch nicht! Sie berichten vielmehr über ihre subjektive, gegenwärtige Sicht auf die Vergangenheit.

Erste Schritte zur Herausarbeitung des subjektiven Relevanzsystems der Interviewten sind im „Archiv der anderen Erinnerungen" in Planung. So sollen alle erhobenen Interviews in einem mehrstufigen Verfahren transkribiert und verschlagwortet, mit den Lebensläufen der Interviewten versehen, um eine historische Kontextualisierung ergänzt und durch die Beschreibung der Interviewsituation quellenkritisch aufbereitet werden. Kern der Erschließung soll jedoch die detaillierte, dem Ablauf des Interviews folgende Sequenzierung durch ein Inhaltsverzeichnis werden, in dem das Erzählte konkretisiert und zusammengefasst wird: Sie soll den Ablauf der Lebenserzählung widerspiegeln und interessiert sich weniger für die allgemeinhistorischen Schnitte als für die Schwerpunktsetzungen der Interviewten. Diese können zuweilen eher von Empfindungen, persönlichen Sichtweisen und natürlich den individuellen Erfahrungen geprägt sein. Dabei kann sich in besonderem Maße zeigen, dass die freie Gestaltung des Ablaufs durch die Interviewten in quellenkritischer und didaktischer Hinsicht fruchtbar gemacht werden kann. Durch den Überblick des so erstellten Inhaltsverzeichnisses sollen die individuellen Lebenserzählungen, das jeweilige subjektive Relevanzsystem deutlich gemacht und der Ablauf des Gesprächs, chronologische Sprünge und biographische Schwerpunkte als Kennzeichen der Quelle den späteren Interessierten unmittelbar vor Augen geführt werden.

Suche nach Zeug_innen aus Baden-Württemberg

Eine der Besonderheiten des eingangs erwähnten Forschungsvorhabens zu LSBTTIQ in Baden-Württemberg ist ein parallel zu den Forschungen laufendes Vermittlungsprojekt. Mit den Mitteln der Public History werden Anlässe, Inhalte und Formen entwickelt, um die Vielschichtigkeit des Themas und Forschungsergebnisse einer breiten, auch nichtakademischen Öffentlichkeit nahe zu bringen und einen Dialog zwischen Interessierten, der LSBTTIQ-Community und der Wissenschaft zu ermöglichen.[8] Die zentrale Kommunikations- und Austauschplattform ist das dafür entwickelte Internetportal *LSBTTIQ in Baden und Württemberg. Lebenswelten, Repression und Verfolgung im Nationalsozialismus und in der Bundesrepublik Deutschland* (www.lsbttiq-bw.de/). Ein wichtiger Aspekt bei den Überlegungen zur Vermittlung der Geschichte

---

8 Vgl. hierzu den Beitrag von Nina Reusch über den Public-History-Ansatz in diesem Band.

von LSBTTIQ in Baden-Württemberg stellten als Videos abrufbare Interviews mit Menschen aus Baden-Württemberg dar, die sich mit ihren Erfahrungen aus dem abgesteckten Forschungszeitraum als Akteure der Landesgeschichte erweisen.

Vor diesem Hintergrund gestaltete sich die Suche nach Personen für die geplanten fünf Interviews schwierig. Denn es zeigte sich, dass der für eine breite Öffentlichkeit vorgesehene freie Zugriff auf die gefilmten Interviews ein Ausschlusskriterium darstellen konnte. Die Einwilligung dazu stellte für viele eine gewichtige zusätzliche Entscheidungsebene dar, vergleichbar mit einem (ersten oder weiteren) Coming-out. So hat ein Zeuge seine zuvor erteilte Freigabe für die Internetveröffentlichung seines gefilmten Interviews wieder zurückgezogen, was die Organisation und Durchführung eines zusätzlichen Interviews erforderlich machte. Zudem fanden sich keine öffentlich zugänglichen Videointerviews mit Menschen aus Baden-Württemberg, die sich explizit als LSBTTIQ bezeichnen, die als Referenz und Anschauungsmaterial hätten dienen können – ein Hinweis auf den Pilotcharakter des gesamten Vorhabens. Von den Zeug_innen war deshalb ein weitaus höheres Maß an Vertrauen und Selbstbewusstsein eingefordert, als dies bei den anderen erstellten Interviews für das „Archiv der anderen Erinnerungen" der Fall war. Positiv reagierten die Angesprochenen auf den Begriff „Lebenswelten", der bei vielen eine vielschichtige Selbstbefragung auslöste und zusätzliche Erlebensbereiche aktivierte. Viele der angesprochenen Personen, darunter vor allem frauenliebende Frauen, verorteten ihre eigene Lebensgeschichte darunter und fühlten sich dadurch weit eher angesprochen als durch Begriffe wie „Repression" oder gar „Verfolgung". Diese beiden Begriffe, so scheint es, werden automatisch mit einem konkreten Straftatbestand in Verbindung gebracht – in unserem Zusammenhang mit dem § 175 StGB – und blenden dadurch anders gelagerte Erfahrungen von Diskriminierung aus.

Bei der Recherche nach Personen konnte zunächst vom Netzwerk der Bundesstiftung Magnus Hirschfeld und dem des für die Baden-Württemberg-Interviews zuständigen Mitarbeiters Karl-Heinz Steinle ausgegangen werden.[9] Neue Kontakte zu Verbänden, Initiativen, Vereinen und Einzelpersonen aus Baden-Württemberg konnten aufgebaut werden, darunter zu Mitgliedern im „Netzwerk LSBTTIQ in Baden-Württemberg". Die Zusammenschlüsse „Gay & Gray Stuttgart" und „OGays" aus Offenburg stellten in Rundschreiben das „Archiv der anderen Erinnerungen" wie auch das Forschungsvorhaben

---

9 Insbesondere Kontakte zu noch lebenden Zeug_innen für die Ausstellungs- und Buchprojekte zur Reutlinger Homophilengruppe *Kameradschaft die runde* und zum Züricher *Lesezirkel Der Kreis*.

LSBTTIQ in Baden und Württemberg vor und riefen zur Teilnahme auf. Die meisten Personen, zu denen im Lauf der Recherchen Kontakte aufgebaut werden konnten, scheuten trotz des Angebots zur Verwendung eines Pseudonyms immer noch davor zurück, ein Interview zu geben oder dieses gar zu veröffentlichen. Unter diesen Personen befinden sich viele lesbische Frauen und Transgender, vor allem jene, die in Kleinstädten und Gemeinden jenseits der Ballungszentren leben. Zwei Personen haben bei der Polizei und der Justiz gearbeitet und wären als „Täter_innen" bzw. „Täter_innen und Opfer" interessante Ansprechpersonen für entsprechende Fragestellungen. Einige Zeug_innen würden sich für ein Audio-Interview zur Verfügung stellen oder aber Einblick in Ego-Dokumente gewähren. Sie alle können in Zukunft unter verschiedenen Aspekten als unmittelbare oder mittelbare Zeug_innen befragt werden oder auf weitere Interviewpartner_innen verweisen. In jedem Falle sind sie jetzt schon Multiplikator_innen für den weiteren Aufbau eines Interview-Archivs für LSBTTIQ.

Die Interviews mit Zeug_innen aus Baden-Württemberg

Im Zeitraum zwischen Februar und Oktober 2016 konnten insgesamt sechs lebensgeschichtliche Interviews mit Menschen aus Baden-Württemberg geführt und Transkriptionen dieser Interviews angefertigt werden. Dabei ist es gelungen, Personen aus verschiedenen Landesteilen zu gewinnen. Bis auf eines wurden alle Interviews an den Wohnorten der Interviewten realisiert. Die ungeschnittenen, bis zu vier Stunden langen Lebenszeugnisse können in der Bundesstiftung Magnus Hirschfeld für Forschungszwecke eingesehen werden und stehen für weitergehende Auswertungen zur Verfügung. Von fünf der gefilmten Interviews wurden rund dreißigminütige Videozusammenschnitte angefertigt und mit einem den Zusammenschnitt charakterisierenden Zitat aus dem Interview betitelt. Jeweils zusammen mit einer Kurzbiographie wurden sie den Interviewten zur Ansicht vorgelegt und erst nach deren Freigabe auf das Internetportal eingestellt. Zu sehen sind dort drei Männer, eine Frau und die Tochter einer Transgender-Person im Alter von 70 bis 92 Jahren, die in sehr eindrücklicher Form ihre eigenen Lebenswelten schildern. Dabei kommen Diskriminierung und Ausgrenzung ebenso zur Sprache wie Selbstbewusstsein und Glück. Die Videos sind im Einzelnen:

• *Ja, ihr dürft heute heiraten, ich bin noch im Gefängnis gesessen* (Heinz Schmitz [Pseudonym], *1943 in Freiburg i. Br.[10]

---

10 Heinz Schmitz (0026/BMH/0026), Bundesstiftung Magnus Hirschfeld, 17.2.2016 (Freiburg i. Br.). Durchführung: Andreas Pretzel, Karl-Heinz Steinle und Benja-

- … *dass in Zukunft Pässe ausgestellt werden können mit zwei Geschlechtern* (Juliane Ernst, *1941 in Hof, Tochter von Kerstin Thieme, geboren 1909 in Niederschlema im Erzgebirge als Karl Thieme)[11]
- … *dass ich nicht einsehe, warum ich net's gleiche Recht habe wie andere* (Herta Leistner, *1942 in Altensteig/Schwarzwald)[12]
- … *ich war halt so, und so wie's isch, so isch's* … (Richard Moosdorf, *1924 in Stuttgart)[13]
- … *i hab au nie irgendwie groß a Doppelleben geführt, und des möcht i au net* … (Helmut Kress, *1946 in Tübingen)[14]

Die Frauen und Männer, die ihr Interview als Videozusammenschnitt auf der Webseite freigegeben haben, verfügen über ein dafür notwendiges Maß an Selbstbewusstsein oder Gelassenheit, oder aber sie haben eine Botschaft, wie sie in einigen Titeln der Videozusammenschnitte zum Ausdruck gebracht wird. Einige hatten zuvor schon Erfahrungen mit Medien gemacht: Herta Leistner beispielsweise durch ihr Engagement für Lesben in der evangelischen Kirche und die Publikation *Hättest du gedacht, dass wir so viele sind? Lesben in der Kirche*,[15] Richard Moosdorf als einer der interviewten Protagonis-

---

min Bayer. Transkription: Karl-Heinz Steinle. Schnittplan: Karl-Heinz Steinle. Schnitt: Wolfram Lippert (Center für Digitale Systeme): www.lsbttiq-bw.de/zeit¬zeuginnen-interviews/interview-mit-heinz-schmitz

11 Juliane Ernst (0025/BMH/0025), Bundesstiftung Magnus Hirschfeld, 16.2.2016 (Stuttgart). Durchführung: Niki Trautwein, Andreas Pretzel und Benjamin Bayer. Transkription: Karl-Heinz Steinle. Schnittplan: Karl-Heinz Steinle. Schnitt: Wolfram Lippert (Center für Digitale Systeme): www.lsbttiq-bw.de/zeitzeuginnen-int¬erviews/interview-mit-juliane-ernst-tochter-von-kerstin-thieme-geboren-als-karl-¬thieme

12 Herta Leistner (0030/BMH/0030), Bundesstiftung Magnus Hirschfeld, 27.9.2016 (Mülverstedt). Durchführung: Babette Reicherdt, Karl-Heinz Steinle und Benjamin Bayer. Transkription: Janina Rieck. Schnittplan: Karl-Heinz Steinle. Schnitt: Wolfram Lippert (Center für Digitale Systeme): www.lsbttiq-bw.de/zeitzeuginnen-¬interviews/interview-mit-herta-leistner

13 Richard Moosdorf (0029/BMH/0029), Bundesstiftung Magnus Hirschfeld, 19.9. 2016 (Stuttgart). Durchführung: Andreas Pretzel, Karl-Heinz Steinle und Benjamin Bayer. Transkription: Janina Rieck. Schnittplan: Karl-Heinz Steinle. Schnitt: Wolfram Lippert (Center für Digitale Systeme): www.lsbttiq-bw.de/zeitzeuginnen-¬interviews/ich-war-halt-und-wies-isch-ischs-richard-moosdorf

14 Helmut Kress (0031/BMH/0031), Bundesstiftung Magnus Hirschfeld, 22.10.2016 (Berlin). Durchführung: Karl-Heinz Steinle und Benjamin Bayer. Transkription: Janina Rieck. Schnittplan: Karl-Heinz Steinle. Schnitt: Wolfram Lippert (Center für Digitale Systeme): www.lsbttiq-bw.de/zeitzeuginnen-interviews/hab-au-nie-ir¬gendwie-doppelleben-gefuehrt-und-des-moecht-au-net-helmut-kress

t_innen im Dokumentarfilm *Ich kenn' keinen. Allein unter Heteros.*[16] Heinz Schmitz wiederum hat für zukünftige Hinweise auf ihn als Zeuge ein Pseudonym gewählt, weil er kurz vor dem Interviewtermin in einer Freiburger Zeitung als ein nach § 175 StGB Verurteilter vorgestellt worden war, was dazu geführt hatte, dass sich seine Frau und seine Kinder von ihm abgewendet hatten. Trotz dieser Erfahrungen war es für alle Interviewten ungewöhnlich, dass es im Interview ausschließlich um ihren eigenen Lebensweg, ihre eigenen Gefühle und ihre eigene Sicht der Dinge ging. Solchermaßen exklusiv in den eigenen Erinnerungen begleitet worden zu sein, verbindet manche Zeug_innen auch nach dem Interview mit der Bundesstiftung Magnus Hirschfeld und lässt sie zu Botschaftern für die Idee der Zeugenschaft werden.

Das Internetportal *LSBTTIQ in Baden und Württemberg. Lebenswelten, Repression und Verfolgung im Nationalsozialismus und in der Bundesrepublik Deutschland* wurde Anfang Oktober 2016 online gestellt. Aus den Zugriffszahlen auf die einzelnen Seiten geht hervor, dass insbesondere die Interviews auf große Resonanz stoßen. Sie erweisen sich als ein leicht zugängliches niederschwelliges Angebot und haben bislang zahlreiche Reaktionen hervorgerufen, die zu neuen Forschungen, Aktenfunden und Blogbeiträgen geführt haben. Über das Internetportal entstanden auch Kontakte zu weiteren Personen, die sich zu einem Interview bereit erklärt haben, so beispielsweise zu einer Inter-Person aus dem Allgäu, zu einer Frau aus einem privaten Frauennetzwerk aus den 1950er-Jahren und zu einem Mann aus Mannheim, gegen den in den 1960er-Jahren wegen des § 175 StGB ermittelt und der zu einer Therapie gezwungen wurde. Mit ihm konnte bereits ein lebensgeschichtliches Interview geführt werden, da sich — ebenfalls aufgrund der online gestellten Interviews — dafür ein Sponsor gemeldet hat. Die für das Forschungsvorhaben geführten Interviews sind somit nicht nur ein weiterer zeithistorischer Schatz im „Archiv der anderen Erinnerungen", sie erweisen sich auch als ausgezeichnetes Mittel für die Auseinandersetzung mit Geschichte.

Literatur
Barz, Monika/Leistner, Herta/Wild, Ute: Hättest Du gedacht, daß wir so viele sind? Lesben in der Kirche, Freiburg i. Br. 1987.
Derrida, Jaques: Bleibe. Maurice Blanchot, Wien 2003.

---

15 Monika Barz/Herta Leistner/Ute Wild: Hättest Du gedacht, daß wir so viele sind? Lesben in der Kirche, Freiburg i. Br. 1987.
16 Jochen Hick: Ich kenn' keinen. Allein unter Heteros, Hamburg/Berlin, Galeria Alaska (DVD), 2004.

Gelbin, Cathy/Lezzi, Evi: Projektvorstellung und Einleitung, in: Cathy Gelbin u. a. (Hrsg.): Archiv der Erinnerung — Interviews mit Überlebenden der Shoah, Bd. 1: Videographierte Lebenserinnerungen und ihre Interpretationen, Potsdam 1998, S. 19—38.

Hartman, Geoffrey: Videointerviews zum Holocaust. Gedanken zu zentralen Dokumenten des 20. Jahrhunderts, in: Daniel Baranowski (Hrsg.): „Ich bin die Stimme der sechs Millionen". Das Videoarchiv im Ort der Information, Berlin 2009, S. 15—26.

Hick, Jochen: Ich kenn' keinen. Allein unter Heteros, Hamburg/Berlin 2004 (Dokumentarfilm).

Laub, Dori: Bearing Witness, or the Vicissitudes of Listening, in: Shoshana Felman und Dori Laub (Hrsg.): Testimony. Crises of Witnessing in Literature, Psychoanalysis, and History, New York 1992, S. 57—74.

Rosenthal, Gabriele: Erlebte und erzählte Lebensgeschichte: Gestalt und Struktur biographischer Selbstbeschreibungen, Frankfurt/M. 1995.

Steinle, Karl-Heinz: Die Geschichte der Kameradschaft die runde 1950 bis 1969, Berlin 1998.

Steinle, Karl-Heinz: Der Kreis: Mitglieder, Künstler, Autoren, Berlin 1999.

Wierling, Dorothee: Zeitgeschichte ohne Zeitzeugen. Vom kommunikativen zum kulturellen Gedächtnis — drei Geschichten und zwölf Thesen, in: BIOS — Zeitschrift für Biographieforschung, Oral History und Lebensverlaufsanalysen, Bd. 21, 2008, H. 1, S. 28—36.

Martin Lücke

Geschlechtliche und sexuelle Vielfalt als Thema historischen Lernens

Geschlechtliche und sexuelle Vielfalt — ist das auch ein Thema für die Schule? Die Diskussionen darum wurden zumindest laut und engagiert geführt, am lautesten zuletzt in den Debatten um den *Bildungsplan 2015* in Baden-Württemberg. Unter dem Leitprinzip „Bildung für nachhaltige Entwicklung" war hier in der Entwurfsfassung zu lesen:

> „Schülerinnen und Schüler kennen die verschiedenen Formen des Zusammenlebens von/mit LSBTTI-Menschen und reflektieren die Begegnungen in einer sich wandelnden, globalisierten Welt.
>
> - klassische Familien, Regenbogenfamilien, Single, Paarbeziehung, Patchworkfamilien, Ein-Eltern-Familien, Großfamilien, Wahlfamilien ohne verwandtschaftliche Bande;
> - schwule, lesbische, transgender und soweit bekannt intersexuelle Kultur (Musik, Bildende Kunst, Literatur, Filmschaffen, Theater und neue Medien) und Begegnungsstätten (soziale Netzwerke, Vereine, politische Gruppen, Parteien)."[1]

Diese Themensetzung blieb nicht unwidersprochen. Eine Gegenpetition warnte vor einem Bildungsplan „unter der Ideologie des Regenbogens". In der überarbeiteten Fassung, den *Bildungsplänen 2016*, wurde den lauten Protesten offenbar Rechnung getragen. Von LSBTTI-Menschen, Regenbogenfamilien oder schwuler/lesbischer Kultur ist nun unter der Überschrift *Bildung für Toleranz und Akzeptanz von Vielfalt*[2] nicht mehr die Rede, stattdessen wird nun auf „das christliche Menschenbild" verwiesen und von „dem besonderen Schutz von Ehe und Familie" gesprochen.[3]

---

1 Vgl. https://web.archive.org/web/20140124070408/http://www.kultusportal-bw.de/site/pbs-bw/get/documents/KULTUS.Dachmandant/KULTUS/kultusportal-bw/Bildungsplanreform/Arbeitspapier_Leitprinzipien.pdf (Zugriff am 28.6.2017).

2 Vgl. www.bildungsplaene-bw.de/,Lde/Startseite/BP2016BW_ALLG/BP2016BW_ALLG_LP_BTV (Zugriff am 28.6.2017).

Auf dem Höhepunkt der Debatten in Baden-Württemberg im Jahr 2014 konnte Ministerpräsident Winfried Kretschmann die von Verführungsszenarien getriebenen Gegner des Bildungsplans beruhigen. Er teilte im Februar 2014 in der Wochenzeitung *Die Zeit* mit: „Der Staat wird niemanden zur Homosexualität erziehen." Die Verantwortung delegierte der gelernte Biologielehrer von der Schule an die Wissenschaft und bemerkte: „Warum die Menschen verschieden sind, muss die Wissenschaft klären. Es hat immer biologische und soziokulturelle Ursachen."[4]

Bemerkenswert ist zunächst, dass die Zeitung aus Kretschmanns Worten die Schlagzeile „Der Staat macht keinen schwul" extrahierte, eine mögliche Bedrohung also im Kern an männlicher Homosexualität festmachte. Insgesamt verkannte der Ministerpräsident jedoch die Problemlage: In der Tat „macht" Schule nicht schwul/lesbisch/inter/trans* — das Problem stellt sich freilich ganz anders dar: Die heteronormative Ordnung staatlicher Erziehung macht es den vielfach als „Betroffenen" markierten Jugendlichen im Lebensraum Schule fast unmöglich, eine geschlechtlich-sexuelle Identität jenseits eines heteronormativen Grundkonsenses zu entwickeln.

Fand das Thema der sexuellen und geschlechtlichen Vielfalt in der Schule überhaupt seinen Platz, so wurde es im Rahmen von Sexualpädagogik zum Gegenstand des Biologieunterrichts. Zwar erkannten bereits Zeitgenoss_innen zu Beginn des 20. Jahrhunderts, dass es das als heterosexuell gedachte „Normalkinde"[5] ist, das selbstredend zum Referenzpunkt in der Schule wird — der Weg von einer Fixierung auf ein solches „Normalkinde" zu einer „Sexualpädagogik der Vielfalt"[6] war jedoch noch ein langer und weiter. So entwickelte sich erst zu Beginn des 21. Jahrhunderts eine „Sexualpädagogik der Vielfalt" unter den Prämissen der *Queer Studies.* Hier wird vorgeschlagen, Vorstellungen von „bipolaren (Geschlechts-)Identitäten aufzulösen und multiple Kontinua mit den Polen 1. Männlich—weiblich, 2. Heterosexuell—homosexuell und 3. verschiedener Beziehungsweisen

---

3 Vgl. www.bildungsplaene-bw.de/,Lde/Startseite/BP2016BW_ALLG/BP2016BW_ALL¬ G_LP_BTV (Zugriff am 28.6.2017).

4 Winfried Kretschmann: Der Staat macht keinen schwul. Interview in der ZEIT, Nr. 10/2014 vom 27.2.2014.

5 Magnus Hirschfeld: Die Homosexualität des Mannes und des Weibes, Berlin 1914, S. 121.

6 Martin Lücke: Vom „Normalkinde" zu einer Sexualpädagogik der Vielfalt — Homosexualitäten in den Bildungswissenschaften, in: Florian Mildenberger/Jennifer Evans/Rüdiger Lautmann/Jakob Pastötter (Hrsg.): Was ist Homosexualität? Forschungsgeschichte, gesellschaftliche Entwicklungen und Perspektiven, Hamburg 2014, S. 513—527.

und Lebensformen (z. B. Single, Zweierbeziehung und WG) pädagogisch zu unterstützen"[7] und auf diese Weise auch zur Grundlage von Bildung in der Schule zu machen.

Im Alltag einer geschlechtersensiblen Schule konkurriert ein solcher Ansatz freilich mit anderen Konzepten. So zeigt Jürgen Budde, dass der Ansatz einer Mädchenparteilichkeit (Mädchen sollen in der Schule positiv unterstützt werden, während Jungen ihre Grenzen aufgezeigt bekommen) allmählich vom Ansatz der Gleichberechtigung (gleiche Rechte und Pflichten für Jungen und Mädchen, geschlechtergerechter Sprachgebrauch, z. B. abwechselnde Redebeiträge von Jungen und Mädchen) abgelöst wurde. Dies wiederum führte zu einem „Jetzt sind mal die Jungen dran" („Schule als weibliches Biotop", Jungen als die neuen Benachteiligten im System Schule).[8] Ein Ansatz von Heterogenität und Diversity schließlich „betont die Vielfalt unterschiedlicher Geschlechterkonzepte"[9] und unternimmt das Ziel, „sich von den Gendergruppen zu lösen, um vielmehr Individuen wahrzunehmen". Die ersten drei Ansätze zeichnen sich durch drei Grundannahmen zu geschlechtlicher und sexueller Identität aus: Durch die „Annahme der Konstanz [...] einer Naturhaftigkeit (und durch(Dichotomizität". Nur der letzte Ansatz im Sinne eines *doing gender* geht davon aus, „dass Geschlecht in Interaktionen hergestellt wird [...], dass Geschlecht nichts ist, was Personen *haben*, sondern etwas, das sie *tun*" — und das eben auch im Handlungsfeld Schule.

Die genderwissenschaftliche Grundannahme einer sozialen Konstruiertheit von Geschlecht schließlich soll im Konzept einer „gendersensiblen Schule aufgehen". Jürgen Budde präzisiert hierzu:

> „Um zu betonen, dass Geschlecht eine soziale Kategorie ist, wird mittlerweile zunehmend der Begriff der ‚gendersensiblen Schule' verwendet. Der erste Teil des Begriffs der *gender*sensiblen Schule rekurriert dabei auf die Unterscheidung zwischen *sex* und *gender*. Der zweite Teil des Begriffs der gender*sensiblen* Schule verweist darauf, dass das Ziel nicht normativ [...] als Gerechtigkeit definiert wird, son-

---

7 Elisabeth Tuider: Geschlechtereventualitäten: eine sexualpädagogische Dekonstruktion postmoderner Geschlechterbeziehungen, in: Paul M. Hahlbohm/Til Hurlin (Hrsg): Querschnitt — Gender Studies. Ein interdisziplinärer Blick nicht nur auf Homosexualität, Kiel 2001, S. 167—181, hier S. 176.

8 Alan Guggenbühl: Die Schule — ein weibliches Biotop? Psychologische Hintergründe der Schulprobleme von Jungen, in: Michael Matzner/Wolfgang Tischner (Hrsg.): Handbuch Jungen-Förderung, Weinheim 2008, S. 150—167.

9 Vgl. auch zu den folgenden Zitaten Jürgen Budde: Geschlechtersensible Schule, in: Hannelore Faulstich-Wieland (Hrsg.): Umgang mit Heterogenität und Differenz, Baltmannsweiler 2011, S. 99—119, hier S. 100 ff.

dern im Vordergrund vielmehr Sensibilität gegenüber den individuellen, gesellschaftlichen und institutionellen Herstellungsmechanismen von Geschlecht steht."

In diesem Beitrag werden Möglichkeiten für den Unterricht im Fach Geschichte aufgezeigt, die dazu beitragen können, Schule als gendersensiblen Raum auch im fachlichen Lernen (hier besonders im Fach Geschichte) zu verankern und *allen* Jugendlichen Freiräume für das Entdecken von Identitätskonzepten vor dem Hintergrund von geschlechtlicher und sexueller Vielfalt aufzuzeigen.[10]

Das Berliner Projekt des „Queer History Month"

Einen vielversprechenden Ansatz verfolgen die *LGBT-History Months* in den USA[11] und in Großbritannien,[12] angelehnt an die Idee des *Black History Month*, der der Erinnerung an bedeutende Ereignisse und Persönlichkeiten in der Geschichte der afroamerikanischen Community dient.[13] Während eines als *LGBT-History Month* designierten Monats finden unterschiedliche Veranstaltungen statt, die über eine zentrale Internetplattform bekannt gemacht werden. Jede und jeder kann sich an diesem Ereignis beteiligen und eigene Veranstaltungen organisieren. Zentral sind dabei die Biographien und das Gedenken an LSBTI-Menschen[14] bzw. an solche, denen eine solche Biographie heute zugeschrieben wird. Zu der Liste solcher Biographien etwa

---

10 Vgl. hierzu auch Martin Lücke: Geschichte queer unterrichten. Der Queer History Month in Berlin, in: Nadja Bennewitz/Hannes Burkhardt (Hrsg.): Gender in Geschichtsdidaktik und Geschichtsunterricht. Neue Beiträge zu Theorie und Praxis, Münster 2016, S. 187 – 199; ders.: Erinnern für die Zukunft. Inklusive Erinnerungskultur im Geschichtsunterricht: Das Beispiel des Berliner Queer History Month, in: Schule NRW 05/2016: Kulturelle Bildung in Schulen stärken, S. 10 – 12; ders.: Queeres Erinnern, sexuelle Vielfalt und historisches Lernen — Gedanken zum geschichtsdidaktischen Potenzial von queerhistory.de und des „Archivs der anderen Erinnerungen", in: Florian Mildenberger (Hrsg.): Die andere Fakultät. Theorie, Geschichte, Gesellschaft, Hamburg 2015, S. 322 – 332.; ders.: „Der Staat macht keinen schwul!" — Geschlechtliche und sexuelle Vielfalt im gesellschaftswissenschaftlichen Unterricht, in: Sabine Achour (Hrsg.): Themenheft „Heterogenität", Schwalbach/Ts. 2015, S. 38 – 44.
11 http://lgbthistorymonth.com (Zugriff am 28.6.2017).
12 http://lgbthistorymonth.org.uk (Zugriff am 28.6.2017).
13 www.africanamericanhistorymonth.gov (Zugriff am 28.6.2017).
14 Im deutschen Sprachraum wird oft mit der Abkürzung LSBTI gearbeitet, womit Lesben, Schwule, Bisexuelle, Transgeschlechtliche und Intersexuelle gemeint sind.

des Britischen *LGBT History Month* gehören unter anderem die Lebensgeschichten von Alan Turing, Harvey Milk, des Kaisers Hadrian, Simone de Beauvoir und vielen weiteren.[15] Die einzelnen Veranstaltungen müssen jedoch nicht zwingend einen historischen Bezug haben. Im Vordergrund steht zunächst das Anliegen, sexuelle Vielfalt als Thema in den öffentlichen Diskurs einzubringen. So gab es 2012 in Großbritannien spezielle Veranstaltungen in Museen und Bibliotheken, aber auch Unterrichtseinheiten gegen Homo- und Transphobie an Schulen oder Vorträge zu queerer Literatur.[16]

Seit 2009 besteht in Berlin die Senatsinitiative *Selbstbestimmung und Akzeptanz sexueller Vielfalt* in Berlin. In deren Rahmen fand im Sommer 2012 ein Treffen Berliner Akteur_innen im Bereich öffentliche und schulische Vermittlung von sexueller Vielfalt statt.[17] Auf diesem Treffen wurde die Durchführung eines *Queer History Month* in Berlin ins Auge gefasst. Im Unterschied zu den Initiativen aus den USA und Großbritannien wurde mit der Benennung „queer" ein Begriff gewählt, der von Anfang an einen offenen Ansatz bot und in dem die Geschichte aller Menschen jenseits der heterosexuellen Norm Platz findet. Auf diese Weise soll vor allem das macht- und gesellschaftskritische Potenzial des Konzeptes „queer" ausgeschöpft werden.

Für die erfolgreiche Etablierung eines *Queer History Month* schien es neben der Einbindung außerschulischer Akteur_innen vor allem entscheidend zu sein, eine breite Präsenz an Schulen zu erlangen. Dies bedeutete, sich einerseits mit der Frage zu beschäftigen, wie Hürden und Hemmnisse für Lehrer_innen abgebaut werden können, ein Thema zu behandeln, das in Teilen der Gesellschaft weiterhin als sensibel und schwierig zu vermitteln gilt. Andererseits ging es darum, ein Bewusstsein dafür zu schaffen, weshalb gerade die *Geschichte* sexueller Vielfalt ein wichtiger Bestandteil schulischen Geschichtsunterrichts ist.

Einen Versuch der Begegnung mit diesen Herausforderungen startete der Arbeitsbereich Didaktik der Geschichte an der FU Berlin mit Beginn des Wintersemesters 2012/13 mit zwei Seminaren zum Thema *Queer History* im Lehramtsmasterstudiengang. In einem fachhistorischen Seminar beschäftigten sich die Studierenden mit Gender-Theorien, *Queer-Theory* und den Mög-

---

15 http://lgbthistorymonth.org.uk/category/history/lgbt-people/biographies (Zugriff am 28.6.2017).

16 www.lgbtdevelopment.org.uk/consortium2/node/894 (Zugriff am 28.6.2017).

17 Anwesend waren Berliner Akteuer_innen queerer und schulischer Bildungsarbeit, unter anderem die Bildungsinitiative QUEERFormat, der Lesbanarchiv Spinnboden, das Schwule Museum, der LSVD, die AG Schwule Lehrer der GEW, das Landesinstitut Schule und Medien Berlin-Brandenburg sowie der Arbeitsbereich Didaktik der Geschichte der Freien Universität Berlin.

lichkeiten einer Anwendung dieser Theorieangebote in den Geschichtswissenschaften.

Das Projekt geht von der Grundidee aus, dass sexuelle und geschlechtliche Identitäten in komplexen und vielschichtigen Prozessen erst hervorgebracht werden — von handelnden und leidenden Menschen in Vergangenheit und Gegenwart. Insbesondere historische Zugänge in den Gesellschaftswissenschaften bieten die Möglichkeit, solche vielschichtigen Prozesse kennenzulernen, geht es bei historischem Lernen doch immer auch darum, sich vergangene Wirklichkeiten als die eigene Vorgeschichte anzueignen und sich selbst als gewordener, „historischer" Mensch zu begreifen. Dabei kann ein historisch lernender Blick zweierlei sichtbar werden lassen:

1. Identitäten waren in der Vergangenheit anders als heute. Sie wurden auf andere Weise konstruiert, spielten für die Menschen der Vergangenheit in ihrer Alltagspraxis eine andere Rolle als heute und waren auf andere Weise konfliktträchtig als in unserer Gegenwart. Wenn wir uns mit ihnen als Teil der Vergangenheit beschäftigen, erfahren wir also, dass sie in der Vergangenheit anders gedacht und anders gemacht wurden als heute.[18]

2. Neben dem Erfahren einer solchen Alterität von Geschlecht und Sexualität, die das Anders-Sein als etwas historisch Normales zu erkennen gibt, können Lernende auch die Historizität, also die grundsätzliche Wandelbarkeit von Konzepten über Sexualität und Geschlecht kennenlernen. Dabei erfahren sie nicht nur, dass die Dinge dereinst anders waren, sondern sie lernen auch, *en détail* die Prozesse nachzuzeichnen, durch die sich der Wandel vollzogen hat. Sie erkennen, welche Bedeutung beispielsweise Emanzipation, Partizipation und Liberalisierung von Gruppen und Individuen auf Formen gesellschaftlichen Wandels und den Kampf um Anerkennung haben. Sie erfahren auf diese Weise, dass es handelnde und leidende Menschen der Vergangenheit waren, die daran mitgewirkt haben, dass sich Vorstellungen zu Sexualität und Geschlecht geändert

---

18 Vgl. Adrian Lehne/Martin Lücke: Der Umgang mit der Geschichte sexueller Vielfalt am Beispiel von „Teaching Queer History", in: Lernen aus der Geschichte. Sonderausgabe September 2014: Anders sein. Außenseiter in der Geschichte (www.lernen-aus-der-geschichte.de/Lernen-und-Lehren/content/11978; Zugriff am 28.6.2017); Adrian Lehne/Martin Lücke: „Teaching Queer History" — Ein Projekt zur Geschichte sexueller Vielfalt am Arbeitsbereich Didaktik der Geschichte, in: Zentrale Frauenbeauftragte der Freien Universität Berlin (Hrsg.): Wissenschaftlerinnen-Rundbrief 2/2013, Schwerpunkt: Gender in der Lehre, S. 11—14.

haben — und auch, dass solche Vorstellungen in Gegenwart und Zukunft grundsätzlich änderbar sind.

Im Verlauf des Seminars entstand ein Analyseraster für ein queeres Lesen historischer Quellen. Die Ergebnisse aus dem fachhistorischen Seminar wurden in der Lehrveranstaltung *Teaching Queer History* wieder aufgenommen. In dessen Mittelpunkt stand dann aber das Ziel, die Geschichte sexueller Vielfalt und von sexuellen Identitäten zu didaktisieren. Im Rahmen des Seminars arbeiteten die Studierenden an Unterrichtsentwürfen zur praktischen Umsetzung in der Schule.

Aus dem Seminar bildete sich eine Redaktionsgruppe heraus, die sich mit der Überarbeitung der Unterrichtsentwürfe beschäftigte und gemeinsam mit der Agentur für Bildung e. V. die Internetplattform www.queerhistory.¬ de entwickelte. Ziel dieses Portals ist neben einer Plattform für die Veröffentlichung der Unterrichtsentwürfe vor allem die Bereitstellung von Informationen für Lehrer_innen. Zudem soll das Portal zu einer zentralen Kommunikationsplattform ausgebaut werden, vergleichbar dem Internetportal der anglo-amerikanische *LGBT History Months*.

Eine besondere Herausforderung stellte die Umsetzung der entstandenen Unterrichtsentwürfe für die Online-Plattform dar. Hierbei sollte keine einfache Veröffentlichung in Form eines ausdruckbaren Dokuments entstehen. Vielmehr sollten die Möglichkeiten des Web 2.0 genutzt werden. Dementsprechend wurden alle Unterrichtsentwürfe modularisiert, so dass sie zum einen in der Form eines Verlaufsplans auffindbar und unterrichtbar sind. Zum anderen sind einzelne Themenfelder einzeln recherchierbar und als Materialquelle nutzbar. Lehrer_innen sollen somit die Möglichkeit bekommen, auf möglichst einfachem Weg Material zu dem spezifischen Thema zu bekommen, das sie unterrichten möchten — oder müssen.

Im Rahmen der Entwicklung des Internetportals sind zudem zwei Stadtrundgänge entstanden. Einer thematisiert das schwul-lesbische Leben in Berlin-Schöneberg in den 1920er-Jahren. Zu den Stationen gehören zum Beispiel die Orte, an denen einst der *Nationalhof* oder das *Eldorado* standen, die zu bedeutenden Orten der schwul-lesbischen Subkultur gehört haben, oder auch der Gedenkort für die Lesbenaktivistin Hilde Radusch. Ein weiterer Stadtrundgang zu queerem Leben nach 1945 thematisiert die LSBTTIQ-Geschichte in Berlin-Mitte.

Unterrichtsmaterial des Portals

Insgesamt liegen mittlerweile (Stand Sommer 2017) neun Unterrichtsmodule vor, von denen einige auch konkret für den Politikunterricht verwendet werden können, alle aber inhaltlich für den Geschichtsunterricht geeignet sind: „Paragraph 175 – Verbotene Liebe im 20. Jahrhundert", „Geschichte der Empfängnisverhütung", „Geschlecht und Beruf – Arbeitsmigration in den 1960er-Jahren der BRD", „Homosexualität in der DDR", „Transvestismus in der ersten Hälfte des 20. Jahrhunderts", „Der Harem der osmanischen Sultane", „Die Memoiren der*des Herculine Barbin" zu Intersexualität, „Verbotene Liebe heute und verbotene Liebe im Mittelalter" zu Inzestvorstellungen im Wandel der Zeit sowie ein Einführungsmodul in die Geschichte von sexueller und geschlechtlicher Vielfalt.

Hier soll eines dieser Module vorgestellt werden, eben jenes zur Einführung in das Thema. Das komplette Material zu diesen Lernangeboten steht als Download auf der Internetseite zur Verfügung, so dass sich die Überlegungen in diesem Aufsatz auf die fachlichen und didaktischen Aspekte der Module beschränken können.

Vielleicht ist es für Schüler_innen aber zunächst eine grundlegend überraschende Idee, dass auch Geschlecht und Sexualität eine Geschichte haben – und zwar eine Geschichte, die auch in den Gesellschaftswissenschaften gelehrt und gelernt werden kann. Zum Einstieg in die historisch-politischen Module wurde ein Einführungsmodul unter dem Titel *Eine kleine Geschichte zu Sexualität und Geschlecht* entwickelt. Dazu wurden 22 ganz unterschiedliche Ereignisse oder Kurzbeschreibungen zeitgenössischer Zustände aus der gesellschaftspolitischen Geschichte ausgewählt, die eine große Bandbreite dessen abdecken, was im Bereich von Geschlechterverhältnissen und Sexualität im Wandel der Zeit zu beobachten ist – von der Bestrafung gleichgeschlechtlich begehrender Menschen (Frauen wie Männer) mit dem Feuertod in der Frühen Neuzeit bis hin zur Formierung der ersten Homosexuellenbewegung gegen Ende des 19. Jahrhunderts, von der Durchsetzung des Wahlrechts für Frauen 1918/19 bis hin zum Verbot der Vergewaltigung von Frauen in der Ehe in den 1990er Jahren. Den Schüler_innen wird – in Gruppen von zehn bis zwölf Teilnehmer_innen – ein Set von Karten ausgeteilt, auf denen die richtigen Jahreszahlen fehlen. Die Schüler_innen werden dann aufgefordert, diese 22 Ereigniskarten in eine richtige chronologische Reihenfolge zu bringen. Dabei werden ihnen Ereignisse begegnen, die völlig neu für sie sind (etwa das sogenannte „Inzesturteil" des Bundesverfassungsgerichts aus dem Jahr 2008), andere werden sie fast mühelos richtig terminieren können (etwa die Verschleppung schwuler Männer in Konzentrationslager). Sie sollen natürlich auch über die vermutete richtige Reihenfolge der Ereignisse diskutieren und jeweils benennen, zu welchen Ereignissen sie bereits etwas wissen und zu welchen nicht. Höchstwahrscheinlich erarbeiten sie dabei also eine Chronologie, die nicht die richtige ist. Wenn die Klasse in mehrere Gruppen unterteilt wurde, entstehen zudem unterschiedliche, voneinander abweichende Chronologien. Auf diese Weise kann deutlich werden, dass es innerhalb einer Lerngruppe unterschiedliche Auffassungen darüber gibt, was im Lauf der Zeit einem Wandel unterlegen war und was nicht, was im tiefen Dunkel der Geschichte vermutet wird (vielleicht der Tod auf dem Scheiterhaufen und zugleich die Vergewaltigung in der Ehe), und was die Schüler_innen als eine Erscheinung unserer allerjüngsten Vergangenheit ansehen (vielleicht die erste transgeschlechtliche Operation in Deutschland oder die Entstehung einer homosexuellen Emanzipationsbewegung). Nachdem die Schüler_innen die Karten chronologisch sortiert haben, kann die Lehrkraft die Erläuterungskarten austeilen. Die Schüler_innen lesen die jeweils richtige Jahreszahl sowie die Erläuterung laut vor. Sie können abschließend festhalten, was sie besonders überrascht hat und was sie erwartet haben. Diese Einführungsübung bietet die Möglichkeit, an viele der Fragen, die hier gestellt werden, anzuknüpfen und sich dann vertiefend mit Aspekten der Geschichte von Sexualität und Geschlecht zu beschäftigen – etwa in einem der ausführlichen Themenmodule.

Fazit und Perspektiven

Bei der Herausforderung, Schule als einen Raum zu entwerfen, in dem Kinder und Jugendliche eine geschlechtlich-sexuelle Identität diesseits und jenseits eines heteronormativen Grundkonsenses entwickeln können, lohnt es sich – das haben die Ausführungen gezeigt –, auch das spezifische Bildungspotenzial der Fächer zu nutzen. Historisches Lernen kann dabei insbesondere aufzeigen, dass Geschlecht und Sexualität anders gedacht werden können als in unserer Gegenwart – und dass sich geschlechtliche und sexuelle Identitäten im permanenten Wandel befinden.

Für die Zukunft historischer Bildungsarbeit in der Schule besteht die Aufgabe darin, immer wieder neues Material zu entwickeln, das dem Facettenreichtum aktueller fachhistorischer Forschung gerecht wird und auf diese Weise auch Lernenden in der Schule Geschichte als einen facettenreichen sekundären Erfahrungsraum eröffnet. Gerade der Einbezug von Zeitzeug_inneninterviews zur LSBTTIQ-Geschichte verspricht dabei mannigfache und didaktisch anspruchsvolle Zugänge. Freilich sind auch andere Fächer gefragt

— nicht nur, um einem allgemeinen Auftrag von diskriminierungsfreier Schule gerecht zu werden, sondern auch, um den domänenspezifschen Kern ihres fachlichen Anliegens mit der Thematik von LSBTTIQ zu vernetzen.

Literatur

Budde, Jürgen: Geschlechtersensible Schule, in: Hannelore Faulstich-Wieland (Hrsg.): Umgang mit Heterogenität und Differenz, Baltmannsweiler 2011, S. 99 – 119.

Faulstich-Wieland, Hannelore (Hrsg.): Umgang mit Heterogenität und Differenz, Baltmannsweiler 2011.

Guggenbühl, Alan: Die Schule — ein weibliches Biotop? Psychologische Hintergründe der Schulprobleme von Jungen, in: Michael Matzner/Wolfgang Tischner (Hrsg.): Handbuch Jungen-Förderung, Weinheim 2008, S. 150 – 167.

Hirschfeld, Magnus: Die Homosexualität des Mannes und des Weibes, Berlin 1914.

Lehne, Adrian/Lücke, Martin: Der Umgang mit der Geschichte sexueller Vielfalt am Beispiel von „Teaching Queer History", in: Lernen aus der Geschichte. Sonderausgabe September 2014: Anders sein. Außenseiter in der Geschichte (www.lernen-aus-der-geschichte.de/Lernen-und-Lehren/content/11978; Zugriff am 28.6.2017).

Lehne, Adrian/Lücke, Martin: Teaching Queer History. Ein Queer History Month in Berlin im Februar 2014, in: Invertito. Jahrbuch für die Geschichte der Homosexualitäten 15 (2014), S. 205 – 208.

Lehne, Adrian/Lücke, Martin: „Teaching Queer History" — Ein Projekt zur Geschichte sexueller Vielfalt am Arbeitsbereich Didaktik der Geschichte, in: Zentrale Frauenbeauftragte der Freien Universität Berlin (Hrsg.): Wissenschaftlerinnen-Rundbrief 2/2013, Schwerpunkt: Gender in der Lehre, S. 11 – 14.

Lücke, Martin: Vom „Normalkinde" zu einer Sexualpädagogik der Vielfalt — Homosexualitäten in den Bildungswissenschaften, in: Florian Mildenberger/Jennifer Evans/Rüdiger Lautmann/Jakob Pastötter (Hrsg.): Was ist Homosexualität? Forschungsgeschichte, gesellschaftliche Entwicklungen und Perspektiven, Hamburg 2014, S. 513 – 527.

Lücke, Martin: Geschichte queer unterrichten. Der Queer History Month in Berlin, in: Nadja Bennewitz/Hannes Burkhardt (Hrsg.): Gender in Geschichtsdidaktik und Geschichtsunterricht. Neue Beiträge zu Theorie und Praxis, Münster 2016, S. 187 – 199.

Lücke, Martin: Erinnern für die Zukunft. Inklusive Erinnerungskultur im Geschichtsunterricht: Das Beispiel des Berliner Queer History Month, in: Schule NRW 05/ 2016: Kulturelle Bildung in Schulen stärken, S. 10 – 12.

Lücke, Martin: Queeres Erinnern, sexuelle Vielfalt und historisches Lernen — Gedanken zum geschichtsdidaktischen Potenzial von queerhistory.de und des „Archivs der anderen Erinnerungen", in: Florian Mildenberger (Hrsg.): Die andere Fakultät. Theorie, Geschichte, Gesellschaft, Hamburg 2015, S. 322 – 332.

Lücke, Martin: „Der Staat macht keinen schwul!" — Geschlechtliche und sexuelle Vielfalt im gesellschaftswissenschaftlichen Unterricht, in: Sabine Achour (Hrsg.): Themenheft „Heterogenität", Schwalbach/Ts. 2015, S. 38 – 44.

Tuider, Elisabeth (2001): Geschlechtereventualitäten: eine sexualpädagogische Dekonstruktion postmoderner Geschlechterbeziehungen, in: Paul M. Hahlbohm/Til Hurlin (Hrsg): Querschnitt — Gender Studies. Ein interdisziplinärer Blick nicht nur auf Homosexualität, Kiel 2001, S. 167—181.

Aktuelle Entwicklungen

Pierre Thielbörger

Besser spät als nie: geschichtlicher und verfassungsrechtlicher Hintergrund zur Rehabilitierung und Entschädigung von nach § 175 StGB verurteilten Personen

In den letzten Zügen seiner Legislaturperiode beschloss der 18. Deutsche Bundestag am 22. Juni 2017 ein *Gesetz zur strafrechtlichen Rehabilitierung der nach dem 8. Mai 1945 wegen einvernehmlicher homosexueller Handlungen verurteilten Personen* (StRehaHomG)[1]. Das Gesetz trat am 22. Juli 2017 in Kraft. Dieser gesetzlichen Neuerung war mehr als ein Jahrhundert staatlicher Diskriminierung von Homosexuellen in Deutschland vorausgegangen.

Verfolgung im Kaiserreich und in der NS-Zeit

Der berüchtigte § 175 des Strafgesetzbuches (StGB) hatte in Deutschland schon seit dem Kaiserreich bestanden. Dort hatte § 175 des Reichstrafgesetzbuches (RStGB) von 1871 die „widernatürliche Unzucht" zwischen „Personen männlichen Geschlechts oder von Menschen mit Tieren" untersagt. Diese „Widernatürlichkeit" betraf nur beischlafähnliche homosexuelle Handlungen und war insofern als Analogon zum heterosexuellen Beischlaf konstruiert.[2] Wechselseitige Berührungen oder sogar Masturbation waren danach nicht strafbar. Auch bestand keine Strafbarkeit für Frauen.

Die Nationalsozialisten verschärften den § 175 RStGB im Jahr 1935 drastisch. Das Strafrechtsänderungsgesetz vom 28. Juni 1935[3] führte einen neuen § 175 („Unzucht") sowie einen § 175a RStGB („schwere Unzucht") ein, wenn besondere Umstände (etwa Gewerbsmäßigkeit oder Minderjährigkeit) hinzutraten. Diese gesetzliche Neuregelung entsprach einer dramatischen Verschärfung und Ausweitung der Strafbarkeit, denn nunmehr war jede homosexuelle Handlung als „Unzucht" strafbar.[4] Nicht einmal Nacktheit oder Körperkontakt waren noch nötig, um eine Strafbarkeit zu begrün-

---

1   BGBl. I 2017, S. 2443. Mein Dank gilt Marius Fritz und Benedikt Behlert für ihre Unterstützung bei der Recherche und dem Fertigstellen dieses Beitrags.

2   RGSt 1, 395 (396); RGSt 34, 246.

3   3. Gesetz zur Änderung des Strafgesetzbuches v. 28.6.1935, in Kraft getreten am 1.9.1935.

4   RGSt 70, 224 (224 f.).

den. Mit der Neuregelung ging eine massive polizeiliche Verfolgung Homosexueller durch die Nationalsozialisten einher.[5]

Verfolgung in der DDR

Als 1949 die beiden deutschen Staaten entstanden, kehrte die Deutsche Demokratische Republik (DDR) alsbald zur milderen Fassung des § 175 RStGB aus dem Kaiserreich zurück,[6] da § 175 nationalsozialistisches Gedankengut aufgewiesen hätte. § 175a RStGB, die „schwere Unzucht", hingegen sollte weiter in der verschärften Version von 1935 angewandt werden.[7] Allerdings bestand in der DDR nur eine geringe Verfolgungspraxis. Eine strafrechtliche Verantwortlichkeit war dann ausgeschlossen, wenn es um geringfügige Fälle ging und kein Schaden für Staat oder Individuum drohte.[8] Im Jahr 1968 wurden § 175 StGB-DDR und § 175a StGB-DDR ganz gestrichen und durch die §§ 149−151 StGB-DDR („sexueller Missbrauch von Jugendlichen") ersetzt.[9] Bereits damals vollzog die DDR somit (jedenfalls scheinbar) den Wandel von einer Norm, die Homosexuelle diskriminierte, hin zu einer Norm zum Schutz der Jugend. Interessanterweise bestanden trotzdem weiterhin verschiedene Schutzaltersgrenzen für homosexuelle bzw. heterosexuelle Handlungen: § 149 und § 150 Abs. 1 StGB-DDR verboten Geschlechtsverkehr mit Jugendlichen anderen Geschlechts „zwischen vierzehn und sechzehn Jahren". § 151 StGB-DDR hingegen verbot Geschlechtsverkehr mit jeglichen „Jugendlichen" des gleichen Geschlechts, also Personen unter 18 Jahren. Sowohl Frauen als auch Männer waren gleichermaßen erfasst. Erst 1988 wurde § 151 StGB-DDR gestrichen und ein einheitliches Schutzalter für Jugendliche eingeführt.[10]

---

5 Günter Grau: Homosexualität in der NS-Zeit. Dokumente einer Diskriminierung und Verfolgung, Frankfurt/M. 2004, S. 197 f.; Rüdiger Lautmann: Abolition der Vergangenheit. Lässt sich rechtsstaatliches Strafrecht rückwirkend aufheben?, in: Kriminologisches Journal 43 (2011), S. 268−287, hier S. 275.

6 Oberstes Gericht der DDR, Urteil v. 28.3.1950, OGSt 1, S. 190.

7 Bert Thinius: Verwandlung und Fall des Paragraphen 175 in der Deutschen Demokratischen Republik, in: Matthias Grimm (Hrsg.): Die Geschichte des § 175. Strafrecht gegen Homosexuelle, Berlin 1990, S. 145−162, hier S. 146; Günter Grau/Rüdiger Lautmann: Lexikon der Homosexuellenverfolgung 1933−1945. Institutionen − Kompetenzen − Betätigungsfelder, Berlin 2011, S. 154.

8 Vgl. § 8 Abs. 1 StG-DDR, eingefügt durch das Strafrechtsänderungsgesetz vom 11.12.1957, GBl.-DDR, S. 643 f.; siehe auch Gudrun von Kowalski: Homosexualität in der DDR, Ein historischer Abriss, Marburg 1987, S. 19.

9 Gesetzblatt DDR I, S. 1 und S. 97.

10 5. Strafrechtsänderungsgesetz vom 14.12.1988, Gesetzblatt DDR I, Nr. 29, S. 335.

Verfolgung in der Bundesrepublik Deutschland

Die Bundesrepublik Deutschland ging einen anderen Weg. Sie behielt die strenge 175er-Version der Nationalsozialisten für lange Zeit bei. Hintergrund waren vor allem mehrere Kontrollratsgesetze der Alliierten, die nur diejenigen deutschen Gesetze außer Kraft setzten, die auf spezifisch nationalsozialistischem Gedankengut beruhten.[11] Dazu wurden die §§ 175, 175a StGB aus Sicht der Bundesrepublik — anders als in der DDR — gerade nicht gezählt.[12] Auch der Bundesgerichtshof meldete in zwei aus heutiger Sicht unrühmlichen Urteilen von 1951[13] und 1952[14] keine Zweifel an hinsichtlich der Gültigkeit der beiden Paragraphen. Rückblickend ist diese Rechtsprechung deswegen so überraschend, weil die Nationalsozialisten immer wieder enge Verbindungen zwischen Judentum und Homosexualität unterstellt hatten. §§ 175 und 175a StGB sind insofern sehr wohl in starkem Maße weltanschaulich geprägt gewesen.[15] Im Jahr 1957 erhoben sodann zwei Männer Verfassungsbeschwerde,[16] nachdem sie aufgrund von § 175 StGB verurteilt worden waren. Das Bundesverfassungsgericht (BVerfG) bestätigte die Norm allerdings vollumfänglich. Einerseits rechtfertigten biologische Unterschiede die verschiedene Behandlung beispielsweise vis-á-vis (straffreier) lesbischer Handlungen, so das höchste deutsche Gericht;[17] andererseits sei homosexuelle Sexualität zwar Teil der Persönlichkeitsentfaltung, verstoße aber eindeutig gegen das Sittengesetz, so die Karlsruher Richter.[18]

---

11 Vgl. Gesetz Nr. 1 bzgl. der Aufhebung von Nazi-Gesetzen vom 20.9.1945, Amtsblatt KontrollR Nr. 1 vom 29.10.1945, S. 6−8; danach auch Gesetz Nr. 11 bzgl. der Aufhebung einzelner Bestimmungen des deutschen Strafrechts, Amtsblatt KontrollR Nr. 11 vom 30.1.1946, S. 55.

12 Johannes Wasmuth: Verfassungsrechtliche Notwendigkeit der Rehabilitierung Homosexueller wegen strafrechtlicher Verfolgung durch bundesdeutsche Justiz, in: Jürgen Becker/Reto M. Hilty/Jean-Fritz Stöckli/Thomas Würtenberger (Hrsg.): Recht im Wandel seines sozialen und technologischen Umfeldes. Festschrift für Manfred Rehbinder, München 2002, S. 777−817, hier S. 778. Vertiefend zu dem Thema, siehe Matthias Etzel: Die Aufhebung von nationalsozialistischen Gesetzen durch den Alliierten Kontrollrat (1945−1948), Tübingen 1992.

13 BGH NJW 1951, 810.

14 BGH NJW 1952, 796.

15 Christian Schäfer: „Widernatürliche Unzucht" (§§ 175, 175a, 175b, 182 a.F. StGB): Reformdiskussion und Gesetzgebung seit 1945, Berlin 2006, S. 295.

16 BVerfGE 6, 389 ff.

17 BVerfGE 6, 389 (425 ff.).

18 BVerfGE 6, 389 (434 f.).

Mit dem Gesetz vom 25. Juni 1969[19] änderte der bundesrepublikanische Gesetzgeber den § 175 StGB wesentlich. Die „einfache" Homosexualität unter Erwachsenen wurde straffrei. Nur wenn besondere Umstände hinzutraten, etwa die Involvierung von unter 21-Jährigen, ein Abhängigkeitsverhältnis zwischen Sexualpartnern oder die Gewerbsmäßigkeit, bestand die Strafbarkeit weiter. Mit dieser gesetzlichen Änderung einher ging naturgemäß die drastische Verringerung der Zahl der Verurteilungen. Hatte das Gesetz von 1969 noch eine abgestufte und widersprüchliche Altersgrenze vorgesehen,[20] wurde diese 1973 ebenfalls angepasst,[21] so dass eine Strafbarkeit von Männern über 18 Jahren für sexuelle Handlungen mit Männern unter 18 Jahren etabliert wurde.

Im Jahr 1973 wurde der § 175 StGB in Karlsruhe durch einen Vorlagebeschluss eines Jugendschöffengerichtes ein zweites Mal herausgefordert.[22] In seinem Beschluss stellte das BVerfG allerdings erneut klar, dass homosexuelle und heterosexuelle Handlungen unterschiedlicher gesetzlicher Würdigung bedürften, ebenso wie schwule und lesbische Sexualität.[23] Insbesondere seien verschiedene Altersgrenzen gerechtfertigt, denn § 175 StGB schütze Jugendliche vor Schädigung ihrer Entwicklung durch homosexuelle Verführung (sog. „Verführungstheorie").[24]

Erst 1994 wurde § 175 StGB in der Bundesrepublik abgeschafft.[25] Ein bitterer Beigeschmack dabei ist, dass die Diskussion wesentlich mitveranlasst

---

19 Erstes Gesetz zur Reform des Strafrechts vom 25.6.1969, BGBl. I 1969, S. 645–682.

20 Nach § 175 Abs. 1 Nr. 1 StGB a. F. machte sich strafbar „ein Mann über achtzehn Jahre, der mit einem Mann unter 21 Jahren Unzucht treibt [...]." Die unterschiedliche Altergrenze stieß auf viel Unverständnis und Kritik, vgl. etwa Manfred Bruns: Die strafrechtliche Verfolgung homosexueller Männer in der BRD nach 1945, in: Landesstelle für Gleichbehandlung – gegen Diskriminierung (Hrsg.): § 175 StGB. Rehabilitierung der nach 1945 verurteilten homosexuellen Männer, Berlin 2012, S. 26–44, hier S. 32; Christian Schäfer: Das Ringen um § 175 während der Post-Adenauer-Ära: Der überfällige Wandel von einer Sitten- zu einer Jugendvorschrift, in: Andreas Pretzel/Volker Weiß (Hrsg.): Ohnmacht und Aufbegehren. Homosexuelle Männer in der frühen Bundesrepublik. Geschichte der Homosexuellen in Deutschland nach 1945, Bd. 1, Hamburg 2010, S. 189–209, hier S. 204 f.

21 4. Gesetz zur Reform des Strafrechtes vom 23.11.1973, BGBl. I 1973, S. 1725.

22 BVerfGE 36, 41 ff.

23 BVerfGE 36, 41(45).

24 BVerfGE 36, 41(45 f.).

25 Neunundzwanzigstes Strafrechtsänderungsgesetz – §§ 175, 182 StGB vom 31.5.1994, BGBl. I 1994, S. 1168–1169.

wurde durch das rein rechtstechnische Bedürfnis, die Rechtslage im Bundes-
und im Beitrittsgebiet zu vereinheitlichen. Was in Westberlin strafbewehrt
war, konnte nicht in Ostberlin straffrei sein. Grund war also primär die Notwendigkeit der Vereinheitlichung, nicht ein gewandeltes Unrechtsverständ-
nis. Insofern wurde eine neue geschlechtsneutrale Jugendschutzvorschrift
(der bis heute bestehende § 182 StGB) eingeführt. Im Jahr 2002 kassierte der
Bundestag mit einem Federstrich sodann sogar alle § 175-Urteile der Nationalsozialisten (ausgenommen Verurteilungen nach § 175a Nr. 3 RStGB) mit
einem Aufhebungsgesetz.[26]

Gutachten der Antidiskriminierungsstelle des Bundes

Im Jahr 2015 kam Bewegung in die Frage der Rehabilitierung und Entschädigung. Die Antidiskriminierungsstelle des Bundes, die dieser im Jahr 2006
gemäß § 25 Abs. 1 AGG neu begründet hatte,[27] erteilte dem Münchner
Rechtsgelehrten Martin Burgi den Auftrag, die rechtlichen und tatsächlichen Möglichkeiten zur Rehabilitierung auch derjenigen Männer zu erörtern, die in der Bundesrepublik aufgrund von § 175 StGB verurteilt worden
waren. In ihrem Gutachten[28] zeigen Martin Burgi und sein Co-Autor Daniel
Wolff eine verfassungsrechtliche Legitimation für staatliche Rehabilitie-
rungsmaßnahmen von Betroffenen auf, die überzeugend an den gegenwärtigen (nicht vergangenen) Zustand eines fortbestehenden Strafmakels aufgrund der mit Verfassungsrecht unvereinbaren Vorschrift des § 175 StGB
anknüpft.[29] Grundlagen dafür seien Schutzpflichten des Staates, wie sie
sich aus den Grundrechten ergeben, sowie das Rechts- und Sozialstaatsprin-
zip des Grundgesetzes.[30] Die beiden Autoren schlagen verschiedene Möglichkeiten für den Gesetzgeber zur Behandlung dieses Problems vor, unter
anderem die Aufhebung der einschlägigen Strafurteile durch Gesetz (ähnlich wie 2002 für die NS-Urteile) sowie eine kollektive Entschädigungsleis-

---

26 Gesetz zur Änderung des Gesetzes zur Aufhebung nationalsozialistischer Un-
   rechtsurteile in der Strafrechtspflege (NS-AufhGÄndG) vom 23.7.2002 (BGBl. I
   S. 2714).
27 Allgemeines Gleichbehandlungsgesetz (AGG) vom 14.8.2006 (BGBl. I S. 1897).
28 Antidiskriminierungsstelle des Bundes (Hrsg.): Rehabilitierung der nach § 175
   StGB verurteilten homosexuellen Männer: Auftrag, Optionen und verfassungsrechtlicher Rahmen. Rechtsgutachten von Professor Dr. Martin Burgi, Baden-Baden 2016 (Burgi-Gutachten).
29 Burgi-Gutachten (wie Anm. 28), S. 11.
30 Burgi-Gutachten (wie Anm. 28), S. 11.

tung für Aufklärungsprojekte, Erinnerungs- und Bildungsveranstaltungen.[31]

In der Tat liegt die Aufhebung dieser Urteile gegen homosexuelle Männer nahe. Denn oft wurde in der Diskussion der enge Bezug zum NS-Unrecht unterschätzt, wenn nicht sogar unter den Teppich gekehrt. Der fragliche Paragraph — ehemals im RStGB, sodann im StGB — blieb haargenau derselbe. Auch zahllose Richter blieben nach 1949 bekanntermaßen in Amt und Würden. Recht und Rechtsanwender blieben also gleich. Wenn aber die Urteile der Nazis allesamt bereits im Jahr 2002 vom Parlament kassiert wurden, so musste man sich fragen, warum es für die Urteile (derselben Richter und aufgrund derselben Strafnorm), die in der Bundesrepublik ergangen waren, so viel länger gedauert hat. An der Vergleichbarkeit der rechtlichen Situation kann eigentlich kein ernsthafter Zweifel bestehen.

Burgi und Wolff fordern in ihrem Gutachten eine generelle Regelung, keine Einzelfallregelung. Eine bloße Erweiterung des Wiederaufnahmetatbestandes des § 359 StPO sei ebenso ungeeignet wie Einzelfallentscheidungen über Entschädigungsleistungen. Viele Akten seien mittlerweile nicht mehr auffindbar; es entstünde ein enormer Verfahrensaufwand. Auch für die Betroffenen sei es eher unzumutbar, in einen Rechtsstreit gegen den Staat ziehen zu müssen.[32] Da ein klar abgrenzbarer Kreis von Betroffenen bestünde und ein qualifizierter Verfassungsverstoß vorliege, sei eine Durchbrechung der eigentlich bestehenden Rechtssicherheit als Ausprägung des Rechtsstaatsprinzips an dieser Stelle durchaus angezeigt.[33] Denn letztendlich läge wohl, so die Autoren, ein Eingriff in den unantastbaren Kernbereich privater Lebensgestaltung des allgemeinen Persönlichkeitsrechts (Art. 2,1 i. V. m. Art. 1,1 GG) vor; jedenfalls sei ein solcher staatlicher Eingriff unverhältnismäßig.[34] Eine Verletzung der Gewaltenteilung sei ebenso wenig gegeben wie eine ungerechtfertigte Ungleichbehandlung gegenüber anderen Personen, die wegen Strafnormen verurteilt wurden, die heute nicht mehr gültig sind.[35]

---

31 Burgi-Gutachten (wie Anm. 28), S. 12.
32 Burgi-Gutachten (wie Anm. 28), S. 68f.
33 Burgi-Gutachten (wie Anm. 28), S. 83 ff.
34 Burgi-Gutachten (wie Anm. 28), S. 13.
35 Burgi-Gutachten (wie Anm. 28), S. 13.

Gesetzliche Neuregelung und kritische Würdigung

Das Gesetz, das das Gutachten umsetzt, vom Bundestag einstimmig beschlossen wurde und nun seit Juli 2017 gültig ist, sieht insbesondere vor, dass die betroffenen Urteile aufgehoben werden.[36] Ausgeschlossen davon sind nur Verurteilungen wegen sexueller Handlungen, die auch unter Heterosexuellen zu der Zeit strafbar waren.[37] Zusätzlich zahlt der Staat den Betroffenen eine pauschale Vergütung von 3000 Euro pro Urteil sowie 1500 Euro zusätzlich pro angefangenem Gefängnisjahr.[38] Die Bundesstiftung Magnus Hirschfeld, deren satzungsgemäßer Auftrag es unter anderem ist, einer gesellschaftlichen Diskriminierung von Lesben, Schwulen, Bisexuellen, Transsexuellen, trans- und intergeschlechtlichen sowie queeren Personen (LSBTTIQ-Personen) in Deutschland entgegenzuwirken, erhält außerdem im Zusammenhang mit der Rehabilitierung der nach dem damaligen § 175 StGB Verurteilten eine jährliche Zustiftung von 500 000 Euro ab 2017.[39]

Der deutsche Gesetzgeber hat nun also, siebzig Jahre nach Gründung der Bundesrepublik, die verfehlte Verurteilungspraxis nach § 175 StGB aus den ersten Jahrzehnten seines Bestehens neu bewertet und den Weg für Rehabilitierung, Entschädigung und Erinnerung freigemacht. Ganz sicher ist dies eine positive politische Entwicklung, allerdings verbleiben einige Wermutstropfen, die in der allseits herrschenden Euphorie nicht gänzlich verschwiegen werden sollen.

Erstens: Eine dauerhafte Rente für Personen, die nicht aufgrund von Verurteilungen, aber wegen Ermittlungs- und (eingestellten) Strafverfahren Schaden erlitten haben, ist im Gesetz nicht ausreichend vorgesehen. In Einzelfällen ist die geplante Höhe der Entschädigung sicher viel zu gering, um tatsächlich widerfahrene finanzielle Schäden auch nur im Ansatz aufzufangen. Ein stärkerer Fokus auf Härtefallregelungen wäre angebracht gewesen.

---

36 § 1 StrRehaHomG lautet „(1) Wer wegen einvernehmlicher homosexueller Handlungen als Täter verurteilt wurde, wird rehabilitiert, indem mit diesem Gesetz die strafgerichtlichen Urteile aufgehoben werden [...]."

37 § 1 StrRehaHomG lautet: „(1) [...] es sei denn, den Verurteilungen liegen sexuelle Handlungen mit Personen unter 16 Jahren oder Handlungen zugrunde, die den Tatbestand des § 174, des § 174a, des § 174b, des § 174c oder des § 182 des Strafgesetzbuches in der am 22.7.2017 geltenden Fassung erfüllen."

38 § 5 Abs. 2 StrRehaHomG.

39 Vgl. Bekanntmachung der Stiftung auf ihrer Website unter http://mh-stiftung.¬de/newsletters/newsletter-der-bundesstiftung-magnus-hirschfeld-12017 (letzter Zugriff am 24.8.2017).

Zweitens: Selbstverständlich kommt diese Regelung viel zu spät. Natürlich gilt auch hier der Grundsatz: Besser spät als nie. Es geht hier aber nicht um ein paar Jahre, sondern um ein paar Jahrzehnte. Viele der Betroffenen sind mittlerweile verstorben. Das Bundesjustizministerium dürfte nur mit ein paar Hundert Anträgen rechnen. Sicher ist diese geringe Zahl auch ein Grund, warum Entschädigungen überhaupt zugelassen werden, denn die finanziellen Implikationen erscheinen dem Ministerium wohl überschaubar. Insofern ist die Zustiftung an die Magnus Hirschfeld Stiftung umso wichtiger, denn durch sie kann auch an die nicht mehr lebenden Verurteilten erinnert und ihr Vermächtnis somit fortgeführt werden.

Drittens: In der in Deutschland geführten Debatte wird nur allzu oft verkannt, dass es hier nicht um eine großmütige „Wohltat" des Staates geht. Ganz im Gegenteil: Der deutsche Staat war und ist im europäischen Vergleich häufig eher ein Nachzügler bei der Einräumung von Rechten für Homosexuelle.[40] Deutschland unterliegt menschenrechtlichen Verpflichtungen, sowohl global als auch im europäischen Verbund. So schützt etwa Art. 8 der Europäischen Menschenrechtskonvention (EMRK)[41] das Familien- und Privatleben. Art. 14 EMRK verbietet zudem staatliche Diskriminierung. Der Europäische Gerichtshof für Menschenrechte (EGMR) bzw. die bis 1998 aktive Europäische Kommission für Menschenrechte, die über die Einhaltung der Konvention wacht, hatte ursprünglich zwar noch Gesetze gegen Homosexualität gebilligt (so etwa 1955 in *W. B. gegen Deutschland*[42] und 1975 in *X. gegen Deutschland*;[43] beide sind für unzulässig erklärt worden). Schon seit den 1980er-Jahren hatten sich die Straßburger Richter allerdings sehr viel progressiver in puncto Schutz von LSBTTIQ-Rechten gezeigt, so etwa 1981 in *Dudgeon gegen UK*,[44] 1988 in *Norris gegen Irland*,[45] 1993 in *Modinos gegen Zypern* oder 2003 in *L. u. V. gegen Österreich*.[46] Auch wenn durch den

---

40 Stephan Heichel/Adrian Rinscheid: Ein klassischer Fall von Inkrementalismus: Die Liberalisierung der Regulierung von Homosexualität, in: Christoph Knill/Stephan Heichel/Caroline Preidel/Kerstin Nebel (Hrsg.): Moralpolitik in Deutschland. Staatliche Regulierung gesellschaftlicher Wertekonflikte im historischen und internationalen Vergleich, Wiesbaden 2015, S. 127–146, hier S. 132.

41 BGBl. II, 1952, S. 686 und S. 689.

42 EKMR, Entscheidung vom 17.12.1955, W. B. v. Bundesrepublik Deutschland, 104/55.

43 EKMR, Entscheidung vom 30.9.1975, X. v. Bundesrepublik Deutschland, 5935/72.

44 EGMR, Fall Dudgeon v. UK, Urteil vom 22.10.1981, 7525/76.

45 EGMR, Fall Norris v. Irland, Urteil vom 26.10.1988, 10581/83.

46 EGMR, Fall L. u. V. v. Österreich, Urteil vom 9.4.2003, 39392/98, 39829/98. Im Folgenden ergingen noch mehrere weitere Urteile gegen Österreich, in denen

EGMR bisher kein Urteil vorliegt, das die Rehabilitierung und Entschädigung Homosexueller fordert, so lässt sich doch ein ganz klarer Trend zum Schutz von LGBTTIQ-Personen ausmachen. Wiederholt hat der EGMR betont, dass er die Bestimmungen der Konvention progressiv, vergleichbar einem lebenden Baum, interpretiert.[47] Und da, wie das BVerfG in seiner berühmten Görgülü-Rechtsprechung klargestellt hat,[48] die EMRK bei der Interpretation des Grundgesetzes herangezogen werden muss, wirken diese europäischen Urteile auch klar in die deutsche Rechtsordnung hinein. Der deutsche Gesetzgeber liegt also auf einer Linie mit den Vorgaben der EMRK — man mag vielleicht sogar sagen, dass die EMRK, in der genannten progressiven Interpretation, die sie durch die Straßburger Richter über die letzten Jahre erhalten hat, ein solches nationales Gesetz zur Rehabilitierung und Entschädigung von Homosexuellen nahelegt.

Ein weiterer Wermutstropfen hat sich indes in Wohlgefallen aufgelöst. Es bestand noch Anfang des Jahres 2017 die weit verbreitete Befürchtung, dass die Entschädigung der „175er" eigentlich über eine andere Tatsache hinwegtrösten sollte: die noch immer nicht bestehende volle Gleichberechtigung Homosexueller, insbesondere durch das Fehlen einer sogenannten „Ehe für alle". Es wurde gemeinhin angenommen, die Regierung wolle der LSBTTIQ-Gemeinde ein Trostpflaster verpassen, da die längst überfällige „Ehe für alle" erst in der neuen Legislaturperiode (2017−2021) zu erwarten sei. Seit dem 30. Juni 2017 — der Tag, an dem der Bundestag den Gesetzentwurf des Bundesrates „zur Einführung des Rechts auf Eheschließung für Personen gleichen Geschlechts" verabschiedete[49] — wissen wir, dass sich zumindest diese Befürchtung letztendlich nicht bewahrheitet hat.

Literatur

Antidiskriminierungsstelle des Bundes (Hrsg.): Rehabilitierung der nach § 175 StGB verurteilten homosexuellen Männer: Auftrag, Optionen und verfassungsrechtlicher Rahmen. Rechtsgutachten von Professor Dr. Martin Burgi, Baden-Baden 2016.

---

der Gerichtshof wiederholt die verschiedenen Schutzalter für homo- und heterosexuelle Handlungen als konventionswidrig einstufte.

47 Sog. Living Instrument Doktrin, vgl. z. B. EGMR, Fall Goodwin gegen UK, Urteil vom 11.7.2002, 28957/95.

48 BVerfG, Beschluss v. 14.10.2004, 2 BVR 1481/04, BVerfGE 111, 307−332.

49 Deutscher Bundestag, 18. Wahlperiode, Drucksache 18/6665, Gesetzentwurf des Bundesrates über den „Entwurf eines Gesetzes zur Einführung des Rechts auf Eheschließung für Personen gleichen Geschlechts" vom 11.11.2015, sowie Drucksache 18/12989, Beschlussempfehlung und Bericht des Ausschusses für Recht und Verbraucherschutz (6. Ausschuss) vom 28.6.2017.

Grau, Günter: Homosexualität in der NS-Zeit. Dokumente einer Diskriminierung und Verfolgung, Frankfurt/M. 2004.

Grau, Günter/Lautmann, Rüdiger: Lexikon der Homosexuellenverfolgung 1933 – 1945. Institutionen – Kompetenzen – Betätigungsfelder, Berlin 2011.

Heichel, Stephan/Rinscheid, Adrian: Ein klassischer Fall von Inkrementalismus: Die Liberalisierung der Regulierung von Homosexualität, in: Christoph Knill/Stephan Heichel/Caroline Preidel/Kerstin Nebel (Hrsg.): Moralpolitik in Deutschland. Staatliche Regulierung gesellschaftlicher Wertekonflikte im historischen und internationalen Vergleich, Wiesbaden 2015, S. 127 – 146.

Kowalski, Gudrun von: Homosexualität in der DDR, Ein historischer Abriss, Marburg 1987.

Landesstelle für Gleichbehandlung – gegen Diskriminierung (Hrsg.): § 175 StGB. Rehabilitierung der nach 1945 verurteilten homosexuellen Männer, Berlin 2012.

Lautmann, Rüdiger: Abolition der Vergangenheit. Lässt sich rechtsstaatliches Strafrecht rückwirkend aufheben?, in: Kriminologisches Journal 43 (2011), S. 268 – 287.

Schäfer, Christian: Das Ringen um § 175 während der Post-Adenauer-Ära: Der überfällige Wandel von einer Sitten- zu einer Jugendvorschrift, in: Andreas Pretzel/Volker Weiß (Hrsg.): Ohnmacht und Aufbegehren. Homosexuelle Männer in der frühen Bundesrepublik. Geschichte der Homosexuellen in Deutschland nach 1945, Bd. 1, Hamburg 2010.

Schäfer, Christian: „Widernatürliche Unzucht" (§§ 175, 175a, 175b, 182 a.F. StGB): Reformdiskussion und Gesetzgebung seit 1945, Berlin 2006.

Thinius, Bert: Verwandlung und Fall des Paragraphen 175 in der Deutschen Demokratischen Republik, in: Matthias Grimm (Hrsg.): Die Geschichte des § 175. Strafrecht gegen Homosexuelle, Berlin 1990.

Wasmuth, Johannes: Verfassungsrechtliche Notwendigkeit der Rehabilitierung Homosexueller wegen strafrechtlicher Verfolgung durch bundesdeutsche Justiz, in: Jürgen Becker/Reto M. Hilty/Jean-Fritz Stöckli/Thomas Würtenberger (Hrsg.): Recht im Wandel seines sozialen und technologischen Umfeldes. Festschrift für Manfred Rehbinder, München 2002, S. 777 – 817.

Carolin Küppers

Zwischen Mehrfachdiskriminierung und Aneignung – queere Geflüchtete in Deutschland

Die Entscheidung der Bundesregierung zu einer „Politik der offenen Grenzen" im Spätsommer 2015 führte zu einer heftig geführten Debatte in Politik und Gesellschaft, die sich in der Bandbreite zwischen der neuen „Willkommenskultur", dem „Wir schaffen das" der Bundeskanzlerin Angela Merkel, paternalistischen Zuschreibungen, rassistischem *Backlash* und rechtspopulistischer Propaganda aufspannte. In dieser Gemengelage und einer generell bewussteren Wahrnehmung von Fluchtbewegungen nach Europa wurde auch eine spezifische Gruppe sichtbarer in den Fokus der Diskussion gerückt: lesbische, schwule, bisexuelle, trans*, intergeschlechtliche und queere Menschen (kurz LSBTIQ), die migriert oder geflüchtet sind.

Diese Diskussion um LSBTIQ-Geflüchtete ist von starken Ambivalenzen geprägt, die sich in den Lebensrealitäten der Betroffenen fortsetzen. Die Hoffnung, nun die eigene Identität frei und offen ausleben zu können, wird oft nur zum Teil erfüllt, da sie auch in Deutschland mit verschiedenen Formen von Homo- und Trans*feindlichkeiten konfrontiert sind. Es zeigen sich dabei deutliche Zusammenhänge von Sexualität, Geschlecht, Ethnizität, rassisierten Zuschreibungen, Migrationserfahrung und Nationalität, die jedoch sehr unterschiedlich gelagert sind und die die jeweiligen Lebensrealitäten und Diskriminierungserfahrungen strukturieren. Diesen verschiedenen Ambivalenzen auf diskursiver und subjektiver Ebene geht dieser Beitrag nach.[1]

Die aktuelle Situation von LSBTIQ-Geflüchteten in Deutschland

Geschlechtsspezifische Verfolgung ist in Deutschland seit 2005 ein anerkannter Asylgrund (EU-Qualifikationsrichtlinie 2011/95/EU). Hierunter fallen Formen sexualisierter Gewalt und die Diskriminierung aufgrund von Ge-

---

1 Ich danke Simon Werner für seine umfassende Recherche und Aufbereitung des Forschungsstands zu LSBTIQ-Fluchtmigration und Kristina Hens für das sorgfältige Lektorat.

schlecht oder sexueller Orientierung. Das Fundament der Rechtsprechung bildet in Abwesenheit eines ursprünglichen spezifischen Hinweises auf die Verfolgung aufgrund sexueller Orientierung die Kategorisierung von sexuellen Minderheiten als „besondere soziale Gruppe" im Sinne der Genfer Flüchtlingskonvention von 1951.[2] Schätzungen zufolge sind rund zehn Prozent der seit 2015 eingereisten Geflüchteten Menschen marginalisierter sexueller Orientierungen oder geschlechtlicher Identitäten.[3] Sie sind in Deutschland — auch wenn ihnen hier rechtlich gesehen keine Verfolgung droht — mit spezifischen Formen von Diskriminierungen konfrontiert. Dies steht häufig im Widerspruch zu der weithin verbreiteten Vorstellung, in den Zielländern vor der Flucht sicher zu sein.[4] So sind LSBTIQ-Geflüchtete häufig bereits in den Erstaufnahmestellen und Sammelunterkünften mit verschiedensten Fragen zur Sicherheit konfrontiert — sowohl durch rechtspopulistische und neonazistische Propaganda oder Übergriffe, aber auch durch Anfeindungen oder Übergriffe durch das Wachpersonal oder die Mitbewohner_innen vor Ort.[5] Zu homo- und trans*-feindlichen Übergriffen kommt es häufig insbesondere dann, wenn queere Geflüchtete in ländlichen Gebieten untergebracht werden.[6] Zudem häufen sich derzeit Berichte über das diskriminierende Verhalten von hauptamtlichen Mitarbeiter_innen und Dolmetscher_innen im Asylprozess. Hinzu kommt, dass die Möglichkeit, Asyl aufgrund von Verfolgung wegen der eigenen sexuellen Orientierung zu beantragen, nicht hinreichend bekannt ist. Hier fehlen konkrete Unterstützungsangebote, die LSBTIQ-Geflüchteten Kenntnisse über beziehungsweise Zugang zu LSBTIQ-Einrichtungen in Deutschland ermöglichen.

---

2 Siehe die explizite Bestätigung des Europäischen Gerichtshofs (EuGH) 2013: http¬ ://curia.europa.eu/juris/document/document.jsf?text=&docid=144215&pageIndex=¬ 0&doclang=DE&mode=lst&dir=&occ=first&part=1&cid=684606 (Zugriff am 28.6. 2017).

3 Vgl. Rainbow Refugees Deutschland, 2015 (http://rainbowrefugees.de/index.php/¬ de; Zugriff am 28.6.2017).

4 Vgl. Linda Piwowarczyk/Pedro Fernandez/Anita Sharma: Seeking Asylum. Challenges Faced by the LGB Community, in: Journal of Immigrant and Minority Health 2016, S. 1—10, hier S. 7.

5 Vgl. Marc Thielen: Trügerische Sicherheit — Homophobie als Quelle problematischer Lebenssituationen schwuler Flüchtlinge aus dem Iran im deutschen Asyl, in: Feministische Studien 24 (2006), S. 290—302, hier S. 293.

6 Vgl. Ines Keygnaert/Aurore Guieu: What the Eye Does Not See. A Critical Interpretive Synthesis of European Union Policies Addressing Sexual Violence in Vulnerable Migrants, in: Reproductive Health Matters 23 (2015), S. 45—55, hier S. 45 ff.

Die Migration und/oder Flucht queerer Menschen lässt sich in der Regel nicht monokausal erklären. Häufig ist eine Flucht nicht nur durch die sexuelle Orientierung oder geschlechtliche Identität bedingt, sondern auch durch weitere äußere Umstände wie Kriege oder andere unsichere Lebensbedingungen im Herkunftsland. Ebenso kann im Fall vieler LSBTIQs, die nicht aus unmittelbaren Krisengebieten einreisen, eher von Migration gesprochen werden. Diese Migration ist häufig zugleich sowohl die Reaktion auf strukturelle Verfolgung als auch ein Rückgewinn an Autonomie durch die Migrant_innen.[7] Im Folgenden wird daher von Fluchtmigration gesprochen, um den verschiedenen Gründen und Kontexten gerecht zu werden, die LSBTIQs dazu bringen, ihr Herkunftsland zu verlassen.

Auf biographischer Ebene ist Fluchtmigration oftmals ein Neubeginn im doppelten Sinn. Neben einem Ortswechsel findet auch, analog zu innerstaatlicher Land-Stadt-Migration, ein Wechsel des gesellschaftlichen Kontexts statt, der ein Coming-Out und die Realisation queerer Lebensstile ermöglicht.[8] Fluchtmigration kann jedoch nicht nur als emanzipatorischer Prozess betrachtet werden, sondern bedeutet häufig auch eine Restrukturierung von Ungleichheiten.[9] So sind queere Migrant_innen im Zielland meist multiplen Diskriminierungsprozessen ausgesetzt, sowohl wegen ihrer sexuellen Orientierung oder geschlechtlichen Identität als auch aufgrund rassifizierter oder ethnisierter Zuschreibungen.

Alia Khannum[10] ist aus Pakistan nach Deutschland migriert. Freund_innen hatten ihr zu diesem Schritt geraten, da sie in Pakistan als Transfrau nicht offen leben konnte. Die Ankunft in Deutschland entsprach jedoch nicht wirklich dem, was sie sich vorgestellt hatte.

„Als ich in Deutschland angekommen bin, war alles anders, als ich dachte. Auch hier bin ich sehr viel Transphobie begegnet. Ich meine, die Gesetze hier sind rich-

---

7 Vgl. Fabian Georgi: Widersprüche im langen Sommer der Migration. Ansätze einer materialistischen Grenzregimeanalyse, in: PROKLA 46 (2016), S. 183–203, hier S. 194; sowie Elisabeth Tuider/Miriam Trzeciak: Migration, Doing difference und Geschlecht, in: Julia Reuter/Mecheril (Hrsg.): Schlüsselwerke der Migrationsforschung. Pionierstudien und Referenztheorien, Wiesbaden 2015, S. 361–378, hier S. 364.

8 Vgl. Olivia M. Espin: Leaving the Nation and Joining the Tribe. Lesbian Immigrants Crossing Geographical, in: Sexualities 19 (1996), S. 99–107, hier S. 100.

9 Vgl. Eithne Luibhéid: Queer/Migration. An Unruly Body of Scholarship, in: GLQ: A Journal of Lesbian and Gay Studies 14 (2008), S. 169–190, hier S. 170.

10 An dieser Stelle danke ich Alia Khannum sehr herzlich für das Gespräch vom 25.5.2017, auf das die folgenden Darstellungen zurückgehen und die freundliche Autorisierung, ihre Aussagen veröffentlichen zu dürfen.

tig, aber die Menschen sind sehr konservativ. Sie halten sich zwar an die Gesetze, zum Glück, sonst gäbe es sicher mehr Gewalt gegen Trans*-Menschen, aber Diskriminierung gibt es trotzdem sehr viel",

berichtet Alia Khannum im Mai 2017 über ihre ersten Eindrücke. Zwar haben sich durchaus einige Dinge für sie verbessert und sie konnte mit der Transition[11] beginnen, doch auch hier ist sie nach wie vor mit Trans*feindlichkeit konfrontiert, die häufig mit Rassismus verschränkt ist. Auf ihrer Arbeitsstelle beispielsweise hat es über ein halbes Jahr gedauert, bis sie einen neuen Ausweis auf ihren weiblichen Namen und ein Schließfach im Frauenbereich bekommen hat. Erst nachdem sie eine Beschwerde bei der Antidiskriminierungsstelle des Bundes eingereicht hatte, bekam sie die Zusage, dass dies nun verändert werden solle. Aber selbst danach zog sich die Umsetzung noch über einen beträchtlichen Zeitraum hin, in dem sie mit falschen Versprechungen hingehalten wurde. Gleichzeitig wurde von ihrem Arbeitgeber gegenüber der Antidiskriminierungsstelle behauptet, alles sei in bester Ordnung. „Die dachten, ich bin ja nur eine Ausländerin und verstehe nicht, was sie mir sagen. Dabei hatte mir die Antidiskriminierungsstelle den Brief schon weitergeleitet und ich wusste, dass sie lügen", kommentiert Alia Khannum diese Vorfälle.

Diskriminierungserfahrungen dieser Art machen die meisten LSBTIQ-Geflüchteten und -Migrant_innen. Die Rassismuserfahrungen queerer Migrant_innen sind dabei auch spezifisch, denn häufig wird ihre *Queerness* aufgrund stereotyper rassistischer Vorstellungen nicht anerkannt oder gar nicht erst wahrgenommen. Eithne Luibhéid spricht daher auch von LSBTIQ-Migrant_innen als „unmöglichen Subjekten", die im Zielland dafür kämpfen müssen, als das gesehen und anerkannt zu werden, als das sie sich selbst verstehen.[12] Sie machen intersektionale Diskriminierungserfahrungen, da sie sowohl als Migrant_innen als auch als queere Menschen im Bezugsrahmen des Nationalstaats als fremd konstruiert werden.[13]

Dies hat auch Auswirkungen auf die jeweiligen Asylverfahren. Insgesamt stellen LSBTIQs im Asylsystem eine strukturell benachteiligte und oft übersehene Gruppe dar. Die oben erwähnte Einordnung von LSBTIQs als „spezi-

---

11 Transition (lat. transitus = Übergang, Durchgang) bezeichnet den Prozess der körperlichen und sozialen Geschlechtsangleichung bei Trans*-Menschen. Die körperliche Geschlechtsangleichung wird meist mit der Einnahme von Geschlechtshormonen begonnen.

12 Luibhéid, Queer/Migration (wie Anm. 9), S. 171.

13 Vgl. Karma R. Chávez: Border (in) Securities. Normative and Differential Belonging in LGBTQ and Immigrant Rights Discourse, in: Communication and Critical/Cultural Studies 7 (2010), S. 136 – 155, hier S. 137.

fische soziale Gruppe" im Asylrecht führt zu einer besonderen Beweislast der Gruppenzugehörigkeit für Antragsteller_innen im Anerkennungsverfahren.[14] Konkret müssen LSBTIQ-Asylantragstellende inzwischen nicht mehr nur eine persönliche Verfolgung, sondern die Mitgliedschaft in einer strukturell verfolgten Gruppe darlegen.[15] Dies ist insofern schwierig, da die Gruppenzugehörigkeit von LSBTIQs von außen nicht erkenntlich ist und auch nicht – wie bei manch anderen Gruppenzugehörigkeiten – über Generationen stabil bleibt.[16] Aufgrund individueller Verfolgungsgeschichten sowie teilweise auch Gewalterfahrungen und Traumata besteht jedoch bei vielen queeren Geflüchteten ein Vorbehalt davor, sexuelle Orientierung als Asylgrund vom Beginn des Verfahrens an offen zu benennen.[17] Die eigene Homosexualität erst zu einem späteren Zeitpunkt im Verfahren zu erwähnen wird jedoch wiederum seitens der Justiz als unglaubwürdig gewertet.[18]

Zentral für den Verfahrenserfolg ist daher, dass die persönlichen Geschichten der Antragsteller_innen als authentisch und konsistent anerkannt werden.[19] Glaubwürdigkeit wird von behördlicher Seite vor allem mit Detailfragen zu Szenenstrukturen des Heimatlands überprüft. Auch der Kontakt zu LSBTIQ-Strukturen im Zielland kann als Maßstab gelten.[20] Dabei werden oftmals nur bestimmte Beweismaterialien akzeptiert, wie beispiels-

---

14 Vgl. Eric Fassin/Manuela Salcedo: Becoming Gay? Immigration Policies and the Truth of Sexual Identity, in: Archives of Sexual Behavior 44 (2015), S. 1117–1125, hier S. 1120.

15 Vgl. LSVD: Asylrecht für Lesben und Schwule (www.lsvd.de/recht/ratgeber/asyl¬recht/asylrecht-fuer-lesben-und-schwule.html; Zugriff am 28.6.2017)

16 Vgl. Derek McGhee: Queer Strangers. Lesbian and Gay Refugees, in: Feminist Review 73 (2003), S. 145–147, hier S. 145; sowie Jenni Millbank: A Preoccupation with Perversion. The British Response to Refugee Claims on the Basis of Sexual Orientation, 1989–2003, in: Social & Legal Studies 14 (2005), S. 115–138, hier S. 119.

17 Vgl. Laurie Berg/Jenni Millbank: Constructing the Personal Narratives of Lesbian, Gay and Bisexual Asylum Claimants in: Journal of Refugee Studies 22 (2009), S. 195–223, hier S. 199.

18 Vgl. Martin Bertschi: Die asylrechtliche Behandlung der Verfolgung wegen Homosexualität, in: Asyl – Schweizerische Zeitschrift für Asylrechtspraktiker 22 (2007), S. 3–10, hier S. 9.

19 Vgl. Nora Markard/Laura Adamietz: Keep It in the Closet? Flüchtlingsanerkennung wegen Homosexualität auf dem Prüfstand, in: Kritische Justiz 44 (2011), S. 294–302, hier S. 300; sowie Sabine Jansen/Thomas Spijkerboor: Fleeing Homophobia. Asylum Claims Related to Sexual Orientation and Gender Identity in Europe, Amsterdam 2011, S. 47.

20 Vgl. Senthorun Raj: Affective Displacements – Understanding Emotions and Sexualities in Refugee Law, in: Alternative LJ 36 (2011), S. 177–181, hier S. 179.

weise Photomaterial oder Strafanzeigen, die explizit aufgrund homosexueller Handlungen erfolgt sind. Ebenso ermöglichen nur bestimmte „Geschichten" die Chance auf Anerkennung. So beeinträchtigt bereits der positive Kontakt zur Herkunftsfamilie die Glaubwürdigkeit. Infolgedessen werden die Erzählungen von queeren Geflüchteten häufig taktisch geprägt, etwa durch die bewusste Darstellung als „Opfer" oder das Verschweigen vorhergehender heterosexueller Beziehungen oder Ehen.[21] Dadurch, dass sich nur bestimmte Erzählungen im Asylverfahren als erfolgreich erweisen, werden diese häufiger reproduziert. Dies führt wiederum dazu, dass das Bild, das von queeren Geflüchteten und Migrant_innen sichtbar wird, nicht die Vielfalt an Geschichten und Erfahrungen abbildet, die durchaus vorhanden ist.

Diese normativen Annahmen im Asylverfahren produzieren unterschiedliche Grade von Sichtbarkeiten. Vor allem lesbischen Frauen wird eine „kulturelle Stille" zugeschrieben. Häufig besteht auf Seiten der Entscheider auch die Erwartung, von geschlechtsspezifischen Gewalterfahrungen zu hören.[22] Daran gekoppelt ist die stereotype Vorstellung von Migration als einer vor allem männlichen Aktivität, die weibliche und vor allem auch lesbische Migration unsichtbar macht.[23] Der höhere Anteil sowohl männlicher Geflüchteter allgemein als auch von schwulen Männern unter LSBTIQ-Geflüchteten ist dabei freilich keine reine Vorstellung, sondern entspricht durchaus den tatsächlichen Zahlen. Diese verdeutlichen, wie Fatima El-Tayeb anmerkt, dass das neoliberale Konzept vermeintlich grenzenloser Mobilität keinesfalls universell ist, sondern die bestehenden Machtstrukturen reflektiert und verstärkt, insbesondere was den Zugang zu ökonomischen Ressourcen betrifft.[24]

---

21 Vgl. Toni Johnson: On Silence, Sexuality and Skeletons. Reconceptualizing Narrative in Asylum Hearings, in: Social & Legal Studies 20 (2011), S. 57–78, hier S. 62; sowie Rachel Lewis: The Cultural Politics of Lesbian Asylum. Angelina Maccarone's *Unveiled* (2005) and the Case of the Lesbian Asylum-Seeker, in: International Feminist Journal of Politics 12 (2010), S. 424–443, hier S. 430.

22 Vgl. Amy Shuman/Carol Bohmer: Gender and Cultural Silences in the Political Asylum Process, in: Sexualities 17 (2014), S. 939–957, hier S. 940.

23 Vgl. Eithne Luibhéid: Sexuality, Migration, and the Shifting Line between Legal and Illegal Status, in: GLQ: A Journal of Lesbian and Gay Studies 14 (2008), S. 289–315, hier S. 297; sowie Tuider/Trzeciak, Migration, Doing difference und Geschlecht (wie Anm. 7), S. 362.

24 Vgl. Fatima El-Tayeb: Gays Who Cannot Properly Be Gay. Queer Muslims in the Neoliberal European City, in: European Journal of Women's Studies 19 (2012), S. 79–95, hier S. 82. Dies drückt sich auch in geringeren Anerkennungsraten von lesbischen Geflüchteten aus, vgl. Rachel Lewis: „Gay? Prove it": The Politics

Ambivalente Diskurse

In der deutschen Öffentlichkeit veränderte sich die Einstellung gegenüber Geflüchteten nach den um die Welt gegangenen Bildern der Willkommenskultur am Münchener Hauptbahnhof vor allem durch die „Kölner Silvesternacht" und später durch die Gewalttaten von Würzburg und Ansbach. Kritiker_innen der ersten Stunde fühlten sich dadurch in ihren Warnungen bestätigt. Zunehmend gewannen nun wieder diffuse Ängste und Vorurteile im Diskurs über Geflüchtete die Oberhand.[25] Selbst in der *Frankfurter Allgemeinen Zeitung* wurde das Stereotyp transportiert, dass das, „was in der Kölner Silvesternacht passiere, […] wie selbstverständlich, am helllichten Tag hunderttausendfach in Nordafrika und in der arabischen Welt" passiere.[26] Der Diskurs veränderte sich, die Aufnahme von Geflüchteten wurde nicht mehr hauptsächlich als wirtschaftliche oder logistische Herausforderung wahrgenommen, sondern zunehmend als kultureller Konflikt. Rassistische Ansichten wie diese waren freilich zu jeder Zeit im Diskurs präsent. Es gab jedoch nur ein kurzes Zeitfenster, in dem sie weniger sichtbar waren. Die Herkunft der Migrant_innen und ihre vermeintliche „Kulturfremdheit" rückten nun verstärkt in den Mittelpunkt. Die Debatte um Multikulturalismus wurde wiederbelebt, in der unter anderem die (Un-)Vereinbarkeit von aufgeklärten, emanzipatorischen Werten einerseits und Islam andererseits ein zentraler Streitpunkt ist.

Geflüchteten und Migrant_innen werden in dieser Debatte sexistische und homofeindliche Ansichten zugeschrieben. Neben dem Schutz von (weißen)[27] Frauen nimmt dabei zunehmend auch der vermeintliche Schutz von Homosexuellen einen zentralen Platz ein. So zeigte etwa ein Plakatmotiv

---

of Queer Anti-deportation Activism, in: Sexualities 17 (2014), Special Issue: Queer Migration, Asylum, and Displacement, S. 958 – 975, hier S. 967.

25 Vgl. Herfried Münkler: Die Mitte und die Flüchtlingskrise, in: Aus Politik und Zeitgeschichte 66 (2016), S. 3 – 8, hier S. 7.

26 Frankfurter Allgemeine Zeitung vom 11.1.2016.

27 Der Begriff „weiß" bezeichnet im Folgenden keine Hautfarbe, sondern steht für eine gesellschaftlich zugewiesene Positionierung im Kontext struktureller, rassisierter Machtverhältnisse, in denen Menschen aufgrund einer weißen Positionierung privilegiert werden. „Weiß" wird daher im Folgenden klein und kursiv geschrieben, um zu verdeutlichen, dass es sich um eine gesellschaftliche Positionierung im Kontext rassistischer Strukturen handelt. Vgl. hierzu Antje Lann Hornscheidt/Adibeli Nduka-Agwu: Der Zusammenhang zwischen Rassismus und Sprache, in: dies.: (Hrsg.): Rassismus auf gut Deutsch. Ein kritisches Nachschlagewerk zu rassistischen Sprachhandlungen, Frankfurt/M. 2010, S. 11 – 52, hier S. 32 f.

der rechtspopulistischen Alternative für Deutschland (AfD) anlässlich der Landtagswahl 2016 in Berlin zwei schwule Männer mit der Bildunterschrift: „Mein Partner und ich legen keinen Wert auf die Bekanntschaft mit muslimischen Einwanderern, für die unsere Liebe eine Todsünde ist."[28] Migration wird somit als zentrale Gefahr für die in Deutschland scheinbar selbstverständliche sexuelle (und geschlechtliche) Vielfalt dargestellt. Dass die Sicherheit von Homosexuellen zum Wahlkampfthema der AfD werden konnte, verweist dabei weniger auf deren Engagement für den Schutz homo- und bisexueller, als vielmehr auf den Schutz primär *weißer* Körper und Subjekte gegenüber einer als intolerant oder gar terroristisch konstruierten Gefahr durch die migrantischen „Anderen".[29] Sexuelle Vielfalt wird dann als Wert in Kauf genommen, wenn mit ihr rassistische Forderungen legitimiert werden können. Die diskursive Figur des sexuell übergriffigen und gewaltbereiten muslimischen Manns wird somit zum „Anderen" der vermeintlich aufgeklärten und toleranten westlichen Gesellschaft.[30] Diese Instrumentalisierung steht in einem klaren Kontrast zu der an sich wenig LSBTIQ-freundlichen Politik der AfD und der gleichzeitigen Zunahme rassistisch motivierter Gewalt gegen Geflüchtete und Migrant_innen. Am 1. September 2016 wandte sich daher eine Gruppe von Journalist_innen und Wissenschaftler_innen mit dem *Berliner Manifest* medienwirksam gegen die „Instrumentalisierung von LSBTIQ* durch Rechtspopulist_innen".[31]

In dieser scheinbaren Konfrontation zwischen Fluchtmigration und sexueller Vielfalt erscheint die Rolle von LSBTIQ-Geflüchteten und -Migrant_innen von besonderem Interesse. Allein ihre Existenz und zunehmende diskursive Sichtbarkeit führt zu einer weiteren Ambivalenz, die sich zwi-

---

28 Vgl. www.queer.de/img/afd-laster-600-.jpg (Zugriff am 28.6.2017).

29 Vgl. Agnes Böhmelt/Katrin M. Kämpf/Matthias Mergl: Alles so schön bunt hier …?! Rassifizierte Diskurspraxen und Weißsein in „queeren" Zeiten, in: Dunja Brill/Gabriele Jähnert (Hrsg.): Diskurs_Feld Queer. Interdependenzen, Normierungen und (Sub)kultur. Zentrum für transdisziplinäre Geschlechterstudien Humboldt-Universität, Bulletin-Texte 36 (2009), S. 5–24, hier S. 18; sowie Jin Haritaworn: Women's Rights, Gay Rights and anti-Muslim Racism in Europe. Introduction, in: European Journal of Women's Studies 19 (2012), S. 73–78, hier S. 73.

30 Vgl. Marc Thielen: Prozesse männlich-sexueller Subjektpositionierungen in der transnationalen Migration zwischen Kontinuität und Wandel, in: Johannes Bilstein/Jutta Ecarius (Hrsg.): Kulturelle Differenzen und Globalisierung, Wiesbaden 2011, S. 215–234, hier S. 218 f.; sowie Koray Yılmaz-Günay: Karriere eines konstruierten Gegensatzes. Zehn Jahre „Muslime gegen Schwule". Sexualpolitiken seit dem 11. September 2001, Münster 2014, S. 9.

31 Vgl. www.berliner-manifest.de (Zugriff am 28.6.2017).

schen ihrer Mehrfachdiskriminierung und einer Konstruktion des bzw. der „guten Geflüchteten" aufspannt. Auf der einen Seite findet ein *Othering* qua Herkunft und sexueller Orientierung respektive geschlechtlicher Identität statt, das intersektional gelagert ist. Auf der anderen Seite zeichnet sich hier aber auch eine Aneignung queerer Geflüchteter ab, die als die „guten Geflüchteten" in Abgrenzung zu „islamistischen", „terroristischen", „barbarischen" *anderen* Geflüchteten dargestellt werden. Als „unmögliche Subjekte",[32] die sichtbar werden, erfahren sie eine Vereinnahmung durch die Mehrheitsgesellschaft. Sie werden als Teil „von uns" konstruiert, als trotz ihrer Herkunft westliche Subjekte, die hier nun endlich Sicherheit und Freiheit erfahren würden.

Narrative über queere Fluchtmigration bedienen sich — wie bereits dargestellt — häufig einer Vorstellung von Deutschland als toleranter, aufgeklärter und moderner Gesellschaft. Auffällig ist, dass dabei oft übergangen wird, wie jung die Rechte für LSBTIQs auch in Deutschland noch sind und dass auch hier von rechtlicher Gleichstellung noch keine Rede sein kann. Die Rhetorik über die Rechte von LSBTIQs wird vor allem dann aufgerufen, wenn es darum geht, der Gruppe der Migrant_innen eine Rückständigkeit hinsichtlich geschlechtlicher Gleichstellung und Akzeptanz queerer Lebensweisen sowie diskriminierendes Verhalten gegen Frauen und LSBTIQs zu unterstellen. Daraus resultierend wird sexuelle und geschlechtliche Diversität als vor allem *weißes*, westliches Merkmal verstanden. Die diskursive Figur des *weißen*, männlichen Schwulen dient dabei oft als Versinnbildlichung des internationalen Kampfes für Menschenrechte schlechthin.[33] Häufig wird sie gerade dann verwendet, wenn rassistische Politiken gerechtfertigt werden sollen. *Queerness*, Inklusivität und Toleranz werden somit als grundlegende „Zeichen westlicher Zivilisationen diskursiviert"[34] und im Gegenzug dazu werden (muslimische) Gesellschaften als rückständig skizziert und in neokoloniale Narrative von Aufklärung und Rettung eingebettet.[35] Dies führt wiederum zu der bereits erwähnten fehlenden Wahrnehmung und Anerkennung von LSBTIQ-Geflüchteten und -Migrant_innen. In diesem Zusammenhang werden

---

32 Vgl. Luibhéid, Queer/Migration (wie Anm. 9), S. 171.

33 Vgl. Umut Erel: Transnationale Migration, intime Beziehungen und BürgerInnen-rechte, in: Jutta Hartmann/Christian Klesse/Peter Wagenknecht/Bettina Fritzsche/Kristina Hackmann (Hrsg.): Heteronormativität. Empirische Studien zu Geschlecht, Sexualität und Macht, Wiesbaden 2007, S. 251–267, hier S. 263.

34 Vgl. Böhmelt/Kämpf/Mergl, Alles so schön bunt hier …?! (wie Anm. 29), S. 16.

35 Vgl. Sarah Bracke: From „Saving Women" to „Saving Gays". Rescue Narratives and Their Dis/continuities, in: European Journal of Women's Studies 19 (2012), S. 237–252, hier S. 244.

auch explizit queere und feministische Ansätze kritisiert, die Religion per se als patriarchal klassifizieren, wodurch eine Unvereinbarkeit von sexueller Vielfalt und jeglicher Religion konstruiert wird. Insbesondere die Existenz queerer Muslim_innen wird durch die Darstellung von sexueller Vielfalt und Islam als dichotome Kategorien undenkbar.[36] Diese werden dadurch gezwungen, sich in einem *Clash of Civilizations* zwischen Islam als inhärent patriarchaler Ideologie und einem vermeintlich säkularen Westen „richtig" zu positionieren.[37] Als einzige Möglichkeit, sexuelle und geschlechtliche Vielfalt ausleben zu können und insgesamt zu ermöglichen, wird dabei Integration gefordert.[38]

Viele queere Geflüchtete und Migrant_innen widersetzen sich gerade solchen scheinbaren „Lösungen" und kritisieren insbesondere die Forderung nach „Integration". Zum einen impliziert Integration, es gebe eine homogene Gemeinschaft, in die es sich integrieren lasse. Dies lässt außer Acht, wie divers Gesellschaft zu denken ist. Zum anderen vermittelt die Vorstellung von Integration, es wäre in erster Linie die Aufgabe von Geflüchteten und Migrant_innen, sich zu integrieren. Dies lässt außerdem außer Acht, dass an die Möglichkeit zur gesellschaftlichen Teilhabe stets auch Rechte gekoppelt sind, die wiederum vielen Geflüchteten und Migrant_innen verwehrt werden. Statt von Integration zu sprechen wäre vielmehr eine Forderung nach Partizipation und Teilhabe hilfreicher, die auch sprachlich die Wechselseitigkeit und Notwendigkeit von Aktivität und Offenheit auf allen Seiten transparent machen würde.

Inwiefern die Forderung nach Integration in einer häufig homo- und trans*-feindlichen Gesellschaft an den Lebensrealitäten von queeren Geflüchteten und -Migrant_innen vorbeigeht, hat auch Alia Khannum erfahren. Sie leitet Workshops, um auf die spezifische Situation von Trans*-Geflüchteten und -Migrant_innen in Deutschland aufmerksam zu machen. In diesem Kontext erfährt Alia Khannum immer wieder, wie viel sich in Deutschland noch ändern muss, um die Bedingungen für Trans*-Menschen allgemein und besonders für Trans*-Migrant_innen zu verbessern. Ihrer Ansicht nach sind es vor allem die Gesetze und die Gesetzestreue, die in Deutschland noch mehr

---

36 Vgl. Calogero Giametta: Rescued Subjects. The Question of Religiosity for Non-Heteronormative Asylum Seekers in the UK, in: Sexualities 17 (2014), S. 583–599, hier S. 583.

37 Vgl. El-Tayeb: Gays Who Cannot Properly Be Gay (wie Anm. 24), S. 85 ff.

38 Vgl. Kira Kosnick: Sexualität und Migrationsforschung. Das Unsichtbare, das Oxymoronische und heteronormatives „Othering", in: Helma Lutz/Maria Teresa Herrera Vivar/Linda Supik (Hrsg.): Fokus Intersektionalität, Wiesbaden 2010, S. 145–163, hier S. 150.

Übergriffe auf Trans*-Personen verhindern. Die Gesellschaft als solche beschreibt sie als sehr konservativ und wenig offen. Daher fordert sie, dass hier noch viel Aufklärungsarbeit gemacht werden müsse – auf dem Arbeitsamt, bei den Behörden, aber auch bei Dienstleistungsbetrieben wie etwa der Deutschen Bahn. Bei Letzterer kommt es nach wie vor regelmäßig vor, dass Trans*-Menschen die Weiterfahrt verweigert wird, wenn der Name auf Ausweis und Bahncard nicht übereinstimmt – auch wenn die betroffenen Personen den Ergänzungsausweis der Deutschen Gesellschaft für Transidentität und Intersexualität (DGTI) mit sich führen. Hier wird deutlich, dass für gleichberechtigte gesellschaftliche Teilhabe von LSBTIQ-Geflüchteten in Deutschland noch viel zu tun ist, was nicht durch die vereinfachte und zu kurz greifende Forderung nach Integration (in was auch immer) seitens der Geflüchteten und Migrant_innen gelöst werden kann.

Was nun?

Die Hoffnung vieler queerer Geflüchteter, die von Diskriminierung durchzogene Lebensrealität im Herkunftsland zurückzulassen, wird in Deutschland also oftmals nicht erfüllt. Mit der Einreise nach Deutschland setzen häufig neue Diskriminierungserfahrungen ein, die intersektional gelagert sind, also durch die Verschränkung von Rassismus, Sexismus sowie Homo- und Trans*-feindlichkeit hergestellt werden.[39] Trotzdem machen queere Geflüchtete in Deutschland zum Teil auch die Erfahrung, ihre eigenen Identitäten freier und selbstbestimmter ausleben zu können. Im Zusammenspiel mit den Mehrfachdiskriminierungen resultiert dies jedoch in Lebensrealitäten, die als ambivalent empfunden werden.

Nach der Ankunft in Deutschland wären für LSBTIQ-Geflüchtete also aufgrund dieser fortgesetzten Diskriminierungserfahrungen gute und niedrigschwellige Beratungsangebote notwendig. In einigen Städten wie Köln, Berlin oder München organisieren sich LSBTIQ-Geflüchtete bereits selbst und bauen – in Zusammenarbeit mit lokalen LSBTIQ-Strukturen – eigene Beratungs- und Unterstützungsstrukturen auf.[40] Die Möglichkeit, Netzwerke sowohl mit anderen Geflüchteten als auch mit der LSBTIQ-Community aufzubauen, ist von zentraler Bedeutung, um Unterstützung aufgrund der ge-

---

39 Vgl. Edward Ou Jin Lee/Shari Brotman: Identity, Refugeeness, Belonging. Experiences of Sexual Minority Refugees in Canada, in: Canadian Review of Sociology/Revue Canadienne de Sociologie 48 (2011), S. 241–274, hier S. 259 f.

40 Ein Beispiel hierfür ist die Gruppe SOFRA Cologne: www.stadt-koeln.de/leben-¬ in-koeln/soziales/fluechtlinge/angebote-fuer-fluechtlinge-refugees/sofra-cologne (Zugriff am 28.6.2017).

meinsamen Erfahrungen von Flucht und Rassismus sowie der Erfahrung von Homo- und Trans*-feindlichkeit bekommen zu können.

In der LSBTIQ-Community entsteht derzeit einerseits ein zunehmendes Bewusstsein über Flucht und Migration und das Bedürfnis, sich hier politisch und unterstützend einzubringen. Andererseits werden mit den derzeit verstärkten Migrationsbewegungen auch Sorgen um emanzipatorische Errungenschaften laut, die zum Teil jedoch in rassistische Zuschreibungen abgleiten. Antisexismus und Homofreundlichkeit werden als Marker für „moderne" Gesellschaften betrachtet und teilweise durch rechtsdemagogische Strömungen wie AfD und Pegida angeeignet. Dies führt zu einer Ambivalenz in der Debatte über queere Geflüchtete, die sich zwischen Mehrfachdiskriminierung und der Konstruktion des_der „guten Geflüchteten" in Abgrenzung zu vermeintlich „islamistischen" und „antimodernen" Geflüchteten bewegt. Um nicht in die eine oder andere Ansammlung von Stereotypen abzugleiten, ist ein differenzierter und emanzipativer Diskurs notwendig, der potenzielle Herausforderungen, aber auch Chancen und Möglichkeiten an der Schnittstelle von emanzipatorischen Politiken zu LSBTTIQ und Flucht/Asyl/Migration in den Blick nimmt — jenseits von Verallgemeinerungen und Paternalismus.

Literatur

Barglowski, Karolina/Amelina, Anna/Bilecen, Başak: „Sexualität" und „Transnationalität" aus intersektioneller Perspektive (www.researchgate.net/profile/Karolina_Barg¬lowski/publication/292988440_'Sexualitat'_und_'Transnationalitat'_aus_intersekti¬oneller_Perspektive/links/56ba33d108ae3af6847d699e.pdf; Zugriff am 3.7.2017).

Berg, Laurie/Millbank, Jenni: Constructing the Personal Narratives of Lesbian, Gay and Bisexual Asylum Claimants in: Journal of Refugee Studies 22 (2009), S. 195 – 223.

Bertschi, Martin: Die asylrechtliche Behandlung der Verfolgung wegen Homosexualität, in: Asyl — Schweizerische Zeitschrift für Asylrechtspraktiker 22 (2007), S. 3 – 10.

Böhmelt, Agnes/Kämpf, Katrin M./Mergl, Matthias: Alles so schön bunt hier …?! Rassifizierte Diskurspraxen und Weißsein in „queeren" Zeiten, in: Dunja Brill/Gabriele Jähnert (Hrsg.): Diskurs_Feld Queer. Interdependenzen, Normierungen und (Sub)kultur. Zentrum für transdisziplinäre Geschlechterstudien Humboldt-Universität, Bulletin-Texte 36 (2009), S. 5 – 24.

Bracke, Sarah: From „Saving Women" to „Saving Gays". Rescue Narratives and Their Dis/continuities, in: European Journal of Women's Studies 19 (2012), S. 237 – 252.

Chávez, Karma R.: Border (in) Securities. Normative and Differential Belonging in LGBTQ and Immigrant Rights Discourse, in: Communication and Critical/Cultural Studies 7 (2010), S. 136 – 155.

El-Tayeb, Fatima: Gays Who Cannot Properly Be Gay. Queer Muslims in the Neoliberal European City, in: European Journal of Women's Studies 19 (2012), S. 79–95.

Erel, Umut: Transnationale Migration, intime Beziehungen und BürgerInnenrechte, in: Jutta Hartmann/Christian Klesse/Peter Wagenknecht/Bettina Fritzsche/Kristina Hackmann (Hrsg.): Heteronormativität. Empirische Studien zu Geschlecht, Sexualität und Macht, Wiesbaden 2007, S. 251–267.

Espin, Olivia M.: Leaving the Nation and Joining the Tribe. Lesbian Immigrants Crossing Geographical, in: Sexualities 19 (1996), S. 99–107.

Fassin, Eric/Salcedo, Manuela: Becoming Gay? Immigration Policies and the Truth of Sexual Identity, in: Archives of Sexual Behavior 44 (2015), S. 1117–1125.

Georgi, Fabian: Widersprüche im langen Sommer der Migration. Ansätze einer materialistischen Grenzregimeanalyse, in: PROKLA 46 (2016), S. 183–203.

Giametta, Calogero: Rescued Subjects. The Question of Religiosity for Non-Heteronormative Asylum Seekers in the UK, in: Sexualities 17 (2014), S. 583–599.

Haritaworn, Jin: Women's Rights, Gay Rights and Anti-Muslim Racism in Europe. Introduction, in: European Journal of Women's Studies 19 (2012), S. 73–78.

Hornscheidt, Antje Lann/Nduka-Agwu, Adibeli: Der Zusammenhang zwischen Rassismus und Sprache, in: Adibeli Nduka-Agwu/Antje Lann Hornscheidt (Hrsg.): Rassismus auf gut Deutsch. Ein kritisches Nachschlagewerk zu rassistischen Sprachhandlungen, Frankfurt/M. 2010, S. 11–52.

Jansen, Sabine/Spijkerboor, Thomas: Fleeing Homophobia. Asylum Claims Related to Sexual Orientation and Gender Identity in Europe, Amsterdam 2011.

Johnson, Toni: On Silence, Sexuality and Skeletons. Reconceptualizing Narrative in Asylum Hearings, in: Social & Legal Studies 20 (2011), S. 57–78.

Keygnaert, Ines/Guieu, Aurore: What the Eye Does Not See. A Critical Interpretive Synthesis of European Union Policies Addressing Sexual Violence in Vulnerable Migrants, in: Reproductive Health Matters 23 (2015), S. 45–55.

Kosnick, Kira: A Clash of Subcultures? Questioning Queer–Muslim Antagonisms in the Neoliberal City, in: International Journal of Urban and Regional Research 39 (2015), S. 687–703.

Kosnick, Kira: Sexualität und Migrationsforschung. Das Unsichtbare, das Oxymoronische und heteronormatives „Othering", in: Helma Lutz/Maria Teresa Herrera Vivar/Linda Supik (Hrsg.): Fokus Intersektionalität, Wiesbaden 2010, S. 145–163.

Lewis, Rachel: The Cultural Politics of Lesbian Asylum. Angelina Maccarone's *Unveiled* (2005) and the Case of the Lesbian Asylum-Seeker, in: International Feminist Journal of Politics 12 (2010), S. 424–443.

Lewis, Rachel: „Gay? Prove it": The Politics of Queer Anti-deportation Activism, in: Sexualities 17 (2014), Special Issue: Queer Migration, Asylum, and Displacement, S. 958–975.

LSVD: Asylrecht für Lesben und Schwule (www.lsvd.de/recht/ratgeber/asylrecht/asyl¬recht-fuer-lesben-und-schwule.html).

Luibhéid, Eithne: Queer/Migration. An Unruly Body of Scholarship, in: GLQ: A Journal of Lesbian and Gay Studies 14 (2008), S. 169–190.

Luibhéid, Eithne: Sexuality, Migration, and the Shifting Line between Legal and Illegal Status, in: GLQ: A Journal of Lesbian and Gay Studies 14 (2008), S. 289–315.

Markard, Nora/Adamietz, Laura: Keep It in the Closet? Flüchtlingsanerkennung wegen Homosexualität auf dem Prüfstand, in: Kritische Justiz 44 (2011), S. 294 – 302.

McGhee, Derek: Queer Strangers. Lesbian and Gay Refugees, in: Feminist Review 73 (2003), S. 145 – 147.

Millbank, Jenni: A Preoccupation with Perversion. The British Response to Refugee Claims on the Basis of Sexual Orientation, 1989 – 2003, in: Social & Legal Studies 14 (2005), S. 115 – 138.

Münkler, Herfried: Die Mitte und die Flüchtlingskrise, in: Aus Politik und Zeitgeschichte 66 (2016), S. 3 – 8.

Ou Jin Lee, Edward/Brotman, Shari: Identity, Refugeeness, Belonging. Experiences of Sexual Minority Refugees in Canada, in: Canadian Review of Sociology/Revue Canadienne de Sociologie 48 (2011), S. 241 – 274.

Piwowarczyk, Linda/Fernandez, Pedro/Sharma, Anita: Seeking Asylum. Challenges Faced by the LGB Community, in: Journal of Immigrant and Minority Health 2016, S. 1 – 10.

Raj, Senthorun: Affective Displacements – Understanding Emotions and Sexualities in Refugee Law, in: Alternative LJ 36 (2011), S. 177 – 181.

Shuman, Amy/Bohmer Carol: Gender and Cultural Silences in the Political Asylum Process, in: Sexualities 17 (2014), S. 939 – 957.

Spijkerboer, Thomas (Hrsg.): Fleeing Homophobia: Sexual Orientation, Gender Identity and Asylum. Routledge Studies in Global Competition, London 2013.

Thielen, Marc: Prozesse männlich-sexueller Subjektpositionierungen in der transnationalen Migration zwischen Kontinuität und Wandel, in: Johannes Bilstein/Jutta Ecarius (Hrsg.): Kulturelle Differenzen und Globalisierung, Wiesbaden 2011, S. 215 – 234.

Thielen, Marc: Trügerische Sicherheit – Homophobie als Quelle problematischer Lebenssituationen schwuler Flüchtlinge aus dem Iran im deutschen Asyl, in: Feministische Studien 24 (2006), S. 290 – 302.

Tuider, Elisabeth/Trzeciak, Miriam: Migration, Doing difference und Geschlecht, in: Julia Reuter/Mecheril (Hrsg.): Schlüsselwerke der Migrationsforschung. Pionierstudien und Referenztheorien, Wiesbaden 2015, S. 361 – 378.

Yılmaz-Günay, Koray: Karriere eines konstruierten Gegensatzes. Zehn Jahre „Muslime gegen Schwule". Sexualpolitiken seit dem 11. September 2001, Münster 2014.

Bildnachweis

Archives départementales du Bas-Rhin, Strasbourg 160 (757 D 97), 186 (1134 W 20)

Bundesstiftung Magnus Hirschfeld, Berlin 202

British Museum 29 (Sloane 5218-172, © Trustees of the British Museum)

Bundesarchiv 80 (Bild 146-1975-050-24A)

dpa — Bildarchiv 73

Landesmedienzentrum Baden-Württemberg 124, 132

picture alliance 59

picture alliance (Markus C. Hurek) 84

picture alliance (akg-images) 42

picture alliance (Mary Evans Picture Library) 61

picture alliance (AKG) 69

Schwules Museum*, Berlin 92 (UKZ 1976 Nr. 11, S. 21), 97 (Lesbenstich Nr. 2, 1989)

Staatsarchiv Ludwigsburg 107 (StA LB F 263 I St 50), 108 (StA LB F 263 I St 50), 139 (StA LB E 180 VI Bü 396, S. 5), 141 (StA LB F 263 I St. 50), 150 (StA LB EL 76 Bü 4606, Q 108, S. 2), 166 (StA LB F 215 Bü 641–644), 171 (StA LB F 215 Bü 641), 173 (StA LB F 215 Bü 641, Abschnitt Damenimitatoren), 177 (StA LB F 215 Bü 641, Abschnitt Transvestismus), 194 (StA LB E 356d V Bü 5766)

Stadtgeschichtliches Museum Leipzig 122 (K/825/2006)

Sven Tröndle 197

ullstein-bild — Hans Hubmann 47

unbekannt 49, 54, 76, 127

Württembergische Landesbibliothek, Stuttgart 36 (Sig. Crim.R.qt. 136)

www.der-liebe-wegen.org 183

Bacher, Frederick, Dr., geb. 1983, ist Akademischer Mitarbeiter am Lehrstuhl für Neuere Geschichte an der Universität Stuttgart. Er ist Mitarbeiter am Forschungsprojekt „Geschichte der Landesministerien in Baden und Württemberg in der Zeit des Nationalsozialismus".

Baranowski, Daniel, Dr., geb. 1974, ist wissenschaftlicher Referent für Kultur, Geschichte und Erinnerung der Bundesstiftung Magnus Hirschfeld und Leiter des Interviewprojektes *Archiv der anderen Erinnerungen*. Er hat Veröffentlichungen zu den Themen *Oral History* und Zeugnistexte vorgelegt und arbeitet an einer Studie über das Thema Geschlecht/Sexualität im Werk der Pet Shop Boys.

Bogen, Ralf, geb. 1961, Verlagsangestellter, recherchiert und publiziert seit 2009 zum Thema Ausgrenzung und Verfolgung homosexueller Männer in Württemberg und leitet das Internetprojekt www.der-liebe-wegen.org. Er beteiligt sich an der Erinnerungs- und Menschenrechtsarbeit des Weissenburg e. V. (www.zentrum-weissenburg.de) und der Initiative Lern- und Gedenkort Hotel Silber e. V. (www.hotel-silber.de).

Cüppers, Martin, PD Dr., geb. 1966, ist wissenschaftlicher Leiter der Forschungsstelle Ludwigsburg der Universität Stuttgart. Er forscht zu nationalsozialistischen Verbrechen und deren Bewältigungsversuchen in der Nachkriegszeit.

Domeier, Norman, Dr. phil., geb. 1979, ist Akademischer Rat am Historischen Institut der Universität Stuttgart. Sein Forschungsinteresse umfasst die politische Kultur- und Mediengeschichte der europäischen Moderne, insbesondere das Verhältnis von Macht, Sexualität und Öffentlichkeit. Für sein Buch *Der Eulenburg-Skandal. Eine politische Kulturgeschichte des Kaiserreichs* (2010) hat er den „Geisteswissenschaften International"-Preis des Deutschen Börsenvereins erhalten. Aktuell arbeitet er an einer Habilitationsschrift zum Thema

Weltöffentlichkeit und Diktatur. Die ausländischen Journalisten und das Dritte Reich 1932–1946.

Fritz, Gerhard, Prof. Dr., geb. 1953, ist seit 2002 Professor für Geschichte und ihre Didaktik an der Pädagogischen Hochschule Schwäbisch Gmünd. Er hat zahlreiche Veröffentlichungen zur Geschichte des Mittelalters und der Neuzeit vorgelegt, zuletzt vor allem zur Geschichte der Kriminalität, der Sexualität und zum Ersten Weltkrieg.

Küppers, Carolin, Dr., ist Wissenschaftliche Referentin im Referat Gesellschaft, Teilhabe und Antidiskriminierung der Bundesstiftung Magnus Hirschfeld. Sie forscht zu medialen Diskursen über queere Fluchtmigration und leitet das Projekt *Refugees & Queers – Politische Bildung an der Schnittstelle von LSBTTIQ und Flucht/Migration/Asyl.*

Lücke, Martin, Prof. Dr., geb. 1975, ist Professor für Didaktik der Geschichte an der Freien Universität Berlin. Er arbeitet zu Themen der Sexualitäts- und Geschlechtergeschichte und ist einer der Initiatoren der Berliner *Queer History Month.*

Munier, Julia Noah, Dr. phil., geb. 1980, ist akademische Mitarbeiterin am Historischen Institut der Universität Stuttgart, Abteilung Neuere Geschichte. Sie ist in dem Projekt *LSBTTIQ in Baden und Württemberg* mit der Erforschung von *Lebenswelten und Verfolgungsschicksalen homosexueller Männer in Baden und Württemberg im NS und nach 1945* betraut. Ihre Doktorarbeit erschien unter dem Titel *Sexualisierte Nazis. Erinnerungskulturelle Subjektivierungspraktiken in Deutungsmustern von Nationalsozialismus und italienischem Faschismus* 2017 im Transcript-Verlag.

Plötz, Kirsten, Dr., geb. 1964, ist Historikerin mit Schwerpunkt Alltags- und Geschlechtergeschichte. Sie forscht seit Jahren unter anderem über lesbische Geschichte im 20. Jahrhundert (vor allem Weimarer Republik und Bundesrepublik).

Puff, Helmut, Prof. Dr., geb. 1961, ist Professor für Geschichte, Germanistik und Geschlechterstudien an der University of Michigan in Ann Arbor, USA. Er ist Autor zahlreicher Arbeiten zur Geschichte der Sexualität in Spätmittelalter und Früher Neuzeit. Seine Buchpublikationen umfassen u. a. *Sodomy in Reformation Germany and Switzerland* (2003) sowie *Miniature Monuments. Modeling German History* (2014).

Reusch, Nina, Dr., geb. 1983, war 2016 als wissenschaftliche Mitarbeiterin im Public-History-Projekt *LSBTTIQ in Baden und Württemberg* tätig. Derzeit arbeitet sie als wissenschaftliche Mitarbeiterin im Bereich Geschichtsdidaktik an der Freien Universität Berlin.

Schwab, Jean-Luc, geb. 1972, verfasste 2010 eine Biographie des Rosa-Winkel-Häftlings Rudolf Brazda (1913−2011) und 2015 eine Masterarbeit über die Homosexuellenverfolgung im annektierten Elsass. Er recherchiert weiter, sowohl in Frankreich (Sicherheitsverwahrung in der Südzone) als auch im Elsass und in Deutschland, mit dem Vorhaben, zum Thema *Homosexuelle Häftlinge im KL Natzweiler* zu promovieren.

Schwartz, Michael, Prof. Dr., geb. 1963, ist Wissenschaftlicher Mitarbeiter des Instituts für Zeitgeschichte München-Berlin und apl. Professor für Neuere und Neueste Geschichte an der Westfälischen Wilhelms-Universität Münster. Seit 2013 ist er Vorsitzender des Fachbeirats der Bundesstiftung Magnus Hirschfeld.

Steinle, Karl-Heinz, geb. 1962, ist Historiker mit Schwerpunkt Alltagsgeschichte. Er arbeitet als freier Mitarbeiter im Team des Archivs der anderen Erinnerungen der Bundesstiftung Magnus Hirschfeld und im Public-History-Projekt LSBTTIQ in Baden und Württemberg, dessen Webseite www.lsbttiq-bw-.de er betreut.

Thielbörger, Pierre, Prof. Dr., MPP (Harvard), geb. 1979, ist Direktor des Instituts für Friedenssicherungsrecht und Humanitäres Völkerrecht an der Ruhr-Universität Bochum. An der dortigen Juristischen Fakultät hält er auch den Lehrstuhl für Öffentliches Recht und Völkerrecht.

267